새로운 개정 교육과정 반영

UP
내신업
기말고사
대비
중학 수학 3·2

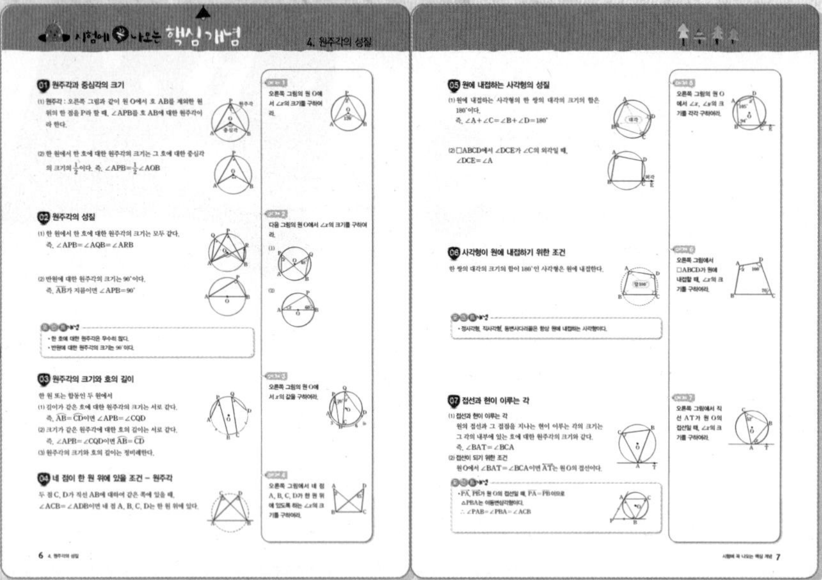

> 시험에 꼭 나오는 핵심 개념

각 단원에서 꼭 알아야 할 핵심 개념을 꼼꼼하게 정리하였고, 포인트 개념을 두어 중요한 개념을 한눈에 확인할 수 있도록 하였습니다.

> 예제

각 개념의 정의와 공식을 단순히 적용하여 학습한 개념을 바로 확인할 수 있는 기초 문제로 구성하였습니다.

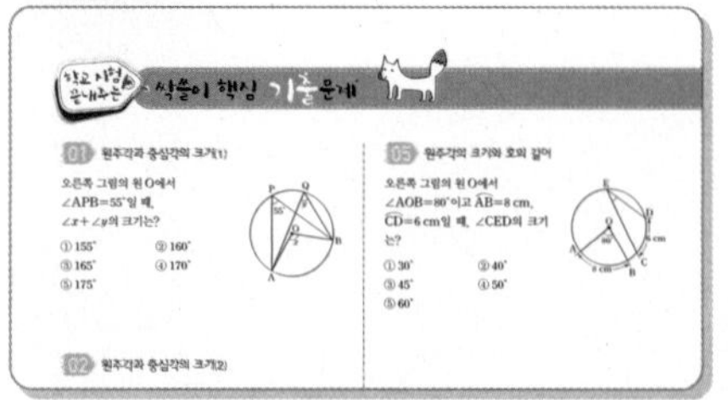

| 싹쓸이 핵심 기출문제 |

전국 1,000여 개 중학교의 5년간 기출문제를 분석하여 출제율이 높은 핵심 문제를 엄선하여 시험 직전에 최종 확인할 수 있도록 하였습니다.

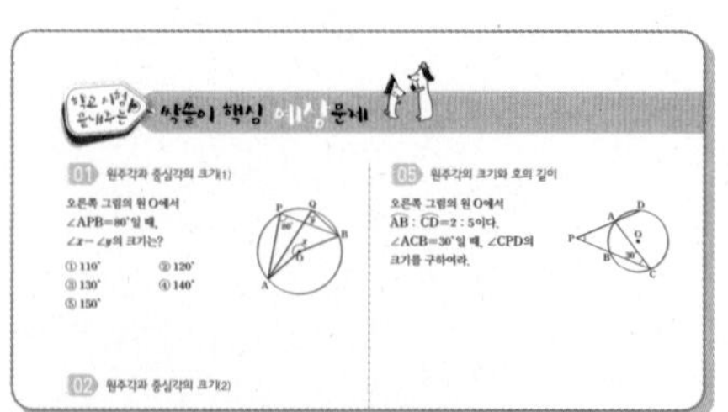

| 싹쓸이 핵심 예상문제 |

싹쓸이 핵심 기출문제의 유형에 대하여 '숫자를 바꾼 문제', '표현을 바꾼 문제'로 구성하여 유형을 확실히 익힐 수 있도록 하였습니다.

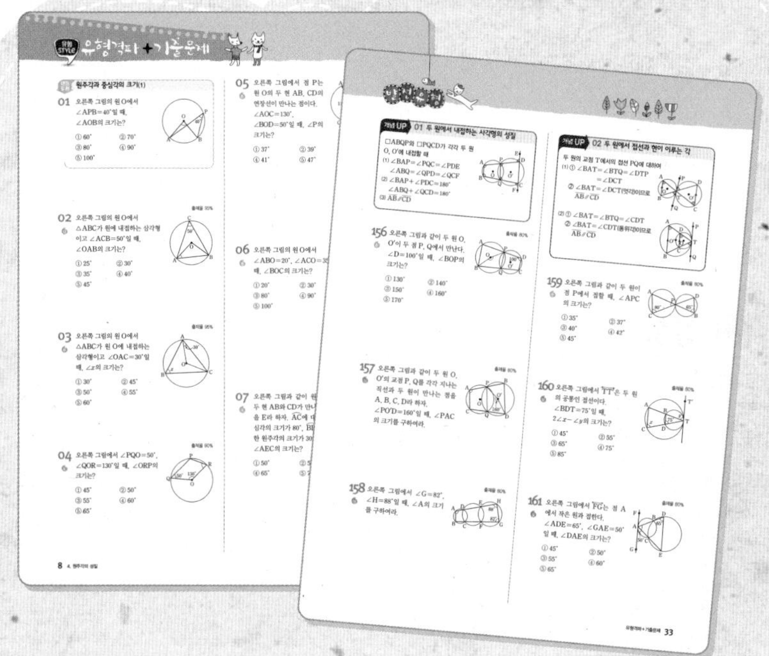

> 유형격파 + 기출문제

2015 개정 교육과정의 새 교과서와 전국 1,000여 개 중학교의 5년간 기출문제를 분석하여 시험에 꼭 나오는 대표유형과 그 유사문제를 난이도, 출제율과 함께 실었습니다.

> 내신 UP POINT

문제 해결을 위한 도움말을 제공하였습니다.

> 발전 유형

까다로운 기출문제를 유형별로 분석하여 발전 개념과 함께 구성하였습니다.

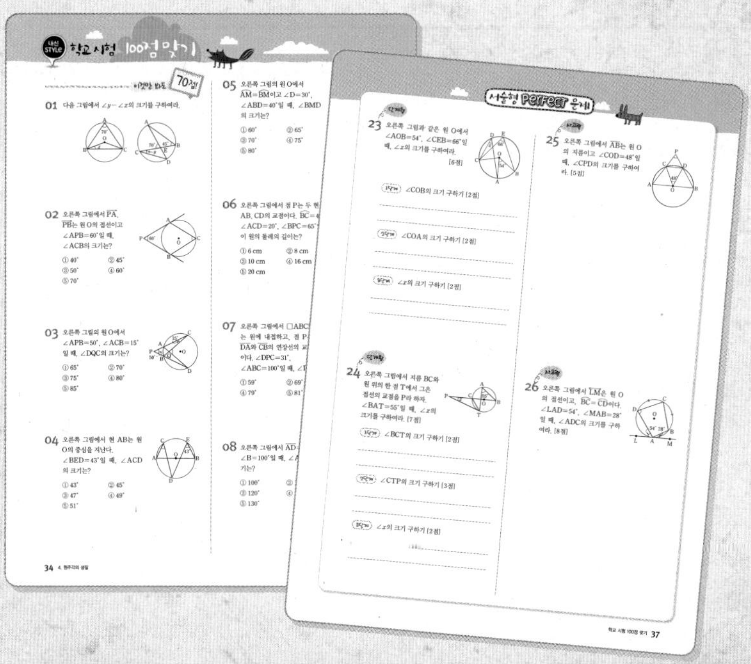

> 학교시험 100점 맞기

전국 1,000여 개 중학교의 5년간 기출 사이클 분석을 바탕으로 기말고사 적중률 100%에 도전하는 문제들을 수록하였습니다.

> 서술형 PERFECT 문제

실제 학교 시험과 유사한 서술형 문제로 단계형, 사고력 문제를 실었습니다.

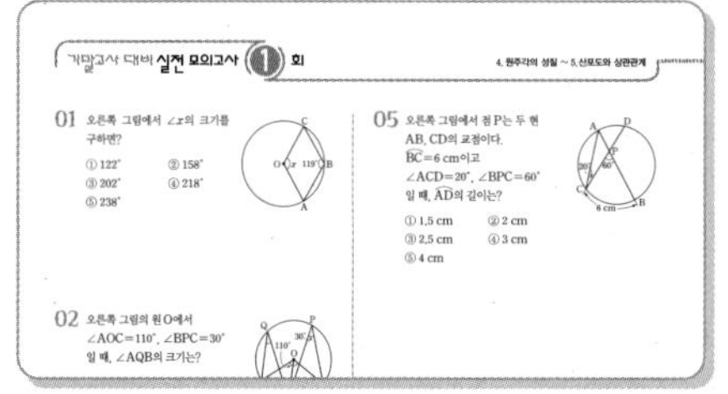

| 실전 모의고사 |

실제 시험과 같이 구성한 실전 모의고사를 총 6회 실어 시험에 대한 자신감을 기를 수 있도록 하였습니다.

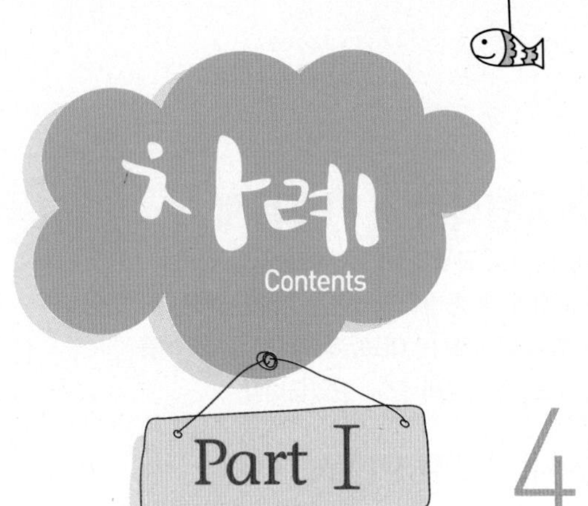

Part Ⅰ

Part I

시험에 꼭 나오는 핵심 개념

유형격파 + 기출문제

학교시험 100점 맞기

01 원주각과 중심각의 크기

(1) 원주각 : 오른쪽 그림과 같이 원 O에서 호 AB를 제외한 원 위의 한 점을 P라 할 때, $\angle APB$를 호 AB에 대한 원주각이라 한다.

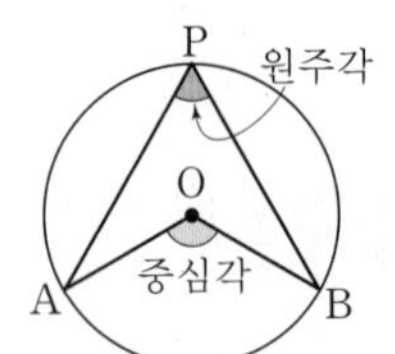

(2) 한 원에서 한 호에 대한 원주각의 크기는 그 호에 대한 중심각의 크기의 $\frac{1}{2}$이다. 즉, $\angle APB=\frac{1}{2}\angle AOB$

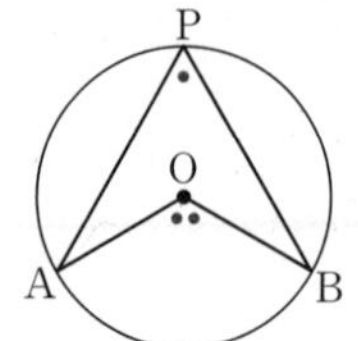

02 원주각의 성질

(1) 한 원에서 한 호에 대한 원주각의 크기는 모두 같다.
즉, $\angle APB=\angle AQB=\angle ARB$

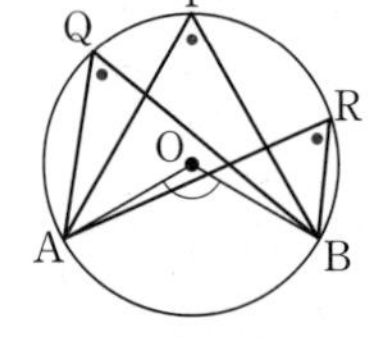

(2) 반원에 대한 원주각의 크기는 90°이다.
즉, $\overline{AB}$가 지름이면 $\angle APB=90°$

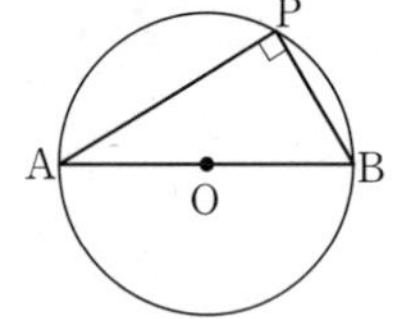

포인트 개념
- 한 호에 대한 원주각은 무수히 많다.
- 반원에 대한 원주각의 크기는 90°이다.

03 원주각의 크기와 호의 길이

한 원 또는 합동인 두 원에서
(1) 길이가 같은 호에 대한 원주각의 크기는 서로 같다.
즉, $\widehat{AB}=\widehat{CD}$이면 $\angle APB=\angle CQD$
(2) 크기가 같은 원주각에 대한 호의 길이는 서로 같다.
즉, $\angle APB=\angle CQD$이면 $\widehat{AB}=\widehat{CD}$
(3) 원주각의 크기와 호의 길이는 정비례한다.

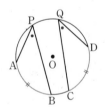

04 네 점이 한 원 위에 있을 조건 – 원주각

두 점 C, D가 직선 AB에 대하여 같은 쪽에 있을 때,
$\angle ACB=\angle ADB$이면 네 점 A, B, C, D는 한 원 위에 있다.

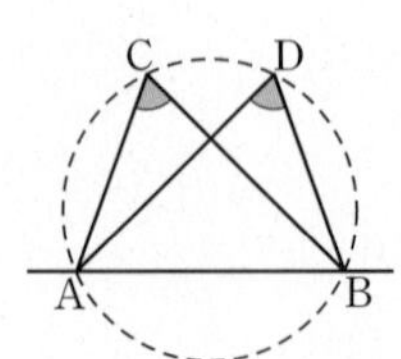

예제 1
오른쪽 그림의 원 O에서 $\angle x$의 크기를 구하여라.

예제 2
다음 그림의 원 O에서 $\angle x$의 크기를 구하여라.

(1)

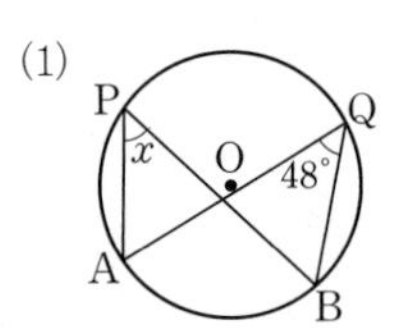

(2)

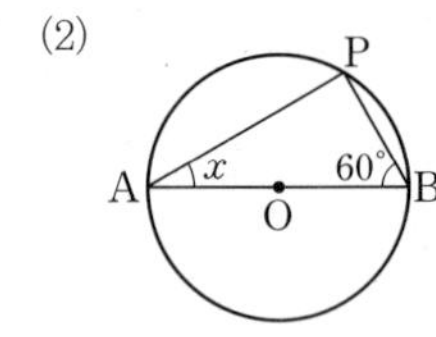

예제 3
오른쪽 그림의 원 O에서 x의 값을 구하여라.

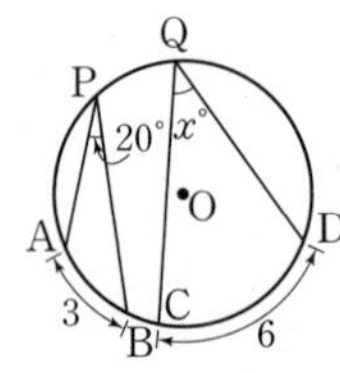

예제 4
오른쪽 그림에서 네 점 A, B, C, D가 한 원 위에 있도록 하는 $\angle x$의 크기를 구하여라.

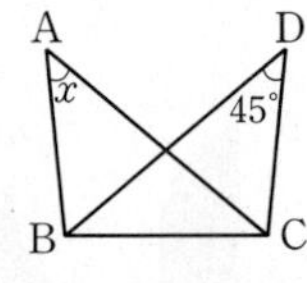

05 원에 내접하는 사각형의 성질

(1) 원에 내접하는 사각형의 한 쌍의 대각의 크기의 합은 180°이다.
즉, $\angle A+\angle C=\angle B+\angle D=180^{\circ}$

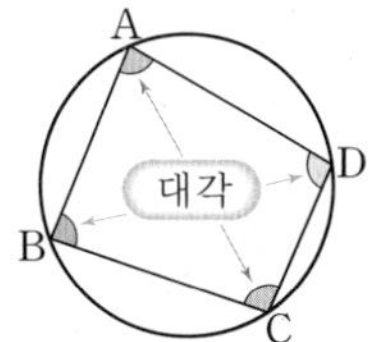

(2) □ABCD에서 ∠DCE가 ∠C의 외각일 때,
$\angle DCE=\angle A$

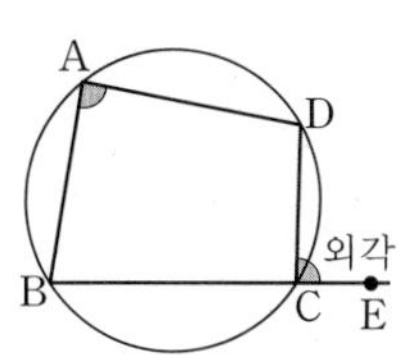

예제 5

오른쪽 그림의 원 O에서 $\angle x$, $\angle y$의 크기를 각각 구하여라.

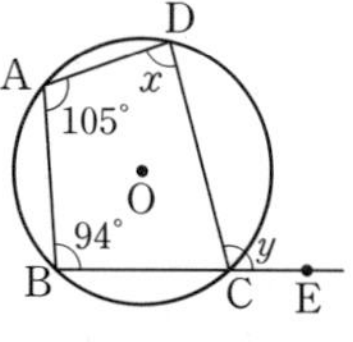

06 사각형이 원에 내접하기 위한 조건

한 쌍의 대각의 크기의 합이 180°인 사각형은 원에 내접한다.

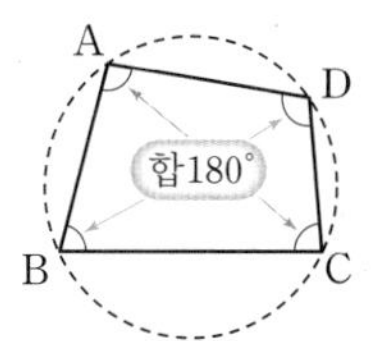

포인트 개념

• 정사각형, 직사각형, 등변사다리꼴은 항상 원에 내접하는 사각형이다.

예제 6

오른쪽 그림에서 □ABCD가 원에 내접할 때, $\angle x$의 크기를 구하여라.

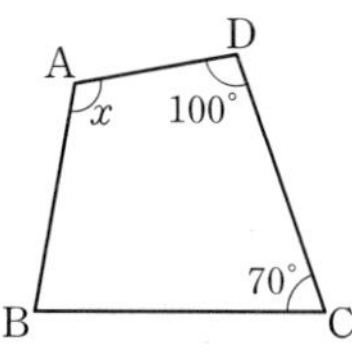

07 접선과 현이 이루는 각

(1) 접선과 현이 이루는 각
원의 접선과 그 접점을 지나는 현이 이루는 각의 크기는 그 각의 내부에 있는 호에 대한 원주각의 크기와 같다.
즉, $\angle BAT=\angle BCA$

(2) 접선이 되기 위한 조건
원 O에서 $\angle BAT=\angle BCA$이면 $\overleftrightarrow{AT}$는 원 O의 접선이다.

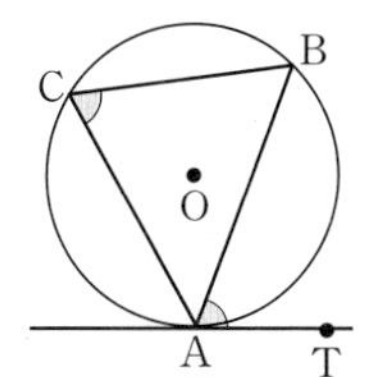

포인트 개념

• $\overline{PA}$, $\overline{PB}$가 원 O의 접선일 때, $\overline{PA}=\overline{PB}$이므로
△PBA는 이등변삼각형이다.
$\therefore \angle PAB=\angle PBA=\angle ACB$

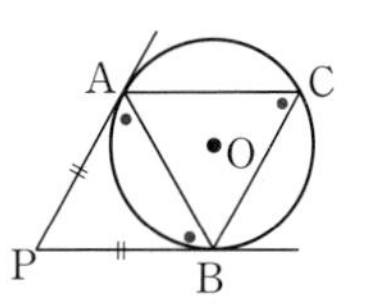

예제 7

오른쪽 그림에서 직선 AT가 원 O의 접선일 때, $\angle x$의 크기를 구하여라.

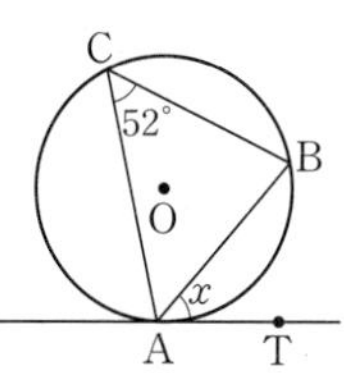

대표유형 원주각과 중심각의 크기(1)

01 오른쪽 그림의 원 O에서 $\angle APB=40^\circ$일 때, $\angle AOB$의 크기는?

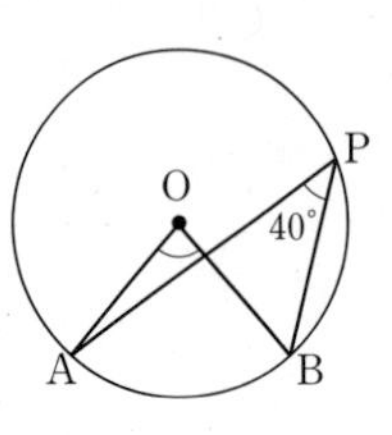

① 60° ② 70°
③ 80° ④ 90°
⑤ 100°

출제율 95%

02 (하) 오른쪽 그림의 원 O에서 $\triangle ABC$가 원에 내접하는 삼각형이고 $\angle ACB=50^\circ$일 때, $\angle OAB$의 크기는?

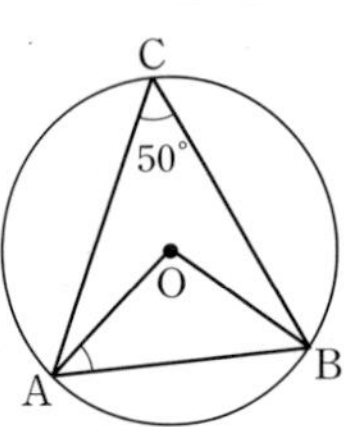

① 25° ② 30°
③ 35° ④ 40°
⑤ 45°

출제율 95%

03 (하) 오른쪽 그림의 원 O에서 $\triangle ABC$가 원 O에 내접하는 삼각형이고 $\angle OAC=30^\circ$일 때, $\angle x$의 크기는?

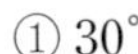

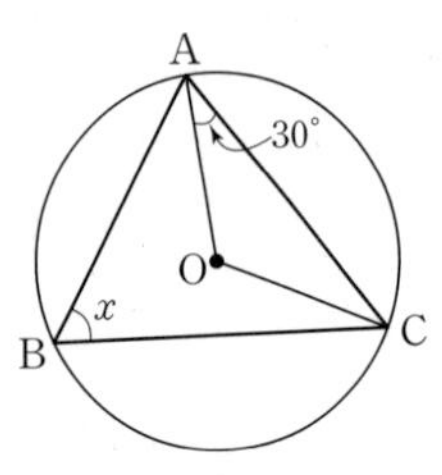

① 30° ② 45°
③ 50° ④ 55°
⑤ 60°

출제율 90%

04 (하) 오른쪽 그림에서 $\angle PQO=50^\circ$, $\angle QOR=130^\circ$일 때, $\angle ORP$의 크기는?

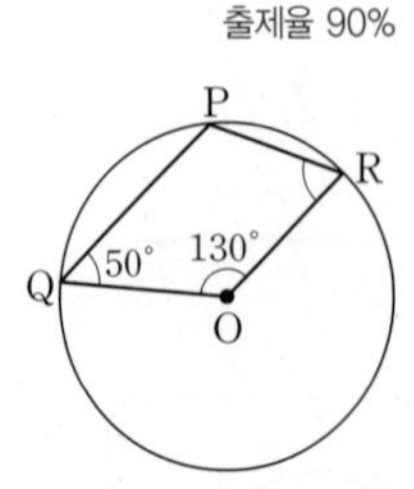

① 45° ② 50°
③ 55° ④ 60°
⑤ 65°

출제율 95%

05 (중) 오른쪽 그림에서 점 P는 원 O의 두 현 AB, CD의 연장선이 만나는 점이다. $\angle AOC=130^\circ$, $\angle BOD=50^\circ$일 때, $\angle P$의 크기는?

① 37° ② 39° ③ 40°
④ 41° ⑤ 47°

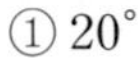

출제율 90%

06 (중) 오른쪽 그림의 원 O에서 $\angle ABO=20^\circ$, $\angle ACO=35^\circ$일 때, $\angle BOC$의 크기는?

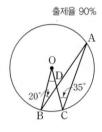

① 20° ② 30°
③ 80° ④ 90°
⑤ 100°

출제율 90%

07 (중) 오른쪽 그림과 같이 원 O의 두 현 AB와 CD가 만나는 점을 E라 하자. $\overset{\frown}{AC}$에 대한 중심각의 크기가 80°, $\overset{\frown}{BD}$에 대한 원주각의 크기가 30°일 때, $\angle AEC$의 크기는?

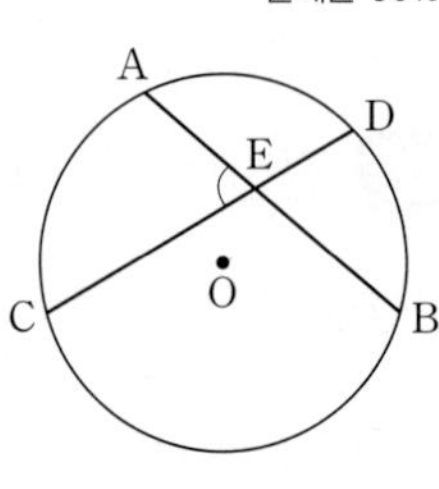

① 50° ② 55° ③ 60°
④ 65° ⑤ 70°

출제율 90%

08 중 오른쪽 그림과 같이 원 모양의 종이를 접어서 접혀진 부분의 호가 원의 중심 O를 지나도록 하였다. 접은 선을 $\overline{AB}$라 하고 원 위의 한 점을 P라 할 때, $\angle APB$의 크기는?

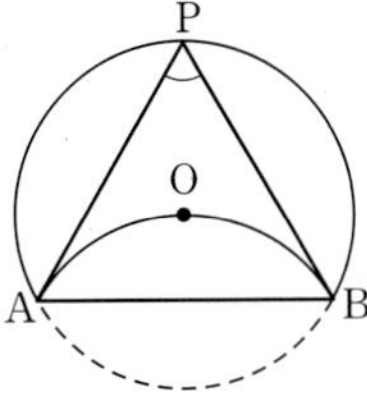

① 45°　② 60°　③ 70°
④ 80°　⑤ 90°

출제율 85%

09 상 오른쪽 그림과 같이 원 O에 내접하는 $\triangle ABC$에서 $\angle A=30^\circ$, $\overline{BC}=6\text{ cm}$일 때, 색칠한 부분의 넓이는?

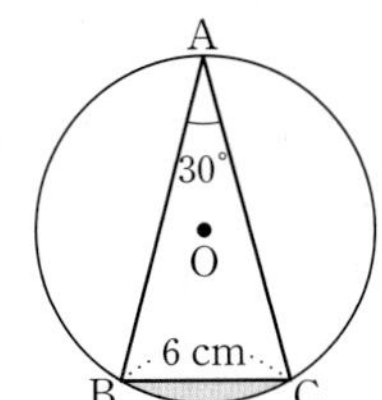

① $(3\pi-\sqrt{3})\text{ cm}^2$
② $(3\pi+6\sqrt{3})\text{ cm}^2$
③ $(6\pi-\sqrt{3})\text{ cm}^2$
④ $(6\pi+3\sqrt{3})\text{ cm}^2$
⑤ $(6\pi-9\sqrt{3})\text{ cm}^2$

출제율 80%

10 상 오른쪽 그림에서 직선 AT는 점 A를 접점으로 하는 원 O의 접선이고, 원의 중심 O에서 두 현 PA, PB에 이르는 거리가 같다. $\angle OBP=15^\circ$일 때, $\angle AOB$의 크기를 구하여라.

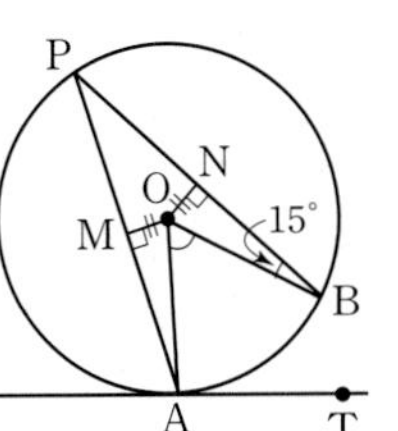

대표유형 **원주각과 중심각의 크기(2) – 두 접선이 주어진 경우**

11 오른쪽 그림의 원 O에서 두 점 A, B는 원 O의 접점이다. $\angle P=50^\circ$일 때, $\angle ACB$의 크기는?

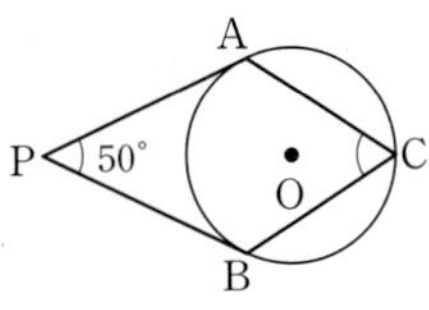

① 55°　② 60°　③ 65°
④ 70°　⑤ 75°

출제율 90%

12 하 오른쪽 그림과 같이 원 O 밖의 한 점 D에서 원에 그은 두 접선의 접점이 각각 A, C이다. $\angle ABC=80^\circ$일 때, $\angle ADC$의 크기는?

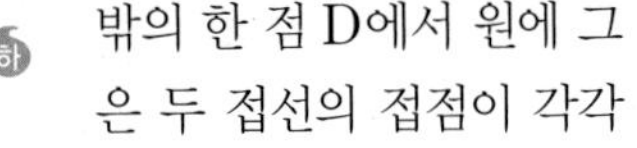

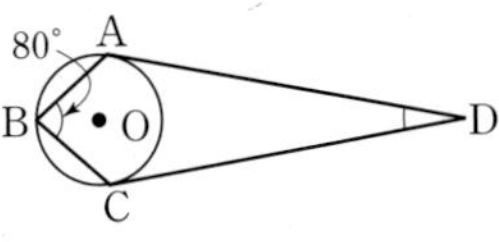

① 10°　② 15°　③ 20°
④ 25°　⑤ 30°

출제율 90%

13 중 오른쪽 그림과 같이 원 O 밖의 한 점 P에서 원 O에 그은 두 접선의 접점을 각각 A, B라 하자. 호 AB 위의 한 점 Q에 대하여 $\angle AQB=105^\circ$일 때, $\angle APB$의 크기는?

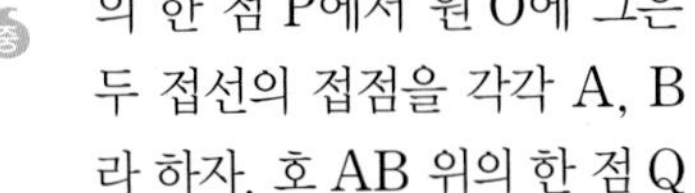

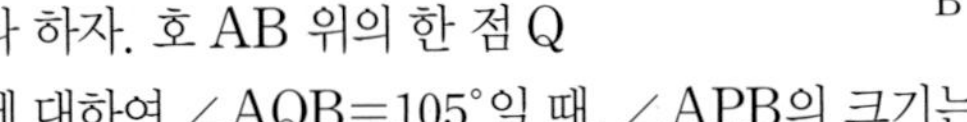

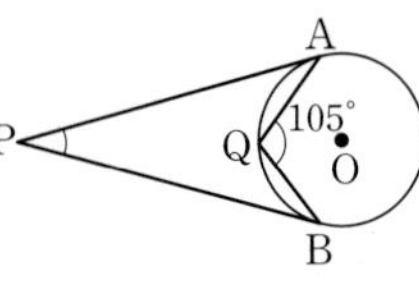

① 30°　② 35°　③ 40°
④ 45°　⑤ 50°

출제율 90%

14 중 오른쪽 그림과 같이 원 O 밖의 한 점 P에서 원 O에 그은 두 접선의 접점을 각각 A, B라 하자. $\angle P=44°$일 때, $\angle x+\angle y$의 크기는?

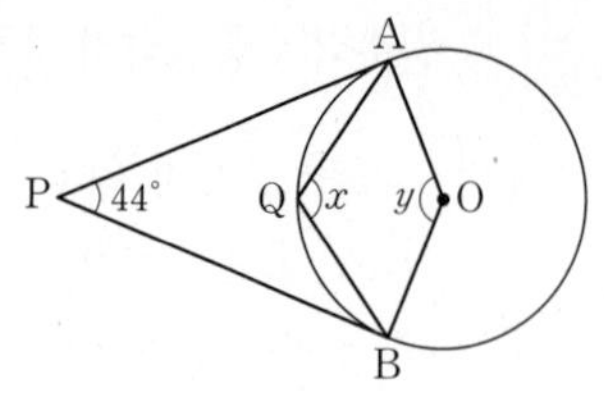

① 230° ② 236° ③ 240°
④ 248° ⑤ 250°

출제율 80%

15 상 오른쪽 그림에서 반직선 PA, PB는 원 O의 접선이고, $\widehat{AC}:\widehat{BC}=5:4$일 때, $\angle ABC$의 크기는?

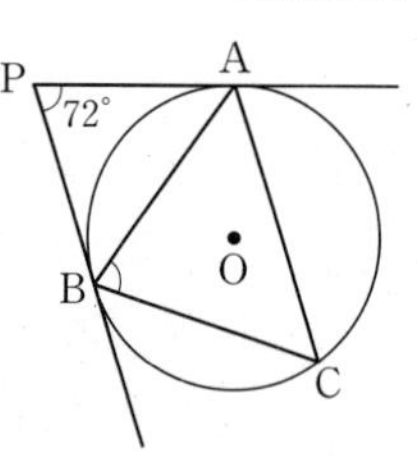

① 60° ② 65°
③ 70° ④ 75°
⑤ 80°

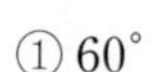

대표유형 원주각의 성질(1)

16 오른쪽 그림의 원 O에서 $\overline{QB}$가 지름일 때, $\angle x+\angle y$의 크기는?

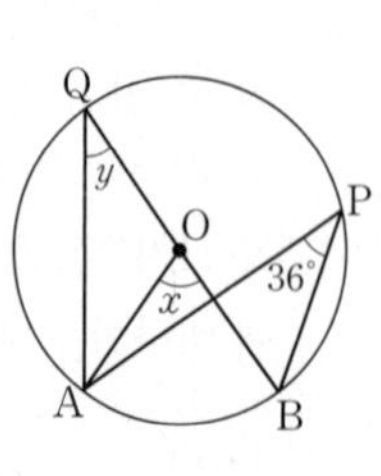

① 100° ② 108°
③ 116° ④ 124°
⑤ 132°

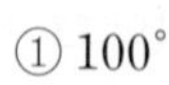

출제율 95%

17 하 오른쪽 그림에서 □ABCD가 원에 내접할 때, $\angle x$, $\angle y$의 크기를 각각 구하여라.

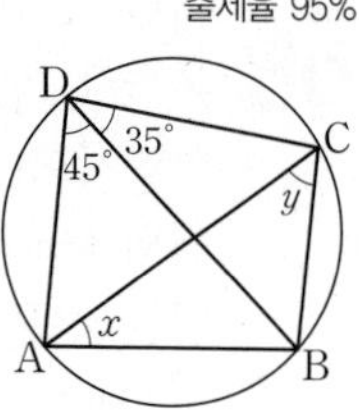

출제율 95%

18 하 오른쪽 그림과 같은 원 O에서 $\overline{AC}$가 지름이고 $\angle BAC=43°$일 때, $\angle x$의 크기는?

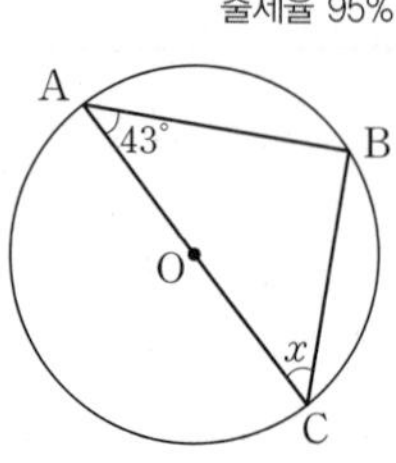

① 45° ② 47°
③ 50° ④ 53°
⑤ 60°

출제율 95%

19 중 오른쪽 그림과 같이 $\overline{AC}$, $\overline{BD}$의 교점이 E일 때, $\angle x$의 크기는?

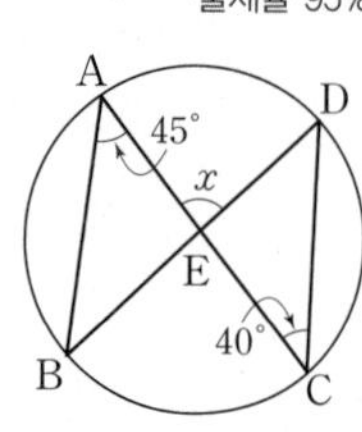

① 82° ② 85°
③ 87° ④ 90°
⑤ 92°

출제율 90%

20 중 오른쪽 그림의 원 O에서 $\angle BDE=40°$, $\angle EFC=30°$일 때, $\angle a$의 크기는?

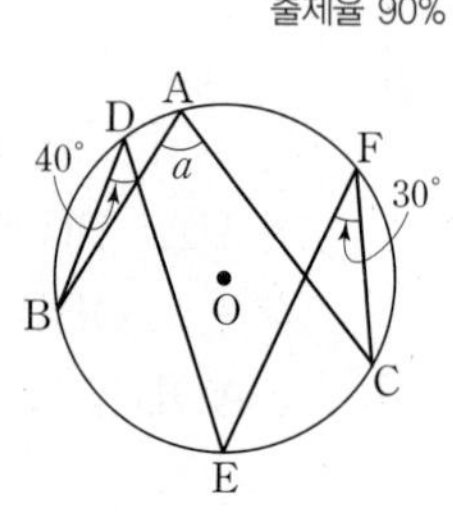

① 50° ② 60°
③ 70° ④ 80°
⑤ 90°

출제율 90%

21 오른쪽 그림의 원 O에서 $\angle APB=38^\circ$, $\angle BQC=27^\circ$일 때, $\angle AOC$의 크기는?

중

① 100°　② 105°
③ 120°　④ 130°
⑤ 152°

출제율 90%

22 오른쪽 그림에서 $\angle BAD=64^\circ$, $\angle BOC=68^\circ$일 때, $\angle CED$의 크기는?

중

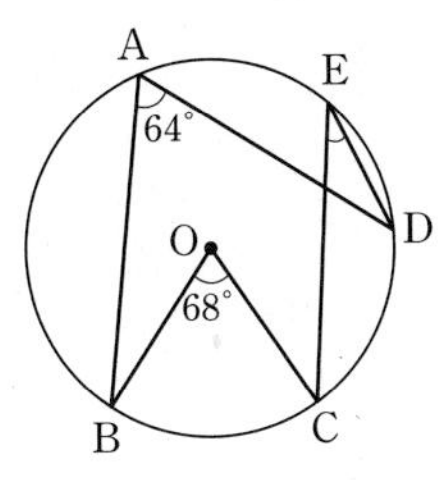

① 25°　② 30°
③ 32°　④ 35°
⑤ 40°

출제율 85%

23 오른쪽 그림에서 점 Q는 두 현 AB, CD의 연장선의 교점이다. $\angle BCD=29^\circ$, $\angle AQD=36^\circ$일 때, $\angle PDC$의 크기는?

상

① 50°　② 55°　③ 60°
④ 65°　⑤ 70°

대표유형 원주각의 성질(2) – 반원에 대한 원주각

24 오른쪽 그림에서 $\overline{AB}$는 원 O의 지름이다. $\angle BCD=50^\circ$일 때, $\angle ABD$의 크기는?

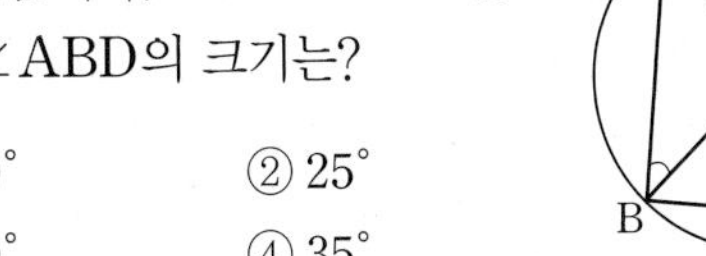

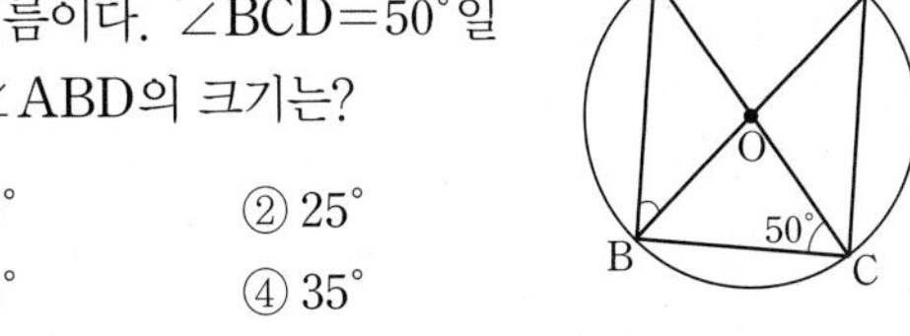

① 20°　② 25°
③ 30°　④ 35°
⑤ 40°

출제율 95%

25 오른쪽 그림에서 $\overline{AB}$는 원 O의 지름이다. $\angle ACD=60^\circ$일 때, $\angle BAD$의 크기는?

하

① 25°　② 30°
③ 35°　④ 40°
⑤ 45°

출제율 95%

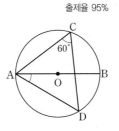

26 오른쪽 그림에서 $\overline{AB}$는 원 O의 지름이다. $\angle COD=52^\circ$일 때, $\angle CPD$의 크기는?

중

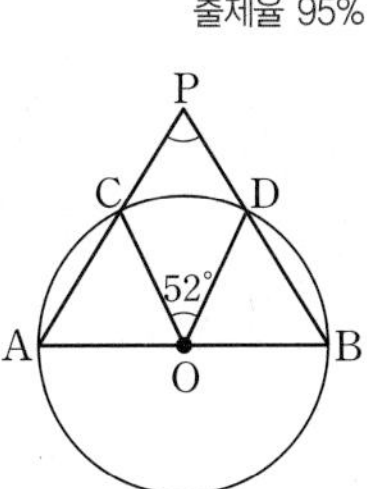

① 60°　② 62°
③ 64°　④ 66°
⑤ 68°

출제율 95%

27 중 오른쪽 그림에서 현 AB는 원 O의 중심을 지난다. $\angle BED=42°$일 때, $\angle ACD$의 크기는?

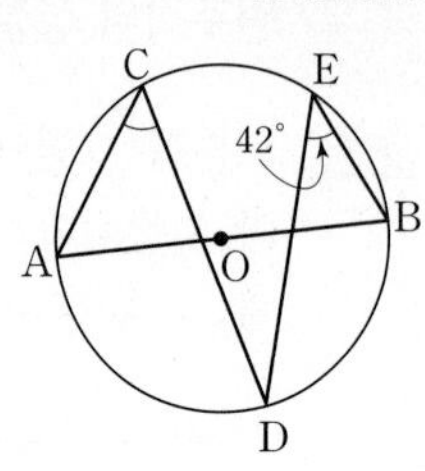

① $42°$　② $45°$　③ $47°$　④ $48°$　⑤ $50°$

출제율 95%

28 중 오른쪽 그림에서 $\angle x$, $\angle y$의 크기를 각각 구하면?

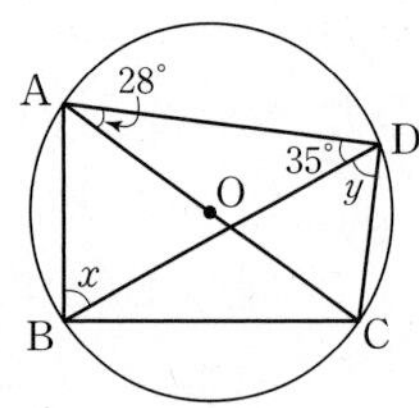

① $\angle x=60°$, $\angle y=50°$
② $\angle x=60°$, $\angle y=55°$
③ $\angle x=62°$, $\angle y=50°$
④ $\angle x=62°$, $\angle y=55°$
⑤ $\angle x=64°$, $\angle y=60°$

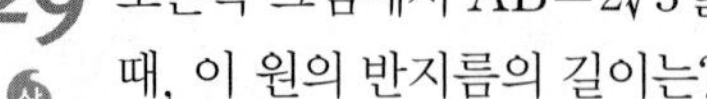

출제율 85%

29 상 오른쪽 그림에서 $\overline{AB}=2\sqrt{3}$일 때, 이 원의 반지름의 길이는?

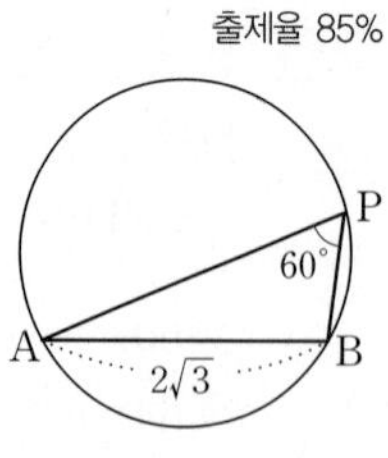

① 1　② 2　③ 3　④ 4　⑤ 5

출제율 80%

30 상 오른쪽 그림과 같이 $\overline{AB}$를 지름으로 하는 원 O에서 $\angle AOD=70°$, $\overline{CE}$는 $\angle ACB$의 이등분선일 때, $\angle DCE$의 크기를 구하면?

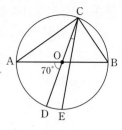

① $10°$　② $12°$　③ $13°$　④ $14°$　⑤ $15°$

출제율 80%

31 상 오른쪽 그림에서 작은 원 O′은 큰 원 O의 반지름을 지름으로 하는 원이고, 선분 AP는 원 O′의 접선이다. 큰 원 O의 반지름의 길이가 6 cm일 때, $\overline{AQ}$의 길이는?

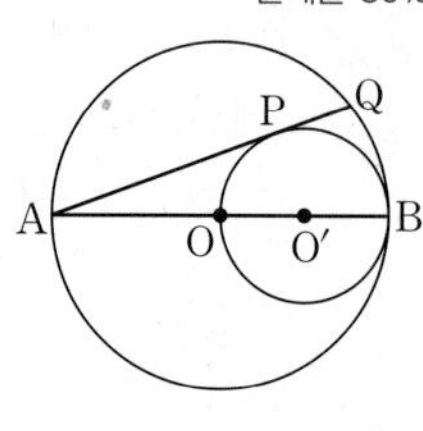

① $4\sqrt{2}$ cm　② $6\sqrt{2}$ cm　③ $8\sqrt{2}$ cm　④ $6\sqrt{3}$ cm　⑤ $8\sqrt{3}$ cm

대표유형 원주각의 크기와 호의 길이(1)

32 오른쪽 그림의 원 O에서 $\widehat{BC}=\widehat{CD}$이고, $\angle BAC=28°$일 때, $\angle BOD$의 크기를 구하여라.

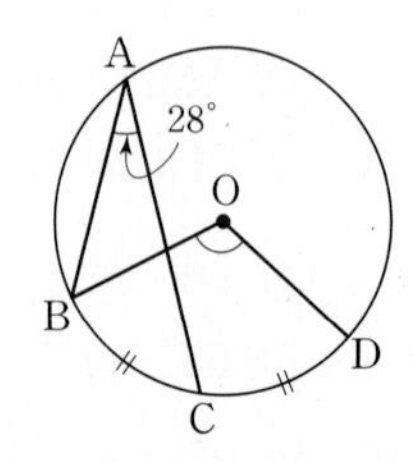

출제율 95%

33 하 오른쪽 그림에서 $\widehat{AC}=\widehat{BD}$이고 $\angle ABC=25°$일 때, $\angle APC$의 크기는?

① 30° ② 35°
③ 40° ④ 45°
⑤ 50°

출제율 95%

34 하 오른쪽 그림에서 $\widehat{AC}=\widehat{BD}$이고 $\angle ADC=55°$일 때, $\angle x+\angle y$의 크기는?

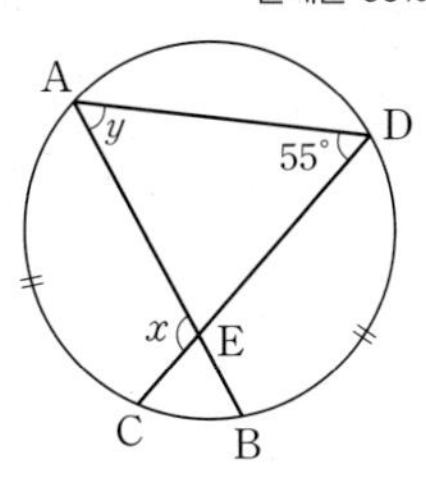

① 150° ② 155°
③ 160° ④ 165°
⑤ 170°

출제율 90%

35 중 오른쪽 그림에서 두 점 M, N이 각각 $\widehat{AB}$, $\widehat{BC}$의 중점일 때, $\angle MPN$의 크기는?

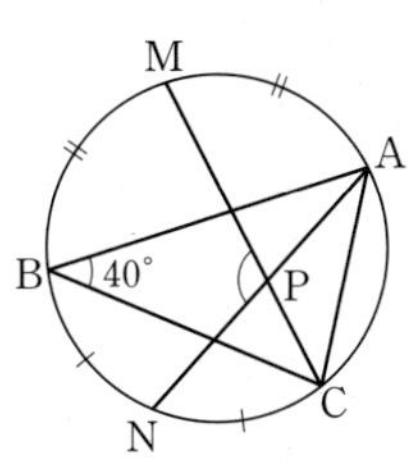

① 110° ② 115°
③ 120° ④ 125°
⑤ 130°

출제율 90%

36 중 오른쪽 그림에서 $\overline{BC}$는 원 O의 지름이고, $\widehat{AB}=\widehat{AD}$, $\angle CBD=28°$일 때, $\angle x$의 크기는?

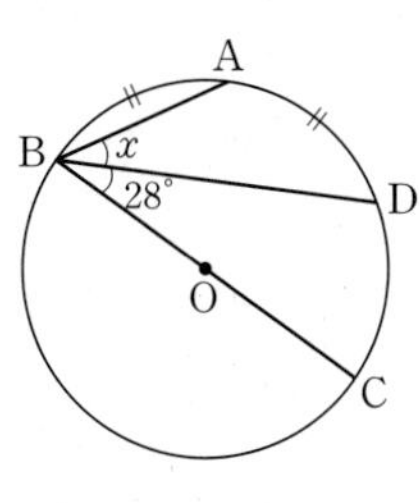

① 30° ② 31°
③ 32° ④ 33°
⑤ 34°

출제율 85%

37 중 오른쪽 그림과 같이 원 O에 내접하는 정오각형 ABCDE에서 대각선 AC, BE의 교점을 F라 할 때, $\angle BFC$의 크기는?

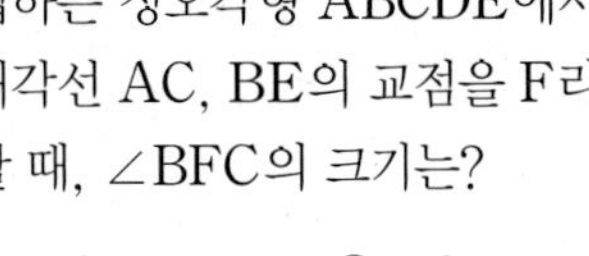

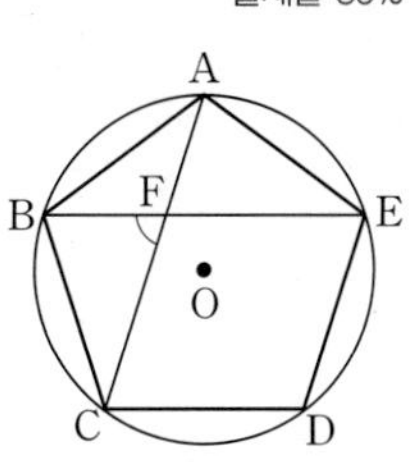

① 70° ② 71°
③ 72° ④ 73°
⑤ 75°

출제율 80%

38 상 오른쪽 그림에서 $\widehat{AD}=\widehat{BD}$, $\widehat{BE}=\widehat{CE}$, $\widehat{AF}=\widehat{CF}$이다. $\angle E=50°$일 때, $\angle A$의 크기는?

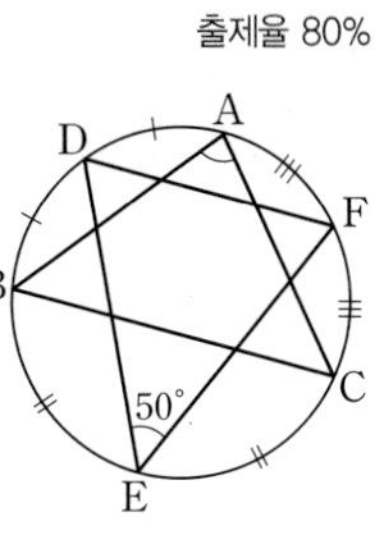

① 80° ② 76°
③ 72° ④ 70°
⑤ 64°

출제율 80%

39 상 오른쪽 그림에서 $\overrightarrow{PA}$와 $\overrightarrow{PB}$는 원 O의 접선이다. $\angle APB=48^\circ$, $\widehat{AC}=\widehat{CD}=\widehat{DB}$일 때, $\angle BCD$의 크기는?

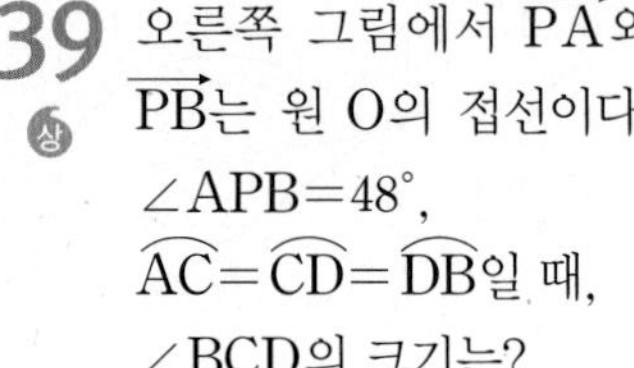

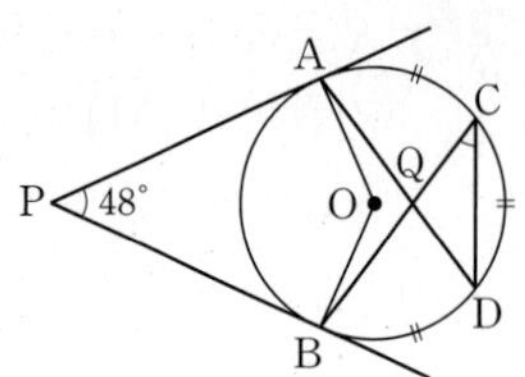

① 38° ② 40°
③ 42° ④ 44°
⑤ 46°

대표유형 원주각의 크기와 호의 길이(2)

40 오른쪽 그림의 원 O에서 $\angle x$의 크기를 구하여라.

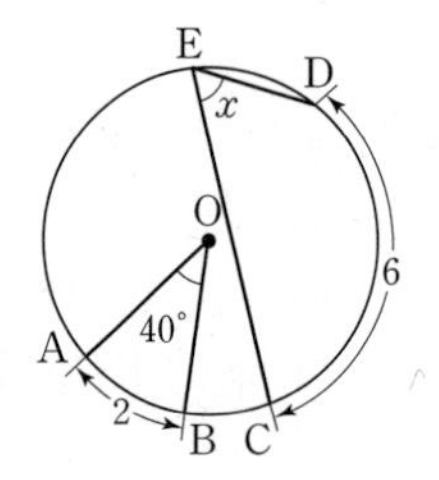

출제율 95%

41 하 오른쪽 그림에서 $\angle CBE=81^\circ$, $\angle CAD=27^\circ$, $\widehat{CD}=4$ cm일 때, $\widehat{DE}$의 길이는?

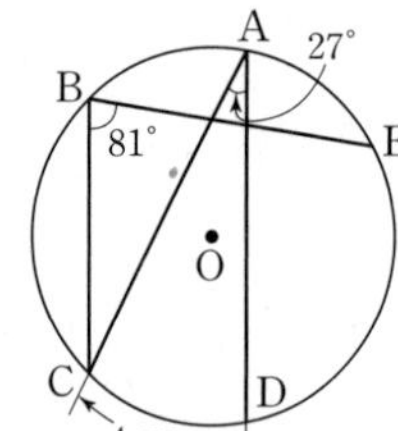

① 6 cm ② 7 cm
③ 8 cm ④ 9 cm
⑤ 10 cm

출제율 95%

42 하 오른쪽 그림의 원 O에서 $\angle x+\angle y$의 크기는?

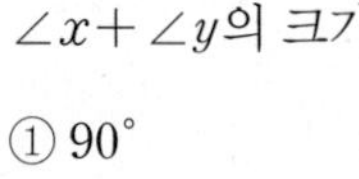

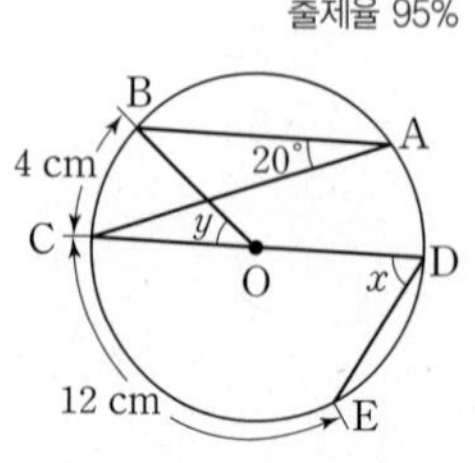

① 90° ② 95°
③ 100° ④ 105°
⑤ 110°

출제율 90%

43 중 오른쪽 그림의 원 O에서 $\overline{AC}\,/\!/\,\overline{ED}$이다. $\widehat{BD}=5$ cm일 때, $\widehat{AC}$의 길이는? (단, $\overline{ED}$는 지름이다.)

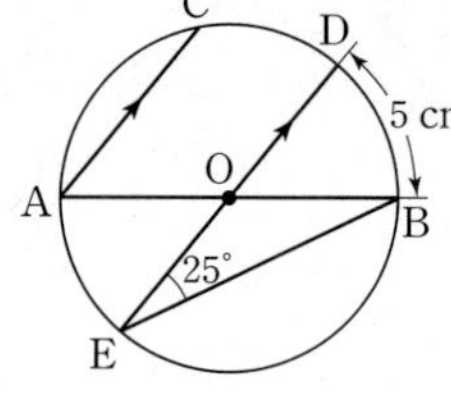

① 8 cm ② 7 cm
③ 6 cm ④ 5 cm
⑤ 4 cm

출제율 90%

44 중 오른쪽 그림의 원에서 점 P는 두 현 AB, CD의 교점이다. $\widehat{BC}=6$ cm, $\angle ACD=20^\circ$, $\angle BPC=65^\circ$일 때, 이 원의 둘레의 길이는?

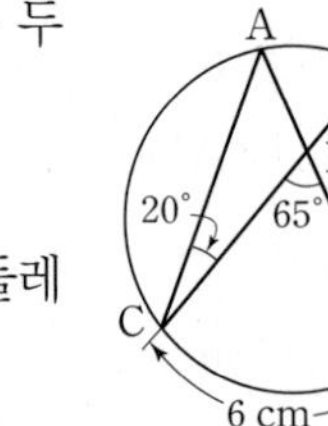

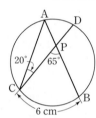

① 20 cm ② 24 cm
③ 26 cm ④ 28 cm
⑤ 30 cm

출제율 85%

45 중 오른쪽 그림과 같이 반지름의 길이가 4인 원 O의 두 현 AB, CD가 점 P에서 만난다. $\angle BPD=45^\circ$일 때, $\widehat{AC}+\widehat{BD}$의 길이는?

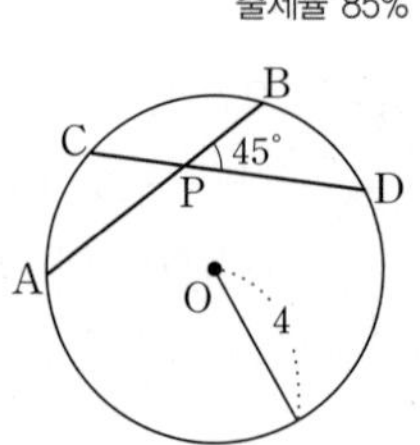

① 2π ② 3π
③ 4π ④ 5π
⑤ 6π

출제율 85%

46 오른쪽 그림과 같은 원 O에서 $\overset{\frown}{AB}=4\pi$일 때, $\overset{\frown}{AP}$의 길이는?

중

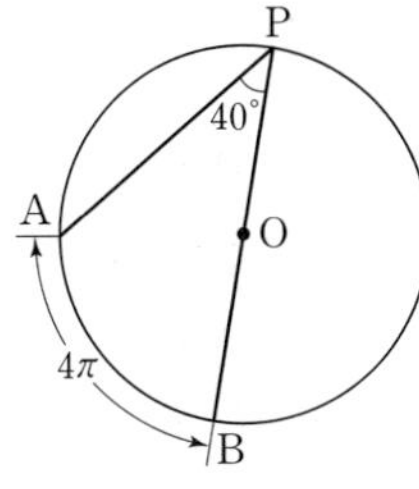

① 5π ② 6π
③ 7π ④ 8π
⑤ 9π

출제율 85%

47 오른쪽 그림에서 원 O의 두 현 AB, CD의 연장선의 교점을 P, 두 현 AD, BC의 교점을 Q라 하자.
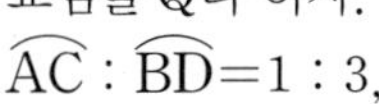
$\overset{\frown}{AC}:\overset{\frown}{BD}=1:3$,
$\angle P=50°$일 때, $\angle BQD$의 크기는?

중

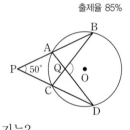

① $90°$ ② $100°$ ③ $105°$
④ $110°$ ⑤ $115°$

출제율 80%

48 오른쪽 그림의 원 O에서 $\angle CPB=60°$이고 $\overset{\frown}{AD}=3\pi$, $\overset{\frown}{BC}=9\pi$일 때, 원 O의 반지름의 길이는?

상

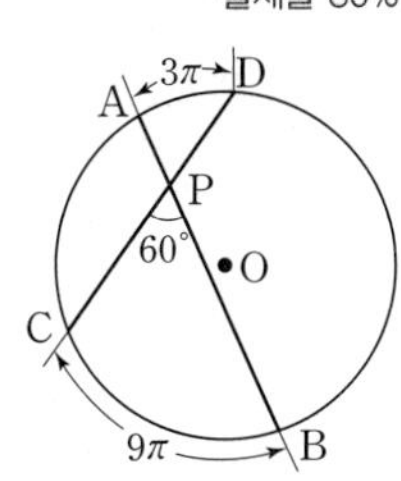

① 3 ② 6
③ 9 ④ 18
⑤ 36

대표유형 **원주각의 크기와 호의 길이(3)**

49 오른쪽 그림의 원에서 $\overset{\frown}{AB}:\overset{\frown}{BC}:\overset{\frown}{CA}=3:4:5$일 때, $\angle A$, $\angle B$, $\angle C$의 크기를 각각 구하여라.

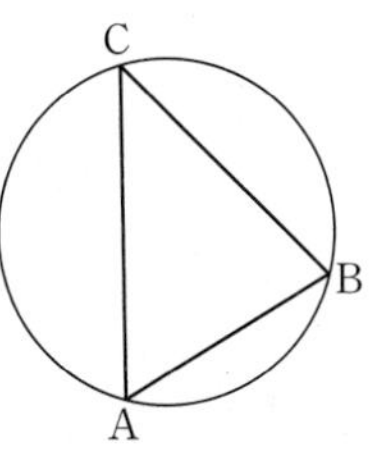

내신 UP POINT

오른쪽 그림의 원 O에서

(1) 호 AB의 길이가 원의 둘레의 길이의 $\frac{1}{m}$이면 $\angle ACB=\frac{1}{m}\times180°$

(2) $\overset{\frown}{AB}:\overset{\frown}{BC}:\overset{\frown}{CA}=l:m:n$이면 $\angle ACB:\angle BAC:\angle CBA=l:m:n$이므로

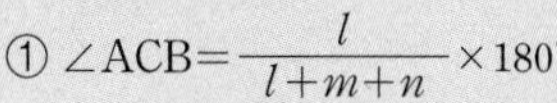
① $\angle ACB=\frac{l}{l+m+n}\times180°$

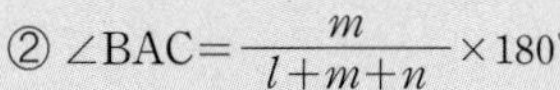
② $\angle BAC=\frac{m}{l+m+n}\times180°$

③ $\angle CBA=\frac{n}{l+m+n}\times180°$

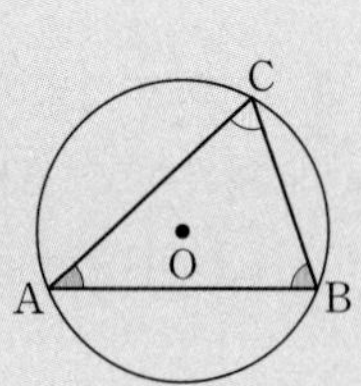

출제율 95%

50 오른쪽 그림의 원에서 $\overset{\frown}{AC}$는 원의 둘레의 길이의 $\frac{1}{5}$이고 $\overset{\frown}{DB}$는 원의 둘레의 길이의 $\frac{1}{9}$일 때, $\angle x$의 크기는?

하

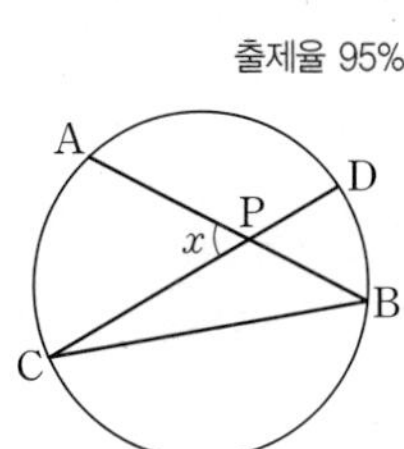

① $52°$ ② $53°$ ③ $54°$
④ $55°$ ⑤ $56°$

출제율 95%

51 오른쪽 그림의 원에서
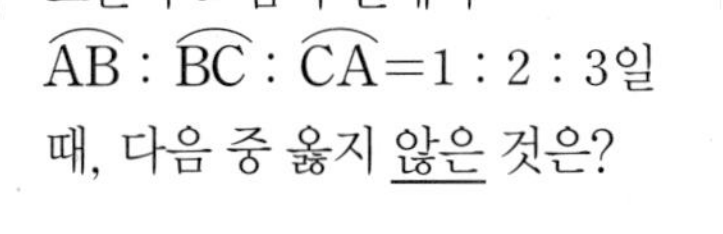
$\overset{\frown}{AB}:\overset{\frown}{BC}:\overset{\frown}{CA}=1:2:3$일 때, 다음 중 옳지 않은 것은?

중

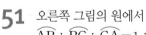

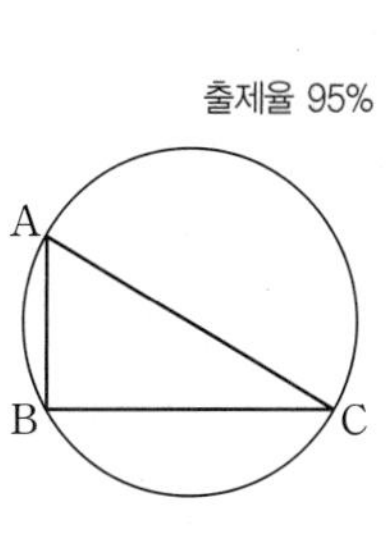

① $\angle A=60°$
② $\angle B=100°$
③ $\angle C=30°$
④ $\triangle ABC$는 직각삼각형이다.
⑤ $\overset{\frown}{AB}=3$ cm이면 $\overset{\frown}{BC}=6$ cm이다.

출제율 95%

52 중 오른쪽 그림의 원 O에서 두 현 AB와 CD의 교점을 P라 할 때, $\overset{\frown}{BD}$의 길이는 원의 둘레의 길이의 몇 배인지 구하여라.

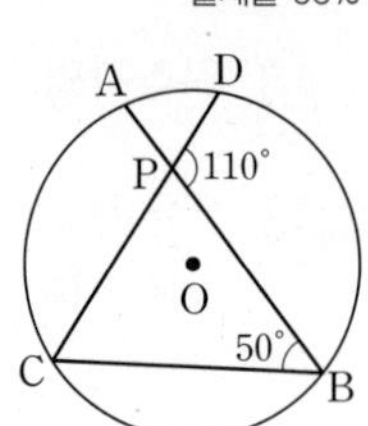

출제율 85%

53 중 오른쪽 그림에서 $\overline{AB}$는 원 O의 지름이고, $\overline{AB}=6$ cm일 때, $\overset{\frown}{CD}$의 길이를 구하여라.

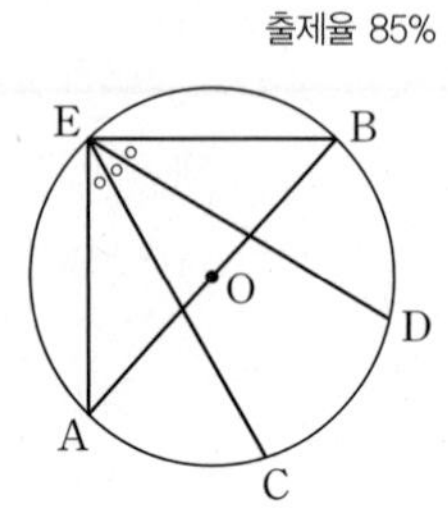

출제율 85%

54 상 오른쪽 그림에서 $\overset{\frown}{AC}$, $\overset{\frown}{BD}$의 길이가 각각 원주의 $\frac{2}{15}$, $\frac{1}{15}$이고 원 O의 반지름의 길이가 5 cm일 때, $\overset{\frown}{AC}+\overset{\frown}{BD}$의 길이는?

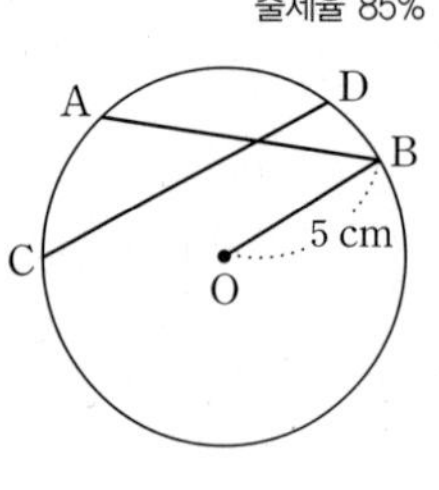

① π cm ② 2π cm
③ 3π cm ④ 4π cm
⑤ 5π cm

출제율 85%

55 상 오른쪽 그림에서 점 P는 원 O의 두 현 AB, CD의 연장선의 교점이다. $\overset{\frown}{BD}:\overset{\frown}{DC}:\overset{\frown}{AC}:\overset{\frown}{AB}$ $=1:2:3:4$일 때, $\angle$BPD의 크기를 구하여라.

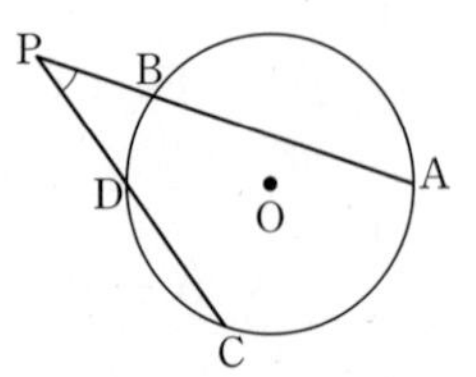

대표유형 네 점이 한 원 위에 있을 조건 – 원주각

56 오른쪽 그림에서 네 점 A, B, C, D가 한 원 위에 있도록 $\angle$APB의 크기를 정하여라.

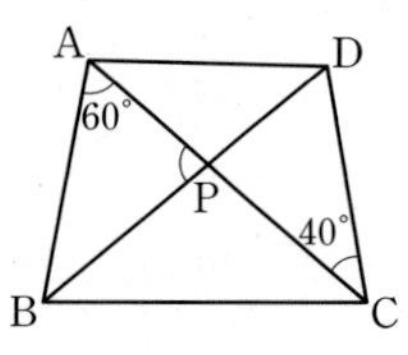

내신 UP POINT

네 점이 한 원 위에 있을 조건 – 원주각
두 점 C, D가 직선 AB에 대하여 같은 쪽에 있을 때, $\angle ACB=\angle ADB$이면 네 점 A, B, C, D는 한 원 위에 있다.

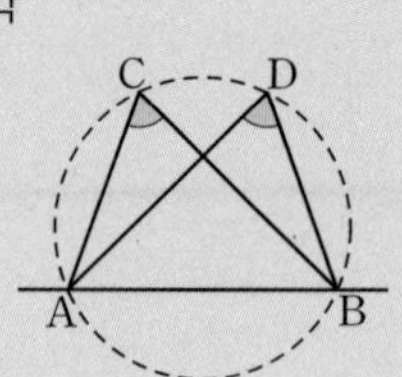

출제율 95%

57 하 오른쪽 그림에서 $\angle BAC=80°$, $\angle ACD=20°$이다. 네 점 A, B, C, D가 한 원 위에 있도록 $\angle$BEC의 크기를 정하여라.

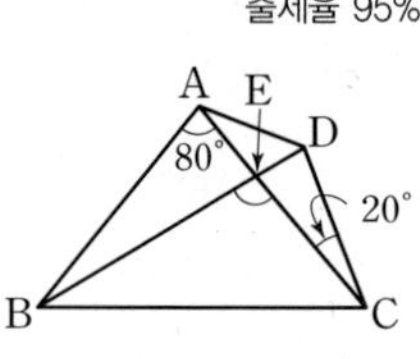

출제율 85%

58 하 오른쪽 그림에서 네 점 A, B, C, D가 한 원 위에 있음을 증명하는 과정이다. □ 안에 알맞은 것을 써 넣어라.

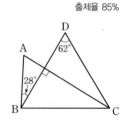

D
A
62°
28°
B
C

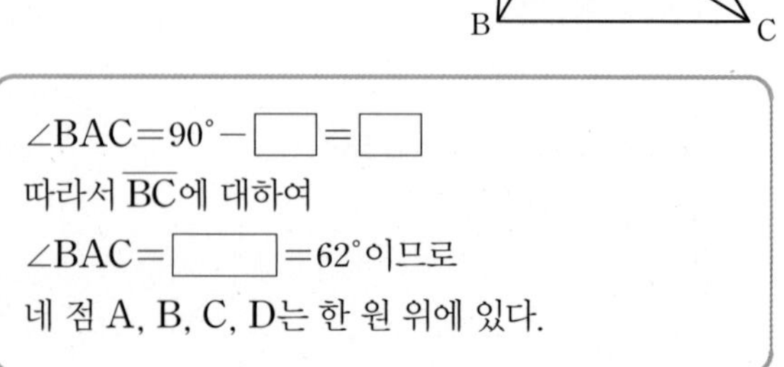

$\angle BAC=90°-\square=\square$
따라서 $\overline{BC}$에 대하여
$\angle BAC=\square=62°$이므로
네 점 A, B, C, D는 한 원 위에 있다.

출제율 95%

59 다음 중 네 점 A, B, C, D가 한 원 위에 있는 것은?

중

①
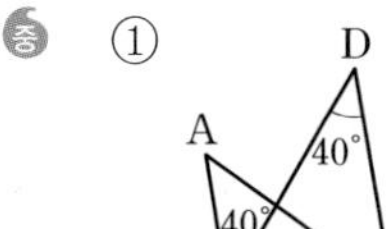

②
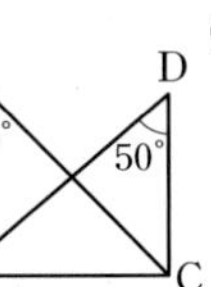

③ (D, 25°, A, 70°, 40°, 75°, B, C)

④
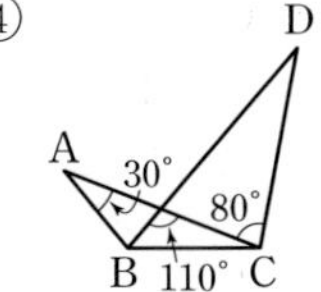

⑤

출제율 85%

60 오른쪽 그림에서 네 점 A, B, C, D가 한 원 위에 있도록 할 때, ∠ADB의 크기를 정하면?

① 25°　② 30°
③ 35°　④ 40°
⑤ 45°

출제율 85%

61 오른쪽 그림에서 네 점 A, B, C, D가 한 원 위에 있도록 ∠x의 크기를 정하면?

중

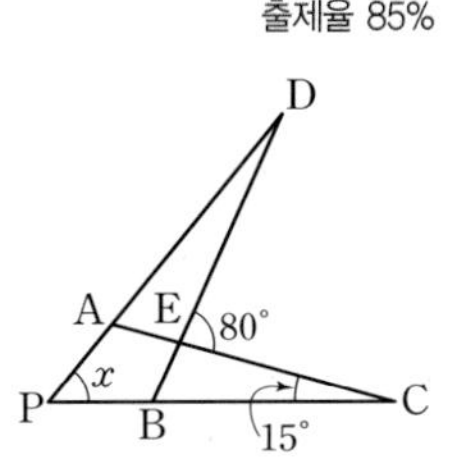

① 30°　② 45°
③ 50°　④ 65°
⑤ 80°

대표유형 **원에 내접하는 사각형의 성질(1)**

62 오른쪽 그림의 □ABCD에서 ∠x의 크기를 구하여라.

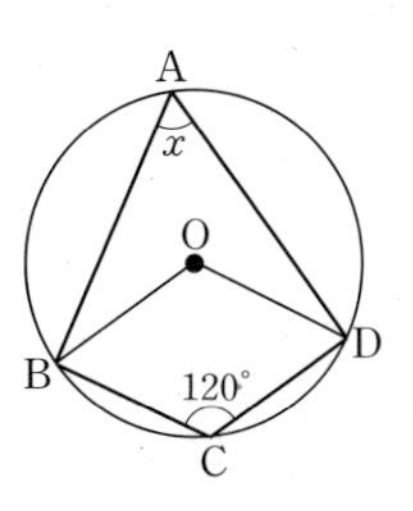

출제율 95%

63 오른쪽 그림의 □ABCD에서 ∠x−∠y의 크기는?

하

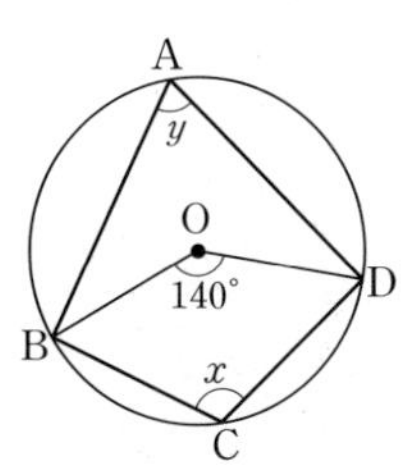

① 30°　② 40°
③ 50°　④ 60°
⑤ 70°

출제율 95%

64 오른쪽 그림과 같이 □ABCD는 원에 내접하고, ∠CAD=64°, ∠ACD=31°일 때, ∠x의 크기를 구하여라.

하

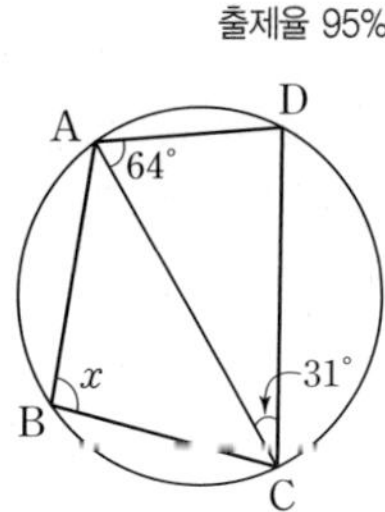

출제율 90%

65 오른쪽 그림에서 $\overline{AD}=\overline{BD}$이고 ∠ADB=36°일 때, ∠BCD의 크기는?

하

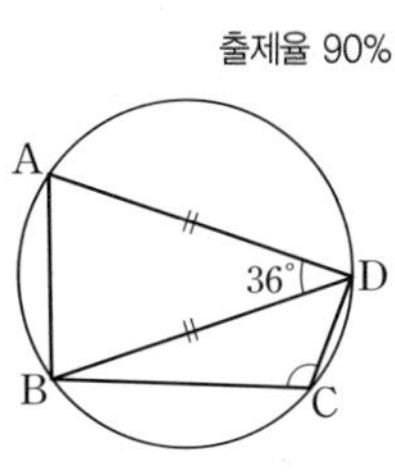

① 108°　② 110°
③ 112°　④ 114°
⑤ 116°

출제율 95%

66 중 오른쪽 그림에서 $\angle ABE=20^\circ$, $\angle AEB=50^\circ$, $\angle DCE=40^\circ$일 때, $\angle BED$의 크기는?

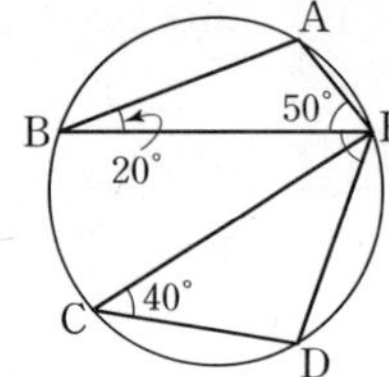

① 60° ② 65°
③ 70° ④ 75°
⑤ 80°

출제율 85%

67 중 오른쪽 그림과 같이 □ABDE와 □ABCE가 원 O에 내접하고 $\overline{AC}$는 원 O의 지름이다. $\angle BPE=90^\circ$, $\angle ABD=60^\circ$일 때, $\angle BAE$의 크기는?

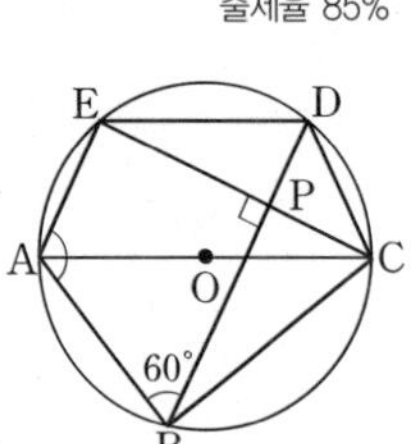

① 110° ② 120°
③ 130° ④ 140°
⑤ 150°

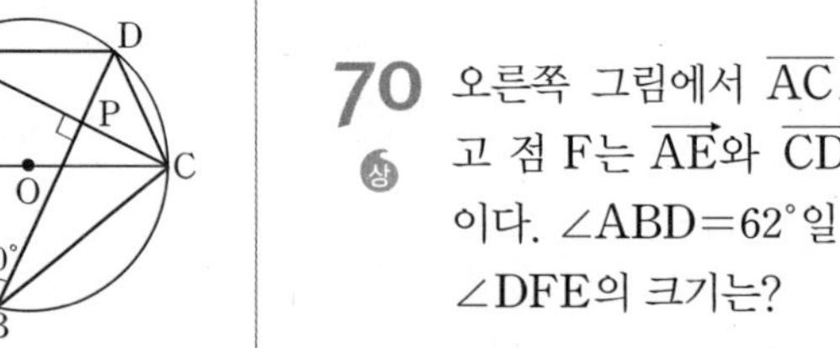

출제율 85%

68 중 오른쪽 그림과 같이 □ABCD가 원 O에 내접하고 $\angle BAD=110^\circ$일 때, $\angle x+\angle y$의 크기는?

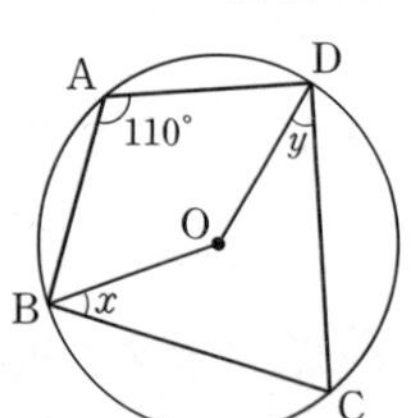

① 55° ② 60°
③ 65° ④ 70°
⑤ 75°

출제율 80%

69 중 오른쪽 그림에서 반지름의 길이가 8인 원에 □ABCD가 내접하고 $\angle A$, $\angle C$의 이등분선과 원과의 교점을 각각 P, Q라고 하자. $\overset{\frown}{PQ}=x$일 때, x의 값은?

① 4π ② 6π ③ 8π
④ 10π ⑤ 12π

출제율 85%

70 상 오른쪽 그림에서 $\overline{AC}\,/\!/\,\overline{ED}$이고 점 F는 $\overrightarrow{AE}$와 $\overrightarrow{CD}$의 교점이다. $\angle ABD=62^\circ$일 때, $\angle DFE$의 크기는?

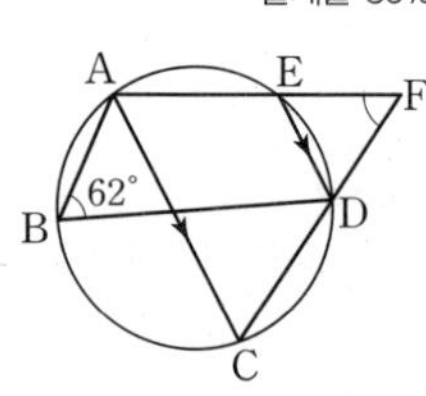

① 52° ② 54°
③ 56° ④ 58°
⑤ 60°

출제율 80%

71 상 오른쪽 그림에서 $\angle ACB+\angle BDC+\angle CED+\angle DFE+\angle EAF+\angle FBA$의 크기는?

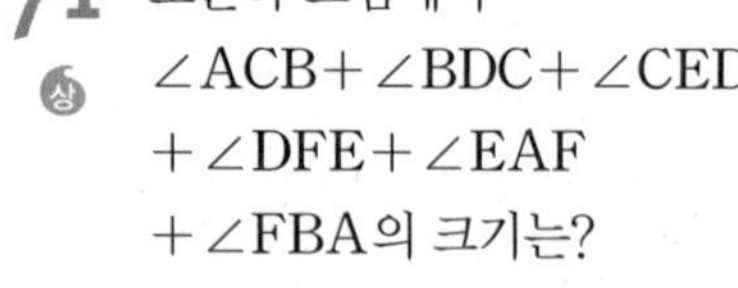

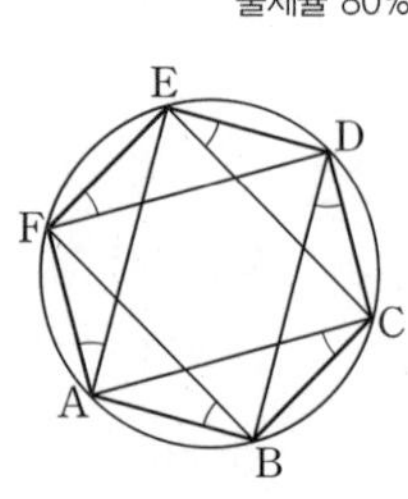

① 90° ② 180°
③ 270° ④ 300°
⑤ 360°

대표 유형 원에 내접하는 사각형의 성질(2)

72 오른쪽 그림과 같이 원에 내접하는 사각형 ABCD에서 $\angle x$의 크기는?

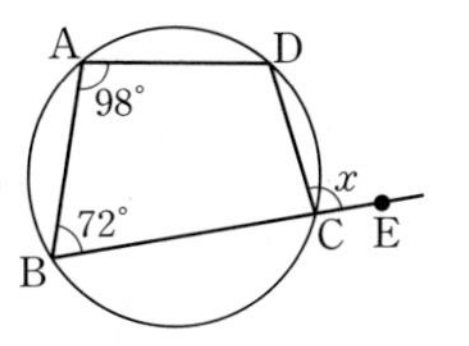

① 72° ② 82°
③ 90° ④ 98°
⑤ 108°

출제율 95%

73 (하) 오른쪽 그림에서 □AQBP는 원 O에 내접하는 사각형이다. $\angle BQR=55^\circ$일 때, $\angle AOB$의 크기는?

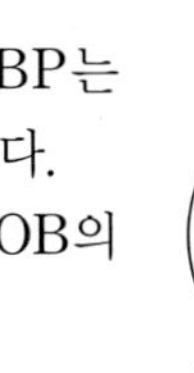
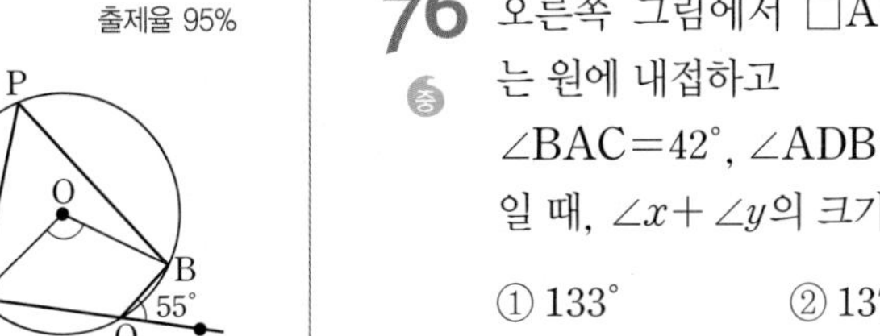

① 100° ② 105°
③ 110° ④ 125°
⑤ 135°

출제율 95%

74 (하) 오른쪽 그림과 같이 원 O에서 $\overline{DA}$와 $\overline{CB}$의 연장선의 교점을 P라 하자. $\angle DPC=30^\circ$, $\angle BCD=80^\circ$일 때, $\angle ABP$의 크기는?

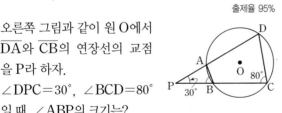

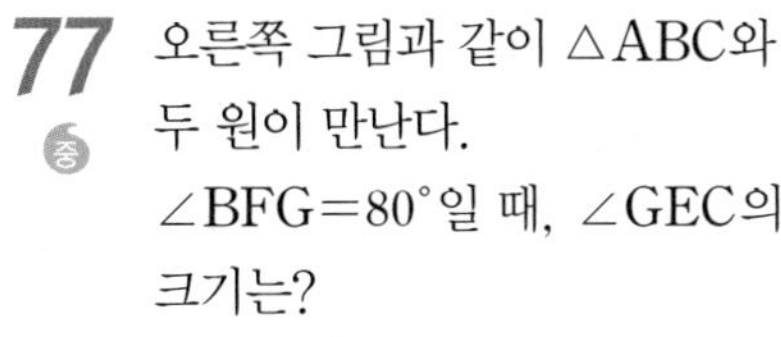

① 50° ② 60° ③ 70°
④ 80° ⑤ 90°

출제율 95%

75 (중) 오른쪽 그림에서 두 선분 PB, PD는 원 O의 할선이고 □ACDB는 원 O에 내접할 때, $\angle PCA$의 크기는?

① 60° ② 65°
③ 70° ④ 75°
⑤ 80°

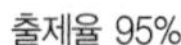
출제율 95%

76 (중) 오른쪽 그림에서 □ABCD는 원에 내접하고 $\angle BAC=42^\circ$, $\angle ADB=65^\circ$일 때, $\angle x+\angle y$의 크기는?

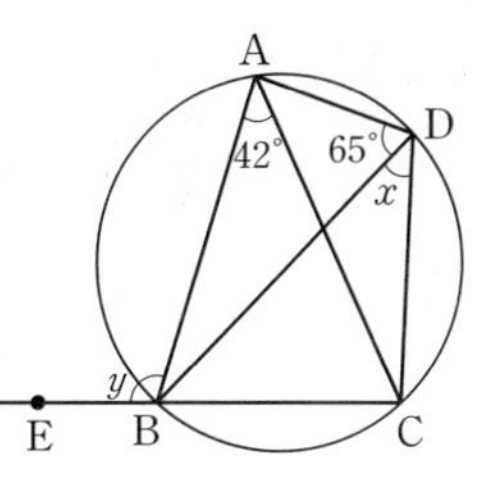

① 133° ② 137°
③ 141° ④ 145°
⑤ 149°

출제율 85%

77 (중) 오른쪽 그림과 같이 △ABC와 두 원이 만난다. $\angle BFG=80^\circ$일 때, $\angle GEC$의 크기는?

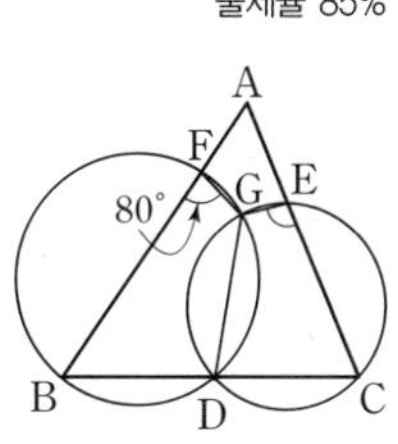

① 100° ② 105°
③ 110° ④ 115°
⑤ 120°

출제율 85%

78 (상) 오른쪽 그림에서 $\overset{\frown}{ADC}$의 길이는 원의 둘레의 길이의 $\frac{2}{3}$이고, $\overset{\frown}{BCD}$의 길이는 원의 둘레의 길이의 $\frac{3}{5}$일 때, $\angle ADC$와 $\angle DCE$의 크기의 합은?

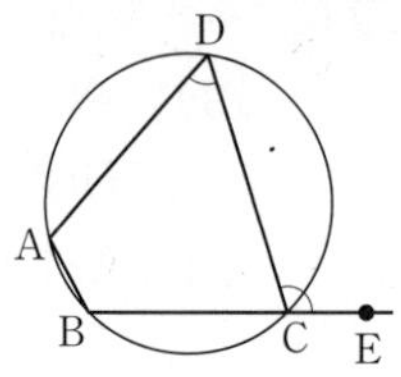

① 150° ② 168° ③ 185°
④ 196° ⑤ 200°

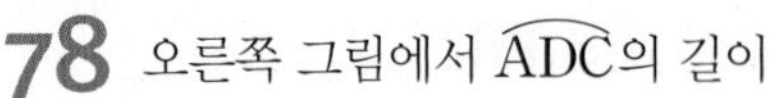

대표유형 **원에 내접하는 사각형의 성질의 활용**

79 오른쪽 그림에서 $\angle x$의 크기는?

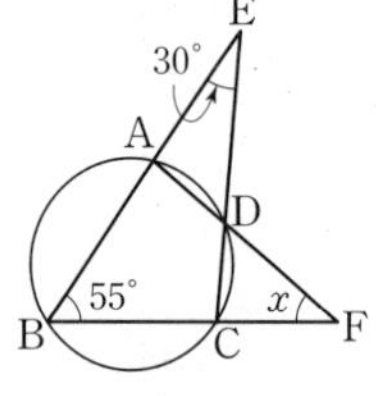

① 30° ② 35°
③ 40° ④ 45°
⑤ 50°

내신 UP POINT

□ABCD가 원에 내접하고, $\angle BEC=\angle a$, $\angle AFB=\angle b$, $\angle B=\angle x$일 때

(1) △DCF에서
$2\angle x+\angle a+\angle b=180°$

(2) $\angle ADC=\angle x+\angle a+\angle b$,
$\angle B+\angle ADC=180°$

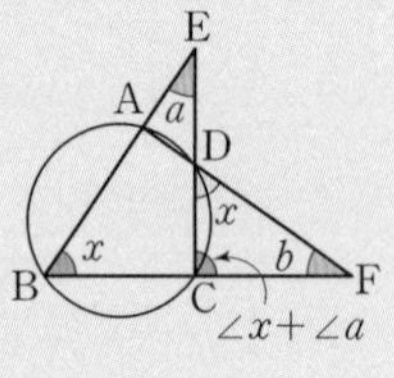

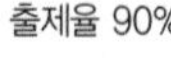

출제율 90%

80 (중) 오른쪽 그림에서 □ABCD는 원에 내접한다. 점 E는 $\overline{AB}$의 연장선과 $\overline{DC}$의 연장선의 교점, 점 F는 $\overline{AD}$의 연장선과 $\overline{BC}$의 연장선의 교점이다. $\angle CFD=32°$, $\angle BEC=68°$일 때, $\angle x$의 크기를 구하여라.

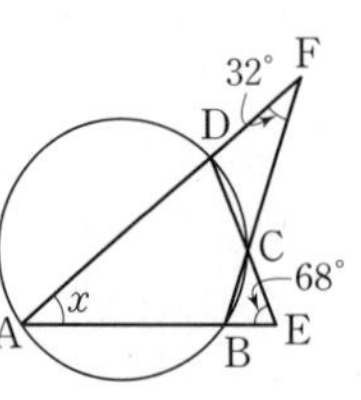

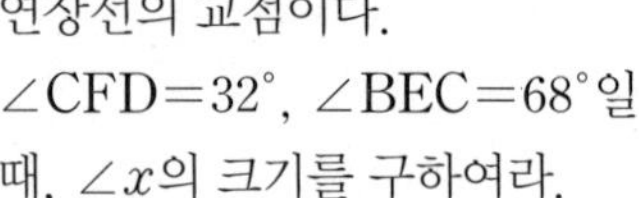

출제율 85%

81 (중) 오른쪽 그림과 같은 □ABCD에서 $\overline{BA}$의 연장선과 $\overline{CD}$의 연장선과의 교점을 P라 하고 $\overline{BC}$의 연장선과 $\overline{AD}$의 연장선과의 교점을 Q라고 하자. 다음 중 □ABCD가 원에 내접함을 증명하는 과정에서 옳지 않은 것은?

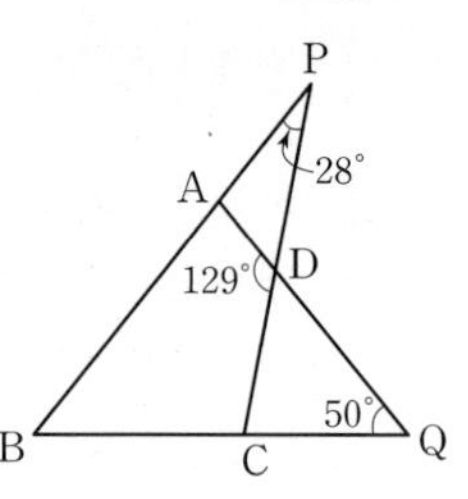

> △PAD에서 $\angle PAD+28°=$ ① 이므로
> $\angle PAD=$ ② …… ㉠
> △QDC에서
> $\angle BCD=$ ③ $+\angle DQC$
> $=($ ④ $-129°)+50°=$ ② …… ㉡
> ㉠, ㉡에서 $\angle PAD=$ ⑤
> 따라서 한 외각의 크기와 그 내대각의 크기가 같으므로 □ABCD는 원에 내접한다.

① 129° ② 101° ③ $\angle ADP$
④ 180° ⑤ $\angle BCD$

출제율 85%

82 (중) 오른쪽 그림에서 $\angle BPA=24°$, $\angle BQC=34°$일 때, $\angle x$의 크기를 구하여라.

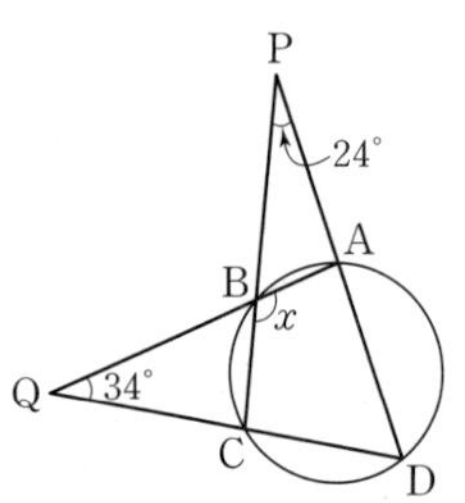

출제율 85%

83 (상) 오른쪽 그림에서 $\angle P=33°$, $\angle Q=21°$일 때, $\angle AOC$의 크기는?

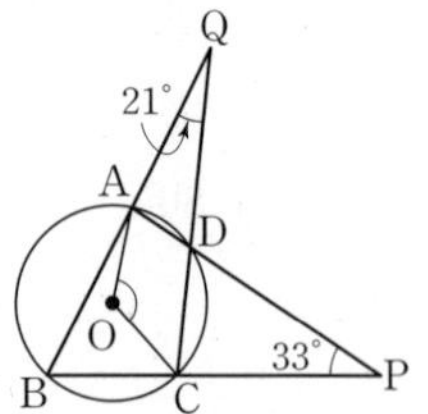

① 120° ② 122°
③ 124° ④ 126°
⑤ 128°

대표유형 원에 내접하는 다각형

84 오른쪽 그림과 같이 오각형 ABCDE가 원 O에 내접하고 $\angle A=80°$, $\angle D=140°$일 때, $\angle BOC$의 크기는?

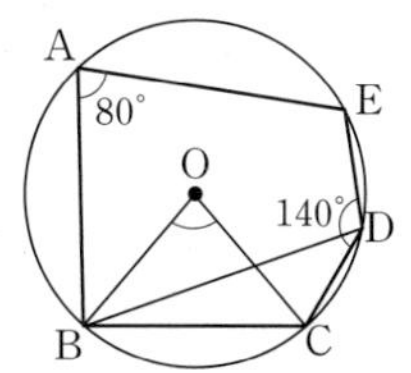

① 40° ② 50°
③ 60° ④ 70°
⑤ 80°

내신 UP POINT
원에 내접하는 다각형에 관한 문제는 보조선을 그어 원에 내접하는 사각형을 만들어 해결한다.

출제율 90%

85 (하) 오른쪽 그림과 같이 오각형 ABCDE가 원 O에 내접하고 $\angle A=90°$, $\angle D=130°$일 때, $\angle BOC$의 크기는?

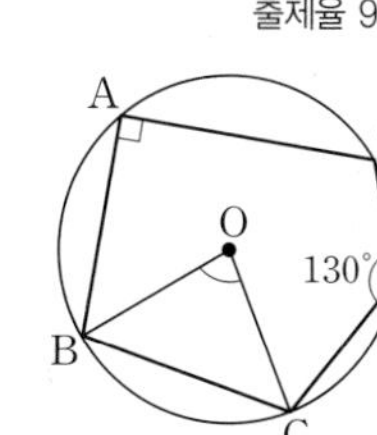

① 60° ② 65°
③ 70° ④ 75°
⑤ 80°

출제율 85%

86 (중) 오른쪽 그림에서 오각형 ABCDE는 원 O에 내접하고 $\angle BOC=60°$일 때, $\angle x+\angle y$의 크기는?

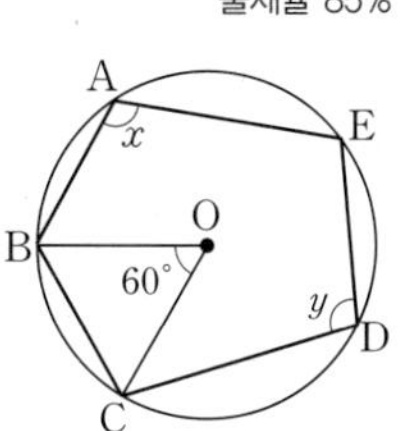

① 180° ② 195°
③ 200° ④ 210°
⑤ 215°

출제율 85%

87 (중) 오른쪽 그림과 같이 오각형 ABCDE가 원에 내접하고 $\angle CAD=42°$일 때, $\angle x+\angle y$의 값은?

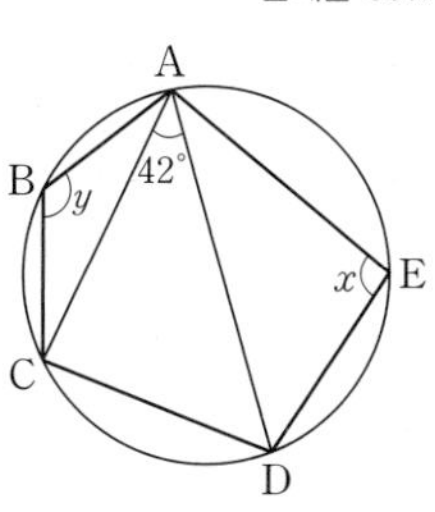

① 218° ② 219°
③ 220° ④ 222°
⑤ 225°

출제율 85%

88 (중) 오른쪽 그림과 같이 원에 내접하는 오각형 ABCDE에서 $\overline{AB}=\overline{AD}$, $\angle BCD=118°$일 때, $\angle x$의 크기는?

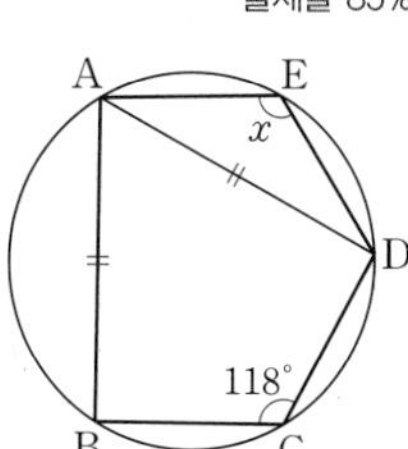

① 117° ② 119°
③ 121° ④ 123°
⑤ 125°

출제율 85%

89 (상) 오른쪽 그림에서 육각형 ABCDEF가 원에 내접할 때, $\angle A+\angle C+\angle E$의 크기는?

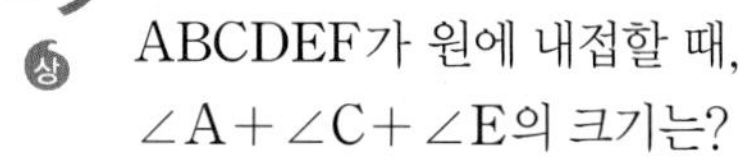

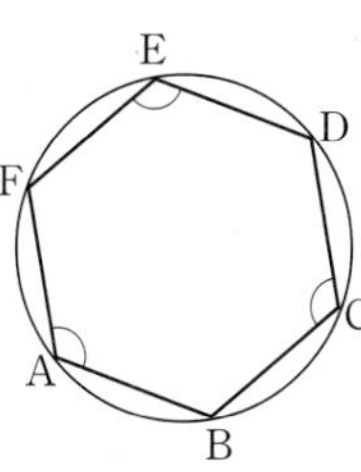

① 240° ② 300°
③ 360° ④ 480°
⑤ 540°

출제율 85%

90 상 오른쪽 그림에서 육각형 ABCDEF가 원에 내접할 때, ∠E의 크기는?

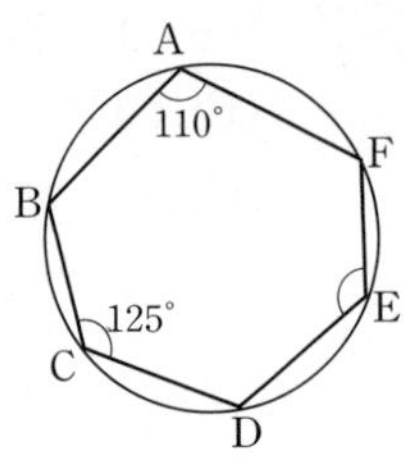

① 100° ② 110° ③ 115° ④ 120° ⑤ 125°

대표유형 사각형이 원에 내접하기 위한 조건

91 다음 □ABCD 중 원에 내접하지 않는 것은? (정답 2개)

①
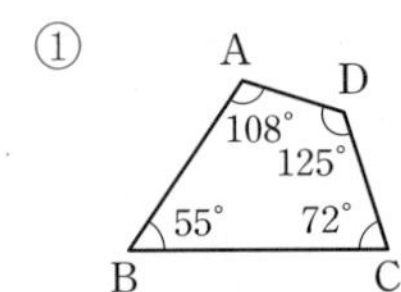

②
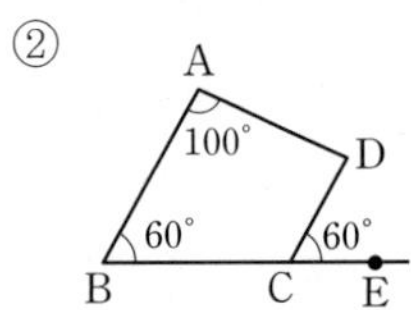

③
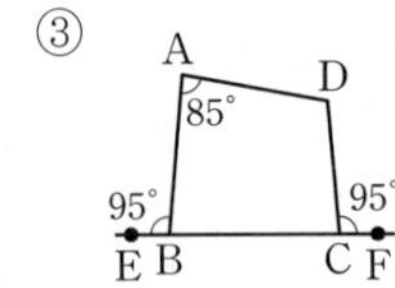

④
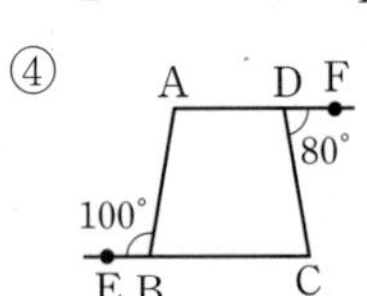

⑤
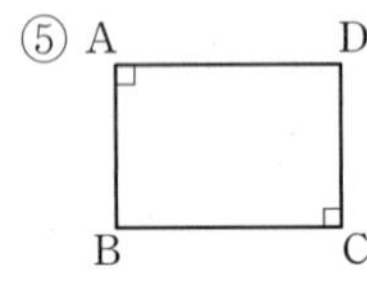

출제율 95%

92 하 오른쪽 그림의 □ABCD에서 ∠BAD=∠DCE=92°, ∠ACB=45°일 때, ∠ADB의 크기는?

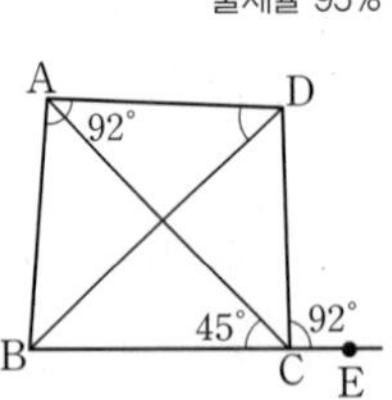

① 30° ② 35° ③ 40° ④ 45° ⑤ 50°

출제율 95%

93 중 다음 보기 중 항상 원에 내접하는 사각형을 모두 고른 것은?

보기

ㄱ. 사다리꼴 ㄴ. 등변사다리꼴 ㄷ. 평행사변형
ㄹ. 직사각형 ㅁ. 마름모 ㅂ. 정사각형

① ㄱ, ㄷ, ㄹ ② ㄴ, ㄹ, ㅁ ③ ㄴ, ㄹ, ㅂ
④ ㄷ, ㄹ, ㅂ ⑤ ㄷ, ㅁ, ㅂ

출제율 90%

94 중 오른쪽 그림과 같은 사각형 ABCD에서 ∠A=98°일 때, 이 사각형이 원에 내접하기 위한 조건으로 옳은 것을 모두 골라라.

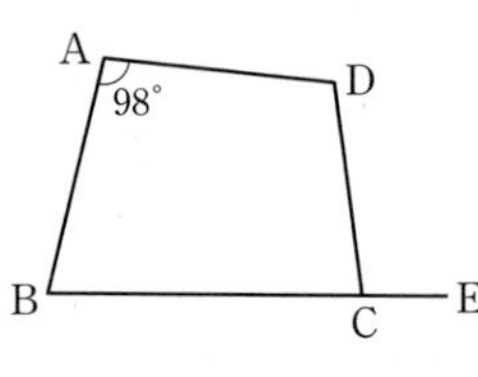

㉠ ∠B=82° ㉡ ∠D=98°
㉢ ∠BCD=82° ㉣ ∠B+∠BCD=180°
㉤ ∠DCE=98°

출제율 85%

95 중 오른쪽 그림과 같이 ∠B=63°, ∠C=40°인 △ABC에서 한 점 D를 잡아 원에 내접하는 □ABDC를 만들려고 한다. 이 때, ∠BDC의 크기로 알맞은 것은?

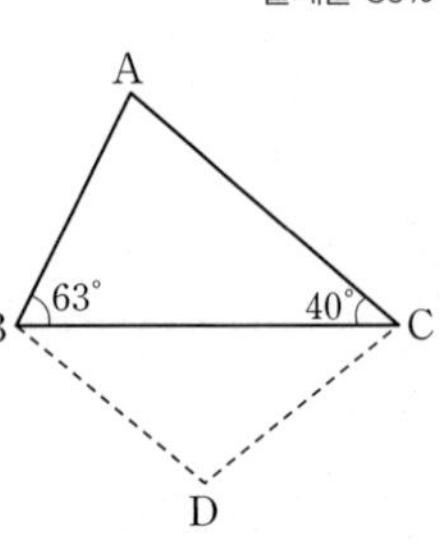

① 101° ② 102° ③ 103° ④ 104° ⑤ 105°

출제율 80%

96 상 오른쪽 그림에서 점 H는 세 수선 AE, BF, CD의 교점이다. 점 A, B, C, D, E, F, H 중에서 네 점을 연결하여 사각형을 만들 때, 원에 내접하는 사각형은 모두 몇 개인지 구하여라.

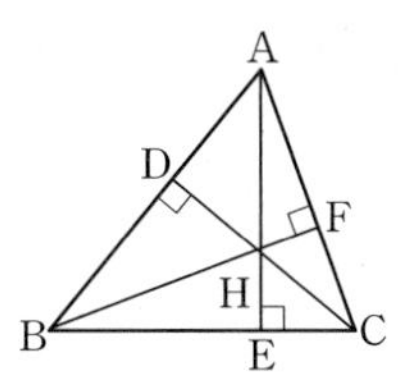

대표유형 접선과 현이 이루는 각

97 오른쪽 그림에서 직선 AT가 원 O의 접선일 때, $\angle x$, $\angle y$의 크기를 각각 구하여라.

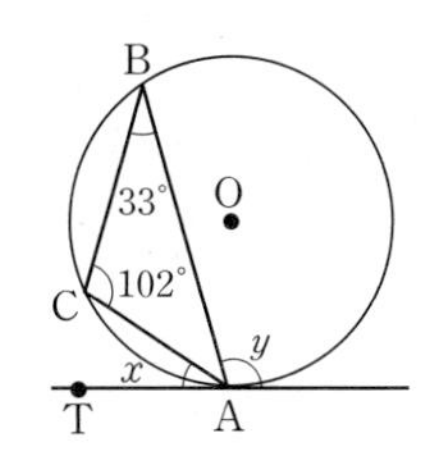

출제율 95%

98 하 오른쪽 그림에서 직선 AT는 점 A를 접점으로 하는 원 O의 접선이다. $\angle BAT=80^\circ$일 때, $\angle BOA$의 크기는?

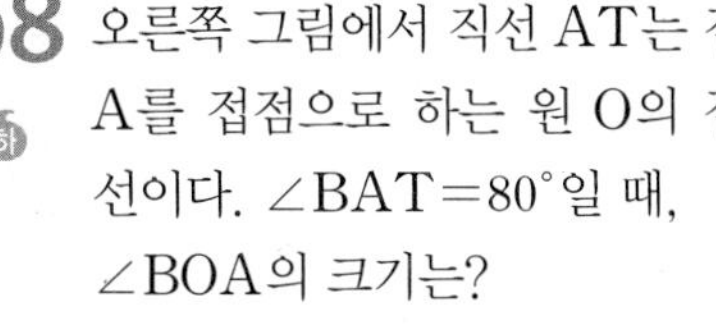

① 120° ② 130° ③ 145° ④ 150° ⑤ 160°

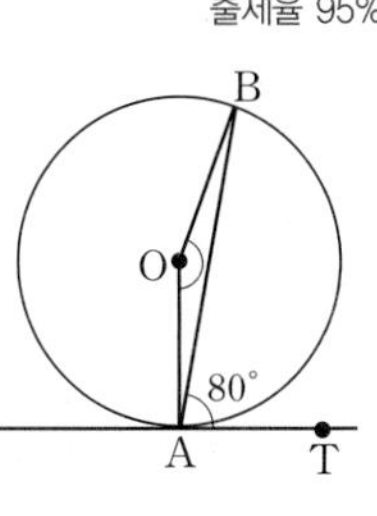

출제율 95%

99 하 오른쪽 그림에서 $\overleftrightarrow{AT}$가 원 O의 접선일 때, $\angle y-\angle x$의 크기는?

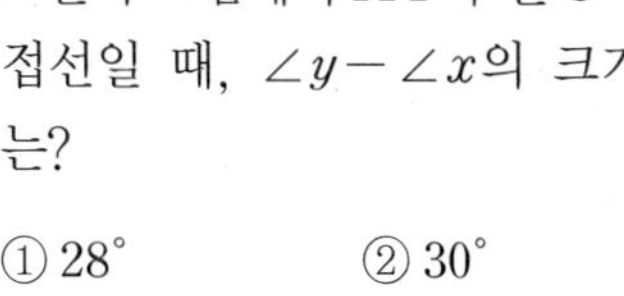

① 28° ② 30° ③ 32° ④ 36° ⑤ 38°

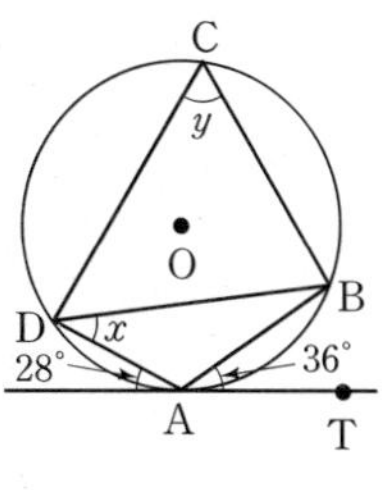

출제율 95%

100 중 오른쪽 그림에서 $\overline{TP}$는 원의 접선이고, 점 T는 원의 접점이다. $\overline{BT}=\overline{BP}$일 때, $\angle ATB$의 크기는?

① 60° ② 65° ③ 70° ④ 75° ⑤ 80°

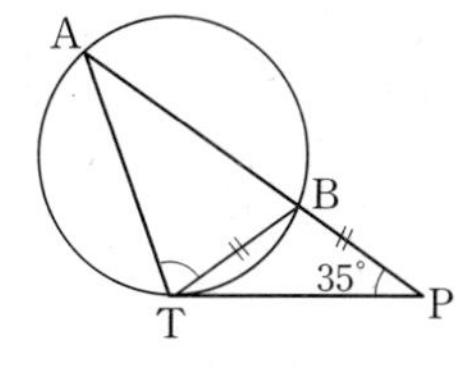

출제율 90%

101 중 오른쪽 그림에서 직선 AT는 점 A를 접점으로 하는 원 O의 접선이다. $\angle OBA=31^\circ$일 때, $\angle BAT$의 크기는?

① 50° ② 53° ③ 56° ④ 59° ⑤ 62°

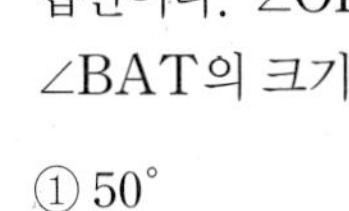

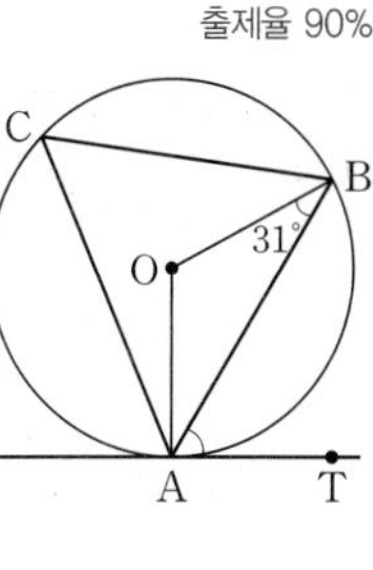

출제율 90%

102 중 오른쪽 그림에서 $\overleftrightarrow{AT}$는 원의 접선이고 점 A는 접점이다. $\widehat{AB} : \widehat{BC} : \widehat{CA} = 6 : 5 : 4$일 때, $\angle BAT$의 크기는?

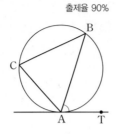

① $48°$ ② $55°$
③ $60°$ ④ $65°$
⑤ $72°$

출제율 90%

103 중 오른쪽 그림에서 $\square ABCD$는 원에 내접하고, 두 직선 l, m은 각각 원 위의 점 B, D에서 접한다. $\angle C = 110°$일 때, $\angle x + \angle y$의 크기는?

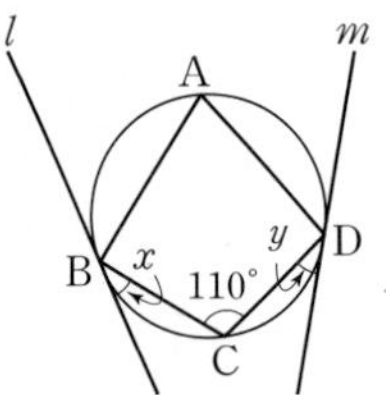

① $70°$ ② $75°$
③ $80°$ ④ $82°$
⑤ $110°$

출제율 90%

104 중 오른쪽 그림과 같이 점 P에서 외접하는 두 원 O, O′의 공통인 접선을 $\overleftrightarrow{ST}$라 하자. $\angle PAC = 75°$, $\angle PDB = 55°$일 때, $\angle BPD$의 크기는?

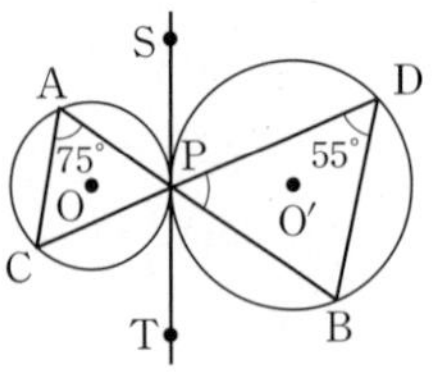

① $45°$ ② $50°$ ③ $60°$
④ $65°$ ⑤ $70°$

출제율 90%

105 중 오른쪽 그림에서 직선 PQ는 두 원의 공통인 접선이고 점 T는 접점이다. 다음 중 옳지 <u>않은</u> 것은? (정답 2개)

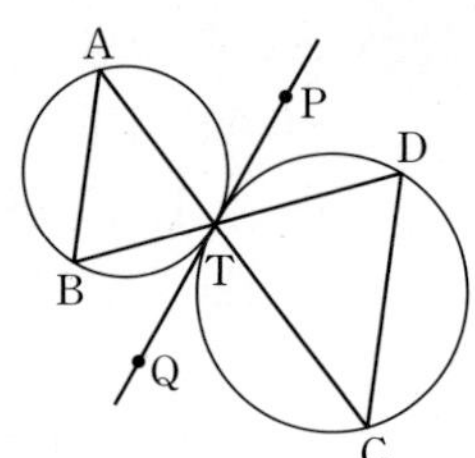

① $\angle BAT = \angle DCT$
② $\angle CTQ = \angle DTP$
③ $\overline{AB} /\!/ \overline{DC}$
④ $\triangle ABT \backsim \triangle CDT$
⑤ $\overline{AT} : \overline{DT} = \overline{BT} : \overline{CT}$

출제율 90%

106 중 오른쪽 그림과 같이 $\overrightarrow{PT}$가 원 O의 접선이고 $\angle PAT = 38°$, $\angle ABT = 100°$일 때, $\angle x + \angle y$의 크기는?

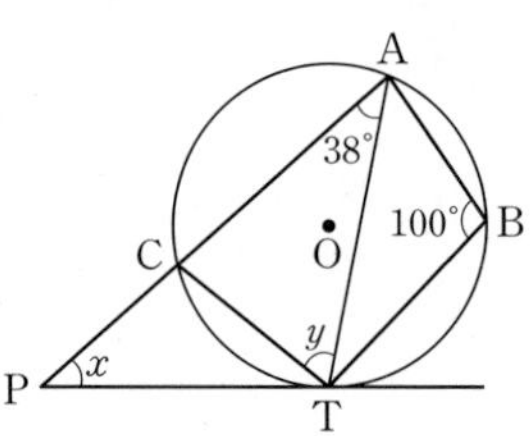

① $98°$ ② $100°$
③ $102°$ ④ $104°$
⑤ $106°$

출제율 90%

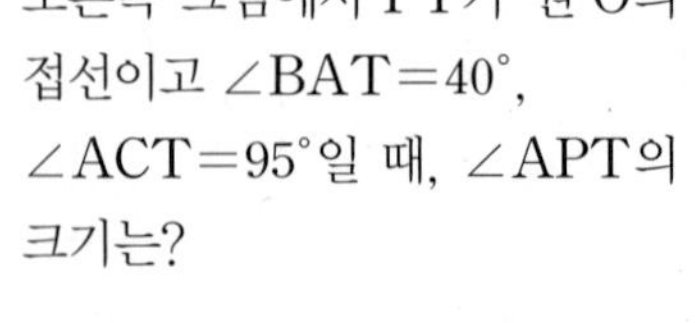

107 중 오른쪽 그림에서 $\overline{PT}$가 원 O의 접선이고 $\angle BAT = 40°$, $\angle ACT = 95°$일 때, $\angle APT$의 크기는?

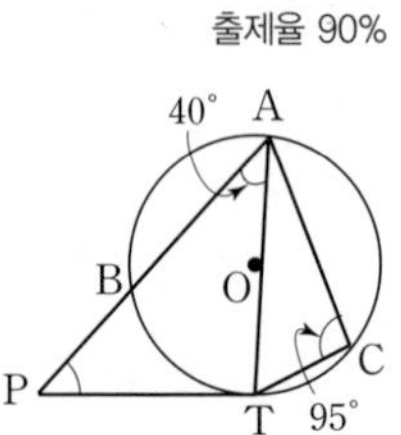

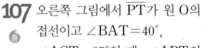

① $40°$ ② $45°$
③ $50°$ ④ $55°$
⑤ $60°$

출제율 85%

108 중 오른쪽 그림의 원 O에서 $\widehat{AC}=\widehat{BC}$이고, $\overline{BH}$는 접선이다. $\angle AHB=120^{\circ}$일 때, $\angle HBC$의 크기는?

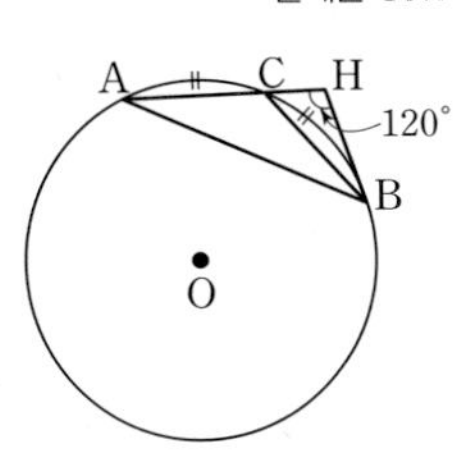

① 15° ② 20°
③ 25° ④ 30°
⑤ 35°

출제율 85%

109 중 오른쪽 그림에서 점 D는 원 위의 한 점 C에서의 접선과 지름 AB의 연장선의 교점이다. $\angle CAB=\angle CDB=30^{\circ}$일 때, $\overline{BD}$의 길이를 구하여라.

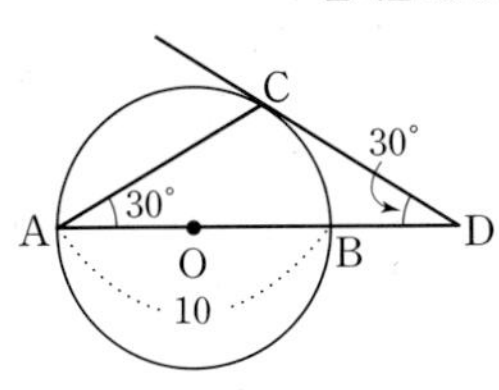

출제율 85%

110 상 오른쪽 그림의 원 O에서 두 점 C, D가 호 AB의 삼등분점이고, 점 A는 원 O의 접점이다. $\angle AEB=65^{\circ}$일 때, $\angle x$의 크기를 구하여라.

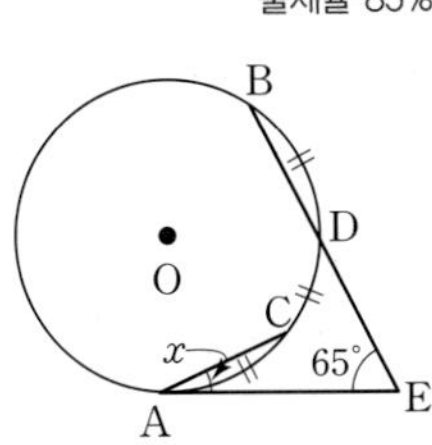

출제율 80%

111 상 오른쪽 그림과 같이 지름이 $\overline{AB}$인 원 O 위의 점 C에서 그은 접선을 $\overleftrightarrow{CT}$라 하고, 점 A에서 $\overleftrightarrow{CT}$에 내린 수선의 발을 D라 하자. $\overline{AO}=2$, $\overline{AD}=3$일 때, $\angle CAD$의 크기는?

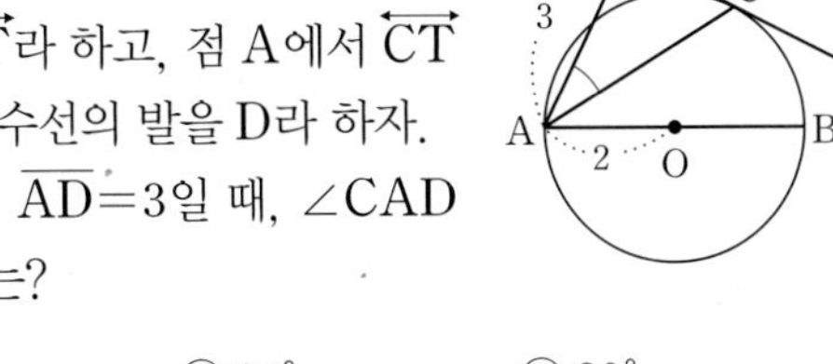

① 20° ② 25° ③ 30°
④ 40° ⑤ 45°

출제율 80%

112 상 오른쪽 그림에서 직선 AT는 원의 접선이고 $\overleftrightarrow{AT}\,/\!/\,\overline{DC}$이다. $\overline{BD}=5$, $\overline{AC}=6$일 때, x의 값은?

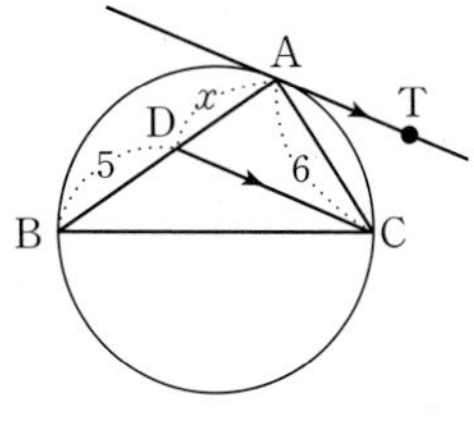

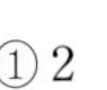

① 2 ② 3
③ 4 ④ 5
⑤ 6

출제율 80%

113 상 오른쪽 그림에서 삼각형 ABC는 원 O에 내접한다. $\overleftrightarrow{AT}$는 원 O의 접선이고 $\overline{AD}\perp\overline{BC}$, $\overline{GF}\perp\overline{AF}$, $\angle BAC=80^{\circ}$, $\angle TAB=74^{\circ}$일 때, $\angle CBG$의 크기는?

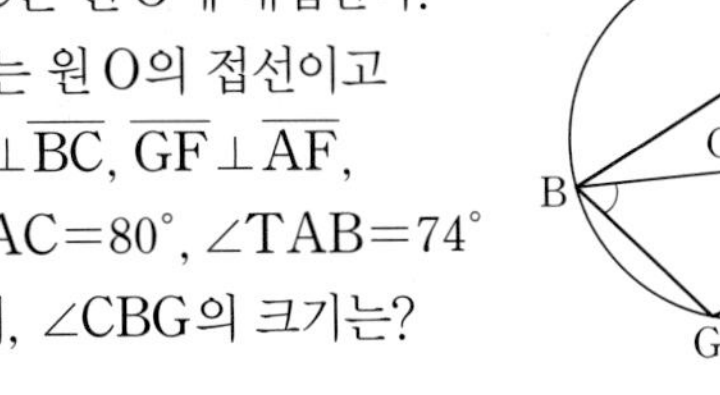

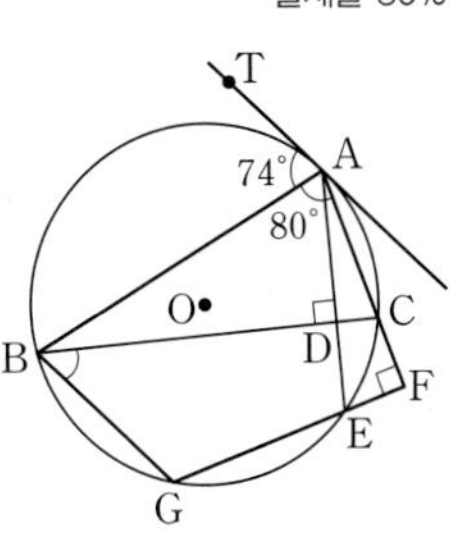

① 48° ② 50°
③ 52° ④ 54°
⑤ 56°

대표유형 접선과 현이 이루는 각의 활용(1)

114 오른쪽 그림에서 $\overline{BC}$는 원 O의 지름이고, 점 A는 접점이다. $\angle CBA=35^\circ$일 때, $\angle BAT$의 크기는?

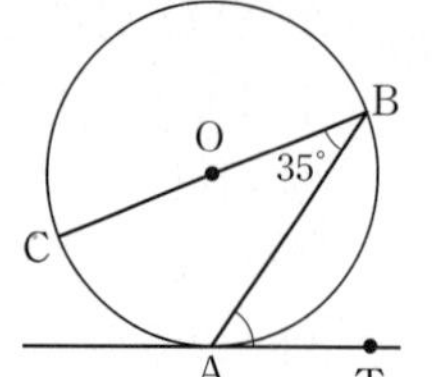

① 35°　② 40°　③ 45°　④ 50°　⑤ 55°

내신 UP POINT

접선과 현이 이루는 각의 활용(1)

할선이 원의 중심을 지날 때, 오른쪽 그림과 같이 보조선을 그어 크기가 같은 각을 찾는다.

(1) $\angle ATB=90^\circ$

(2) $\angle ATP=\angle PBT$

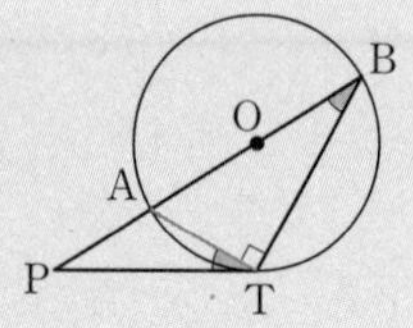

출제율 95%

115 (하) 오른쪽 그림에서 $\overline{PB}$는 원의 중심을 지나는 할선이고

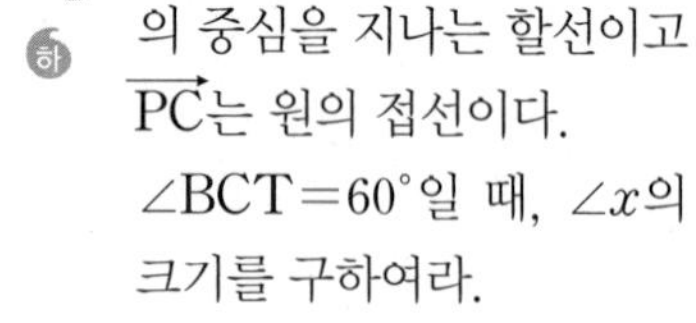

$\overrightarrow{PC}$는 원의 접선이다. $\angle BCT=60^\circ$일 때, $\angle x$의 크기를 구하여라.

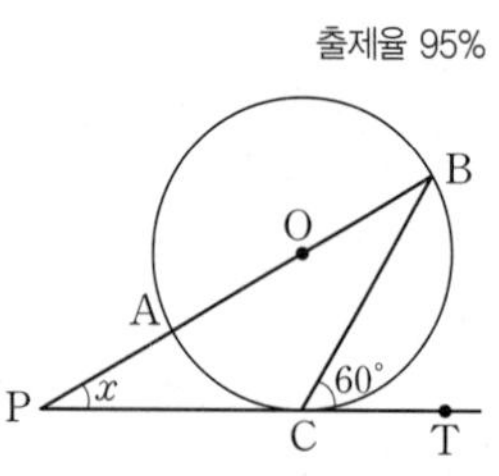

출제율 95%

116 (하) 오른쪽 그림의 원 O에서 $\overline{PT}$가

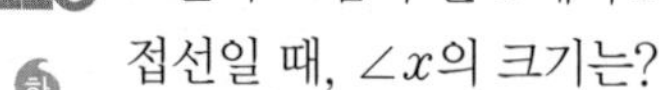

접선일 때, $\angle x$의 크기는?

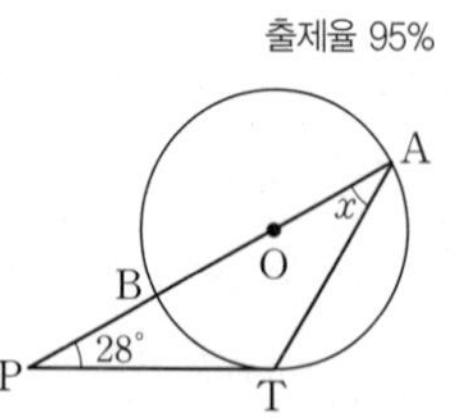

① 28°　② 29°　③ 30°　④ 31°　⑤ 32°

출제율 95%

117 (하) 오른쪽 그림에서 $\overrightarrow{CT}$는 원 O의 접선이고 점 A는 접점이다. $\angle BAT=70^\circ$일 때, $\angle BCT$의 크기는?

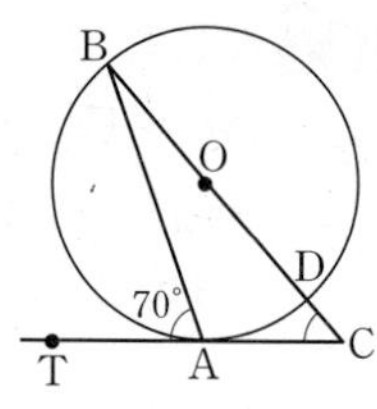

① 30°　② 40°　③ 50°　④ 60°　⑤ 70°

출제율 90%

118 (중) 오른쪽 그림과 같이 반직선 PT와 원 O는 점 B에서 접하고 $\overline{AB}=\overline{BP}$일 때, $\angle ABP$의 크기는?

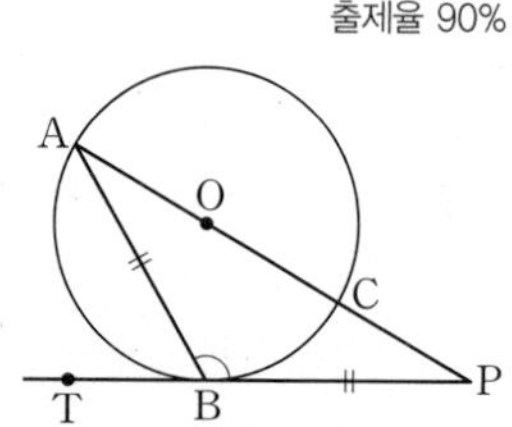

① 110°　② 120°　③ 130°　④ 135°　⑤ 150°

출제율 90%

119 (중) 오른쪽 그림에서 $\overleftrightarrow{ST}$가 원 O의 접선이고 $\angle BAT=38^\circ$, $\angle CAS=57^\circ$일 때, $\angle x+\angle y$의 크기는?

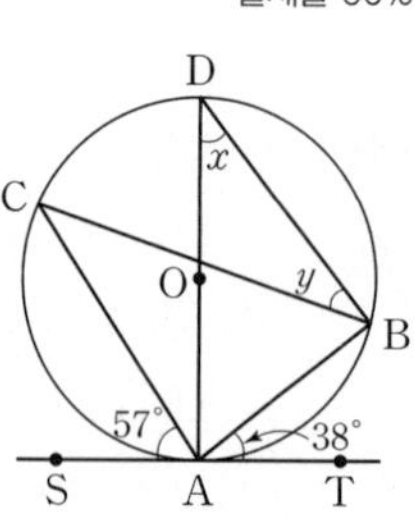

① 71°　② 73°　③ 75°　④ 78°　⑤ 80°

출제율 90%

120 중 오른쪽 그림에서 $\overline{PC}$는 원 O의 접선이고 $\widehat{AD}=\widehat{CD}$, $\angle P=38^\circ$일 때, $\angle ACD$의 크기는?

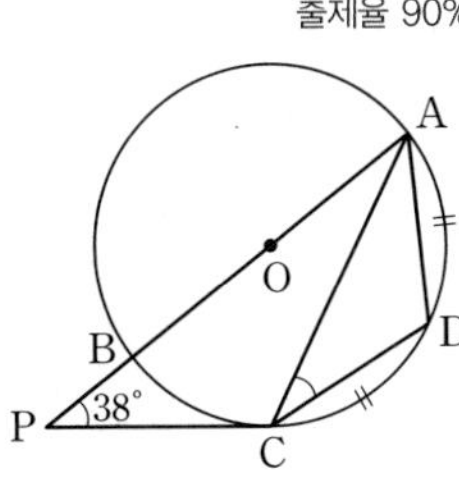

① 30° ② 31°
③ 32° ④ 33°
⑤ 34°

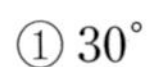

출제율 85%

121 중 오른쪽 그림에서 $\overline{BC}$는 원 O의 지름이고, $\overline{PT}$는 원 O의 접선이다.
$\widehat{AT}=\widehat{CT}$이고, $\angle PTB=28^\circ$일 때, $\angle ATB$의 크기는?

① 30° ② 32° ③ 34°
④ 36° ⑤ 40°

출제율 80%

122 중 오른쪽 그림과 같이 원 O 위의 점 T를 지나는 접선과 지름 BC의 연장선이 만나는 점을 P라 하자. $\angle BAT=60^\circ$일 때, $\angle CPT$의 크기는?

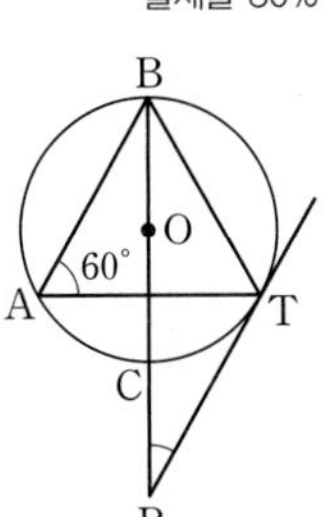

① 20° ② 30°
③ 35° ④ 40°
⑤ 45°

출제율 85%

123 상 오른쪽 그림에서 $\overline{AB}$는 원 O의 지름이고, 직선 DE는 접선이다. $\overline{BC}/\!/\overline{DE}$, $\angle ADE=20^\circ$일 때, $\angle x+\angle y$의 크기를 구하여라.

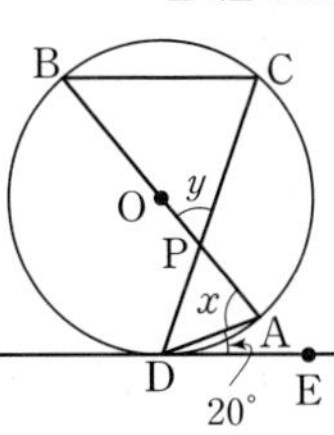

출제율 85%

124 상 오른쪽 그림에서 세 점 A, B, P는 반원 O의 접점이다. $\angle PAB=30^\circ$, $\overline{AD}=9$ cm일 때, 원 O의 지름의 길이는?

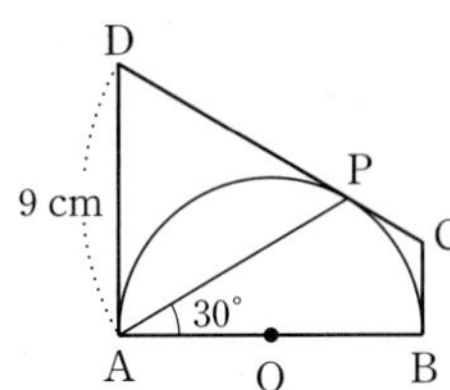

① 3 cm ② $3\sqrt{3}$ cm
③ 6 cm ④ $6\sqrt{3}$ cm
⑤ 9 cm

대표유형 **접선과 현이 이루는 각의 활용(2)**

125 오른쪽 그림에서 두 반직선 PA, PB는 점 A, B를 각각 접점으로 하는 원 O의 접선이다. $\angle APB=50^\circ$일 때, $\angle x$의 크기는?

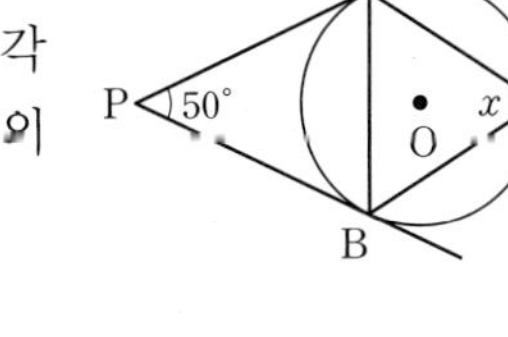

① 50° ② 55° ③ 60°
④ 65° ⑤ 70°

내신 UP POINT

접선과 현이 이루는 각의 활용(2)
두 반직선 PA, PB가 원 O의 접선이면 $\overline{PA}=\overline{PB}$이므로 $\triangle PAB$는 이등변삼각형이다.
$\therefore \angle PAB=\angle PBA=\angle ACB$

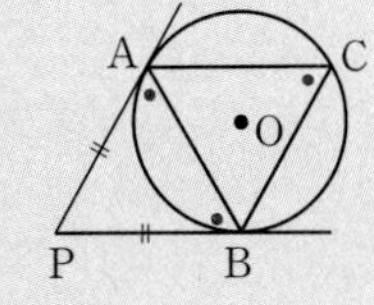

출제율 95%

126 중

오른쪽 그림에서 $\triangle ABC$의 내접원이 $\triangle DEF$의 외접원이다. $\angle EDF=60°$, $\angle DEF=50°$일 때, $\angle B$의 크기는?

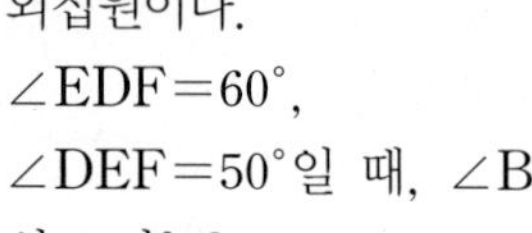

① 30° ② 40° ③ 50° ④ 60° ⑤ 70°

출제율 95%

127 중

오른쪽 그림에서 $\triangle ABC$의 내접원이 $\triangle DEF$의 외접원이다. $\angle ABC=48°$, $\angle DEF=46°$일 때, $\angle EDF$의 크기는?

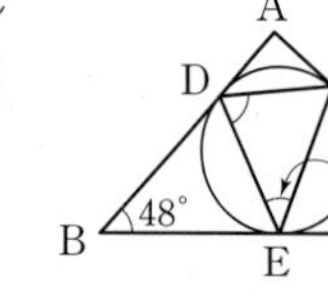

① 64° ② 65° ③ 66° ④ 67° ⑤ 68°

출제율 95%

128 중

오른쪽 그림에서 원 O는 $\triangle ABC$의 내접원이고 점 D, E, F는 접점일 때, $\angle B$의 크기는?

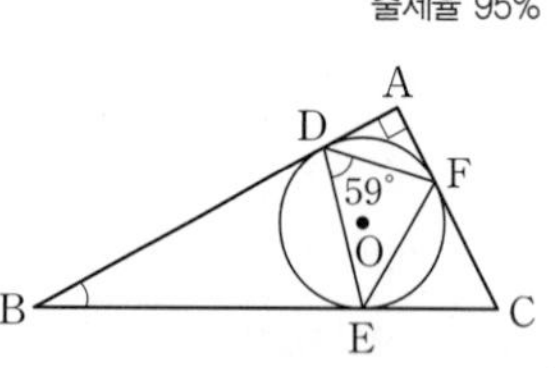

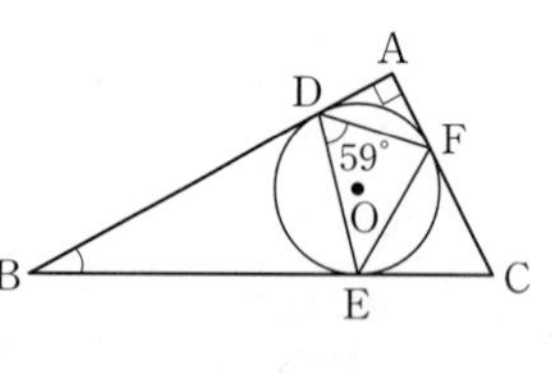

① 20° ② 24° ③ 26° ④ 28° ⑤ 32°

출제율 85%

129 중

오른쪽 그림에서 $\overrightarrow{PA}$, $\overrightarrow{PB}$는 원 O의 접선이고 두 점 A, B는 접점이다. $\angle APB=80°$, $\widehat{AC}=\widehat{BC}$일 때, $\angle x$의 값은?

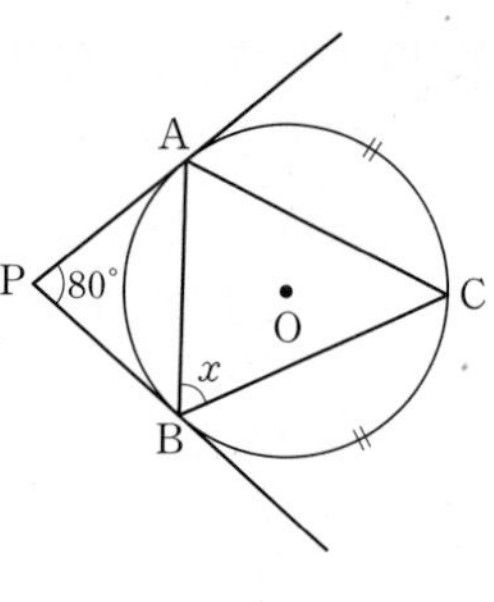

① 55° ② 60° ③ 65° ④ 70° ⑤ 75°

출제율 85%

130 중

오른쪽 그림에서 $\overrightarrow{PA}$, $\overrightarrow{PB}$는 원 O의 접선이고, 두 점 A, B는 접점이다. $\angle APB=58°$, $\angle CAD=73°$일 때, $\angle CBE$의 크기는?

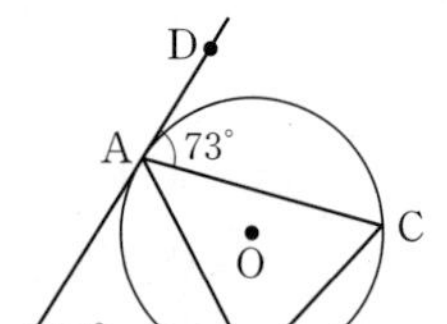

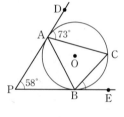

① 30° ② 42° ③ 46° ④ 58° ⑤ 70°

출제율 85%

131 상

오른쪽 그림에서 $\overrightarrow{PA}$, $\overrightarrow{PB}$는 원 O의 접선이고 두 점 A, B는 접점이다. $\widehat{BC}:\widehat{CA}=3:8$이고 $\angle ABC=96°$일 때, $\angle x$의 크기를 구하여라.

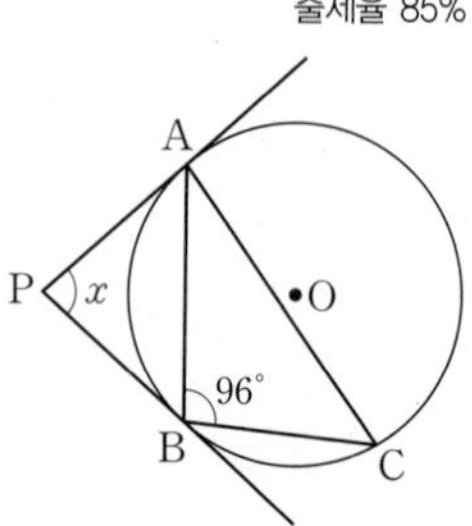

출제율 80%

132 오른쪽 그림에서 $\overrightarrow{PA}$, $\overrightarrow{PB}$는 원 O의 접선이고 점 C, D는 $\widehat{AB}$의 3등분점이다. $\angle APB=42^\circ$일 때, $\angle AEB$의 크기는?
상

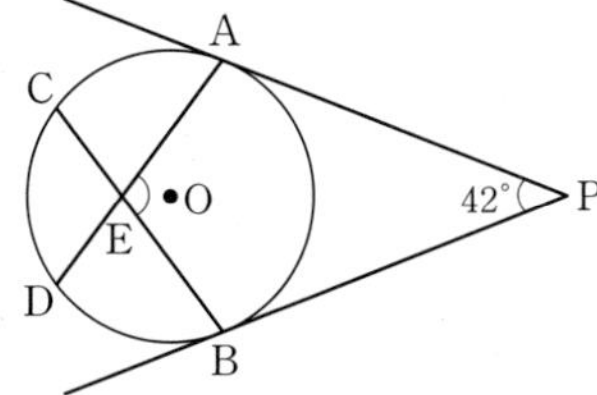

① 100° ② 102° ③ 104°
④ 106° ⑤ 108°

대표유형 접선과 현이 이루는 각의 활용(3)

133 오른쪽 그림은 점 P에서 원에 할선 PB와 접선 PT를 그은 것이다. $\overline{AB}=\overline{TB}=12$, $\overline{PA}=4$일 때, $\overline{AT}$의 길이는?

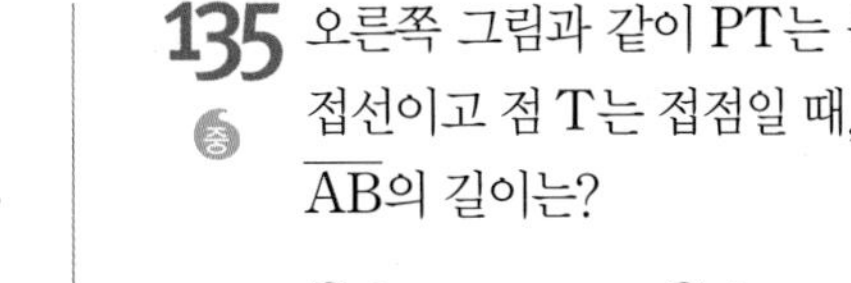

① 9 ② 8 ③ 7
④ 6 ⑤ 5

내신 UP POINT

접선과 현이 이루는 각의 활용(3)
오른쪽 그림과 같이 $\overline{PT}$가 원의 접선이고 점 T가 접점일 때,
$\triangle PAT$와 $\triangle PTB$에서
$\angle P$는 공통,
$\angle PTA=\angle PBT$
이므로 $\triangle PAT \infty \triangle PTB$(AA 닮음)
$\therefore \overline{PA} : \overline{PT}=\overline{AT} : \overline{TB}=\overline{PT} : \overline{PB}$

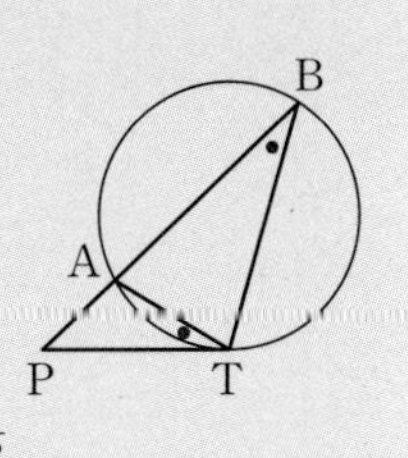

출제율 90%

134 오른쪽 그림에서 $\overline{PT}$가 점 T를 접점으로 하는 원의 접선일 때, $\overline{AT}$의 길이는?
중

B
9
8
A
P
6
T

① 3 ② 3.5
③ 4 ④ 4.5
⑤ 5

출제율 85%

135 오른쪽 그림과 같이 $\overline{PT}$는 원의 접선이고 점 T는 접점일 때, $\overline{AB}$의 길이는?
중

① 3 ② 4
③ 5 ④ 6
⑤ 7

출제율 80%

136 오른쪽 그림과 같이 접선 PT와 지름 AB의 연장선이 점 P에서 만나고 $\overline{AB}=15$ cm, $\overline{PB}=5$ cm일 때, x의 값은?
상

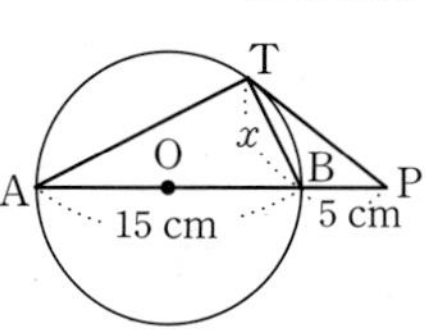

① 2 cm ② $3\sqrt{5}$ cm ③ 4 cm
④ 5 cm ⑤ $6\sqrt{3}$ cm

출제율 80%

137 오른쪽 그림과 같이 접선 PC와 지름 AB의 연장선이 점 P에서 만나고 $\angle ACP=30^\circ$일 때, $\overline{PC}$의 길이는?
상

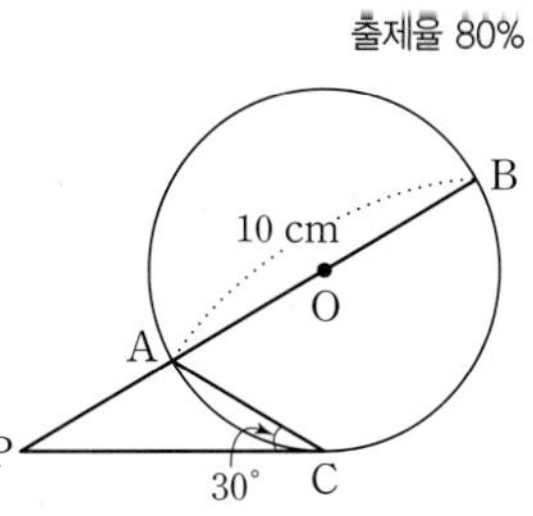

① 4 cm ② $3\sqrt{2}$ cm
③ 5 cm ④ $5\sqrt{3}$ cm
⑤ 6 cm

대표유형 원주각과 삼각비

138 오른쪽 그림과 같이 반지름의 길이가 4인 원 O에서 $\overline{BC}=6$일 때, $\sin A$의 값을 구하여라.

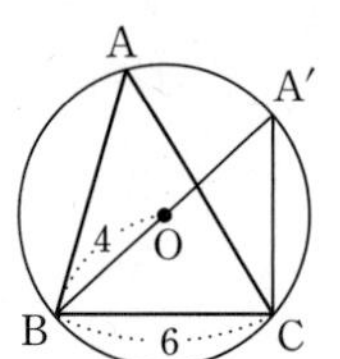

출제율 85%

139 (하) 오른쪽 그림의 원 O에서 $\angle A=60°$, $\overline{BC}=6$ cm일 때, 원 O의 반지름의 길이는?

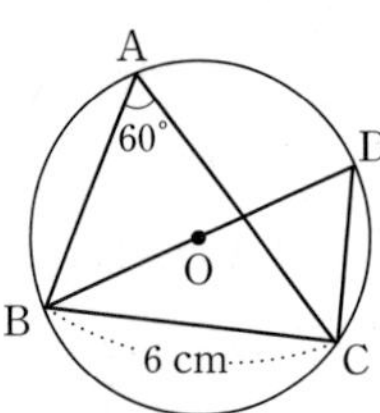

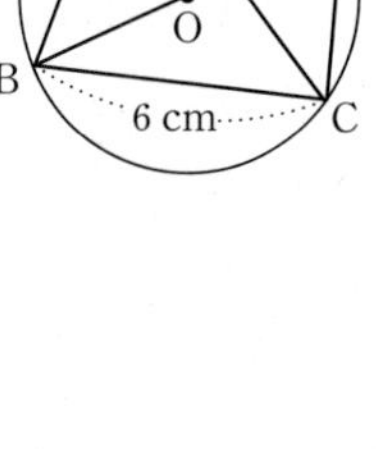

① $\sqrt{3}$ cm ② 2.5 cm
③ 3 cm ④ $2\sqrt{3}$ cm
⑤ $3\sqrt{2}$ cm

출제율 80%

140 (하) 오른쪽 그림에서 $\overline{AB}$는 원 O의 지름이고 $\overline{AB}=6$, $\overline{BC}=4$일 때, $\cos A$의 값은?

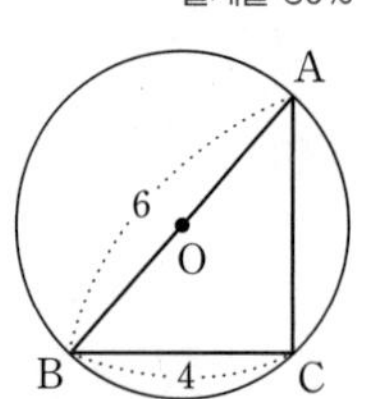

① $\frac{1}{3}$ ② $\frac{1}{2}$
③ $\frac{\sqrt{5}}{3}$ ④ $\frac{\sqrt{3}}{2}$
⑤ $\frac{\sqrt{2}}{3}$

출제율 85%

141 (중) 오른쪽 그림과 같이 반지름의 길이가 8 cm인 원 O에 내접하는 $\triangle ABC$에서 $\overline{BC}=10$ cm일 때, $\sin A$의 값은?

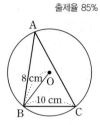

① $\frac{2}{3}$ ② $\frac{3}{5}$
③ $\frac{4}{5}$ ④ $\frac{5}{8}$
⑤ $\frac{\sqrt{3}}{2}$

출제율 85%

142 (중) 오른쪽 그림과 같이 원 O에 내접하는 $\triangle ABC$에서 $\overline{BC}=4$ cm이고 $\tan A=\sqrt{2}$일 때, 원 O의 반지름의 길이는?

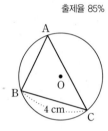

① 2 cm ② $\sqrt{6}$ cm
③ $2\sqrt{2}$ cm ④ 3 cm
⑤ $3\sqrt{2}$ cm

출제율 85%

143 (중) 오른쪽 그림과 같이 원 O에 내접하는 $\triangle ABC$에서 $\angle ABC=60°$, $\overline{AC}=12$일 때, 원 O의 반지름의 길이는?

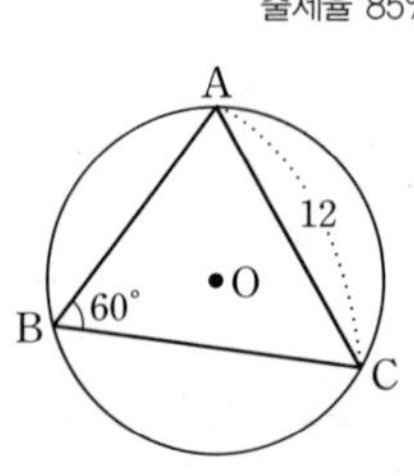

① $2\sqrt{3}$ ② $4\sqrt{3}$
③ $6\sqrt{3}$ ④ $8\sqrt{3}$
⑤ $12\sqrt{3}$

출제율 80%

144 오른쪽 그림과 같이 원 모양의 종이를 $\overline{AB}$를 접는 선으로 하여 접었더니 접혀진 부분의 호가 중심 O를 지나게 되었다. 이때 원 위의 한 점을 P라 하고 $\angle APB=x$라 할 때 $\sin x$의 값은?

상

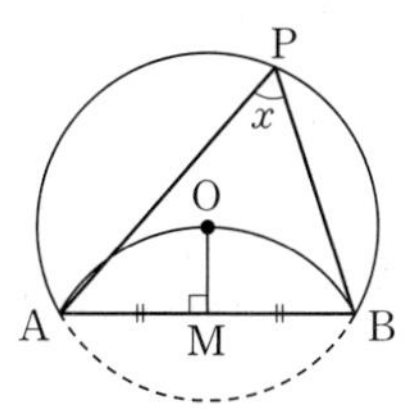

① $\frac{1}{2}$ ② $\frac{\sqrt{2}}{2}$ ③ $\frac{\sqrt{3}}{2}$
④ $\frac{\sqrt{3}}{3}$ ⑤ 1

대표유형 **원에서의 활용**

145 오른쪽 그림과 같이 반지름의 길이가 8인 원 O에 내접하는 $\triangle ABC$에서 $\angle BAC=30°$일 때, $\triangle OBC$의 넓이는?

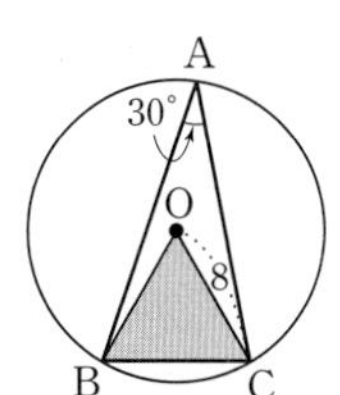

① $8\sqrt{3}$ ② $10\sqrt{3}$
③ $12\sqrt{3}$ ④ $14\sqrt{3}$
⑤ $16\sqrt{3}$

출제율 90%

146 오른쪽 그림과 같이 반지름의 길이가 4 cm인 원 O에 내접하는 $\triangle ABC$에서 $\angle BAC=60°$일 때, $\triangle OBC$의 넓이는?

중

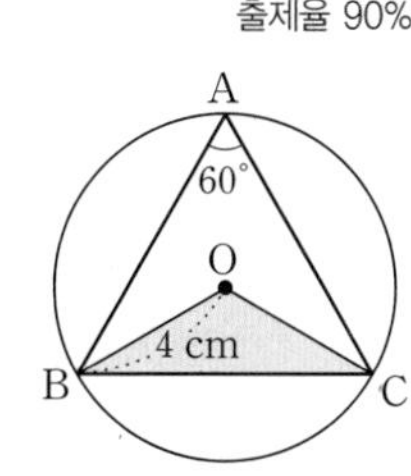

① $2\sqrt{3}$ cm^2 ② 4 cm^2
③ $4\sqrt{3}$ cm^2 ④ 8 cm^2
⑤ $8\sqrt{3}$ cm^2

출제율 90%

147 오른쪽 그림과 같이 원 O에 내접하는 $\triangle ABC$에서 $\angle BAC=30°$, $\overline{BC}=6$ cm일 때, 색칠한 부분의 둘레는?

중

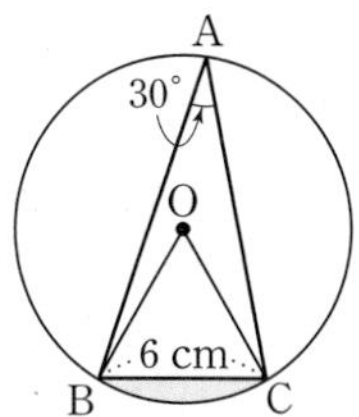

① $2(\pi-3)$ cm
② $2(\pi+3)$ cm
③ $3(\pi-2)$ cm
④ $3(\pi+2)$ cm
⑤ $6(\pi-1)$ cm

출제율 85%

148 오른쪽 그림과 같이 $\triangle ABC$가 반지름의 길이가 2 cm인 원 O에 내접하고 있다. $\widehat{AB}:\widehat{BC}:\widehat{CA}=3:4:1$일 때, $\triangle ABO$의 넓이는?

중

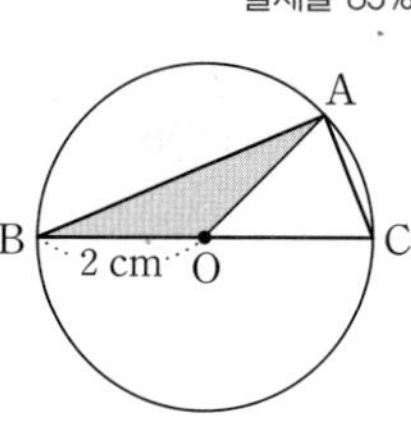

① $\sqrt{2}$ cm^2 ② 2 cm^2 ③ $2\sqrt{2}$ cm^2
④ $2\sqrt{3}$ cm^2 ⑤ 4 cm^2

출제율 85%

149 오른쪽 그림에서 $\overleftrightarrow{AT}$가 원 O의 접선이고 점 A는 접점이다. $\angle BAT=60°$, $\overline{AC}=12$이고 $\widehat{AB}=\widehat{BC}$일 때, $\triangle ABC$의 넓이는?

중

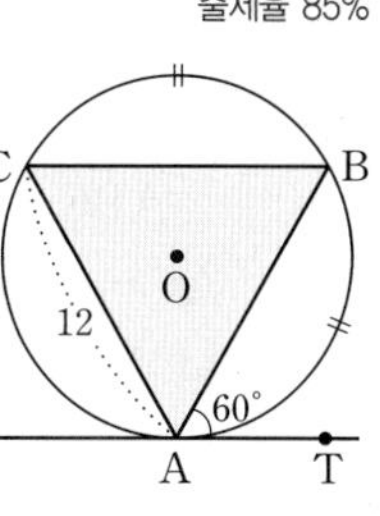

① $12\sqrt{3}$ ② 24
③ $24\sqrt{3}$ ④ 36
⑤ $36\sqrt{3}$

출제율 85%

150 중 오른쪽 그림에서 점 O는 반원의 중심이고 $\overline{AO}=4\sqrt{3}$, $\angle OAC=30^\circ$일 때, 색칠한 부분의 넓이는?

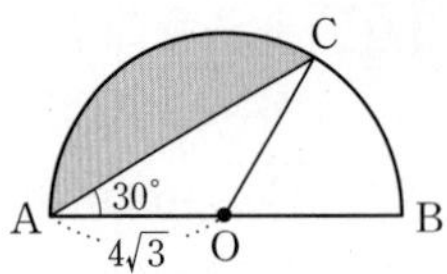

① $16\pi+12\sqrt{3}$ ② $16\pi-12\sqrt{3}$
③ $16\pi-6\sqrt{3}$ ④ $8\pi-4\sqrt{3}$
⑤ $8\pi+6\sqrt{3}$

출제율 85%

151 중 오른쪽 그림에서 세 점 A, B, P는 반지름의 길이가 9 cm인 원 위에 있고 $\angle OPA=35^\circ$, $\angle OBP=25^\circ$일 때, 부채꼴 OAB의 넓이는?

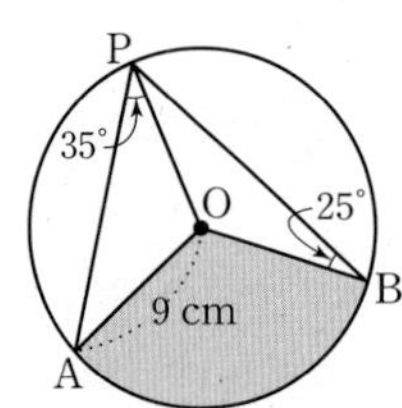

① $16\pi\text{ cm}^2$ ② $18\pi\text{ cm}^2$
③ $21\pi\text{ cm}^2$ ④ $24\pi\text{ cm}^2$
⑤ $27\pi\text{ cm}^2$

출제율 80%

152 중 오른쪽 그림에서
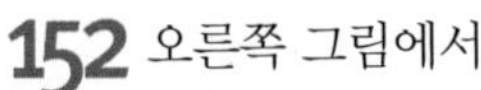
$\angle ABC=120^\circ$, $\widehat{AD}=\widehat{CD}$, $\overline{AC}=2\text{ cm}$일 때, $\triangle ACD$의 넓이는?

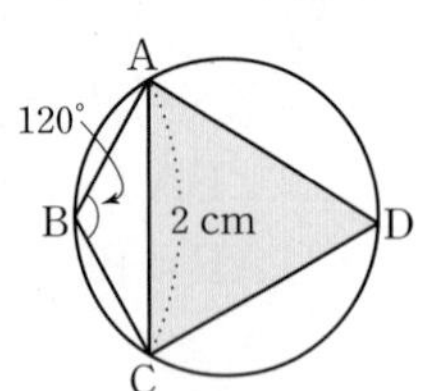

① $\sqrt{3}\text{ cm}^2$ ② 2 cm^2
③ $2\sqrt{3}\text{ cm}^2$ ④ 3 cm^2
⑤ $3\sqrt{2}\text{ cm}^2$

출제율 80%

153 상 오른쪽 그림과 같이 원 O에 내접하는 $\triangle ABC$가 있다. $\overline{BG}$는 원 O의 지름이고 $\angle CAB=30^\circ$, $\overline{AB}=\overline{AC}=\overline{DG}=2$, $\widehat{BD}$와 $\widehat{AG}$의 길이는 각각 원주의 $\frac{1}{12}$이다. $\overline{DG}$가 $\overline{AB}$, $\overline{AC}$와 만나는 점을 각각 E, F라 할 때, $\overline{AE}$의 길이를 구하여라.

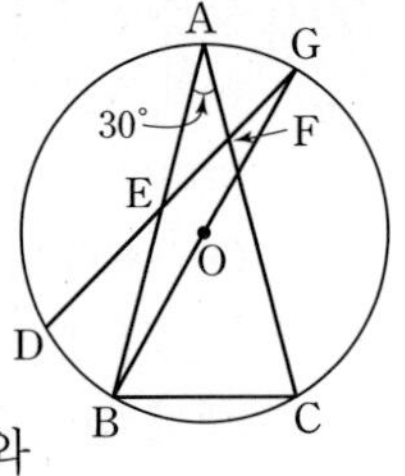

출제율 80%

154 상 오른쪽 그림과 같이 길이가 8 cm인 $\overline{AB}$를 지름으로 하는 반원 O가 있다.
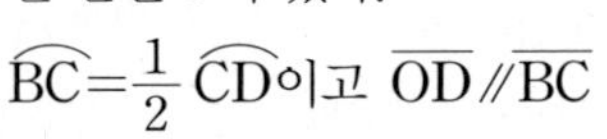
$\widehat{BC}=\frac{1}{2}\widehat{CD}$이고 $\overline{OD}/\!/\overline{BC}$일 때, $\widehat{AD}$의 길이는?

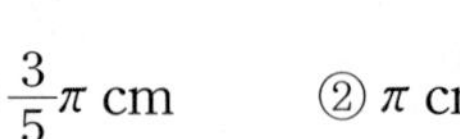

① $\frac{3}{5}\pi\text{ cm}$ ② $\pi\text{ cm}$ ③ $\frac{8}{5}\pi\text{ cm}$
④ $2\pi\text{ cm}$ ⑤ $\frac{12}{5}\pi\text{ cm}$

출제율 80%

155 상 오른쪽 그림에서 직선 CT는 지름의 길이가 10 cm인 원 O의 접선이고 $\angle BCT=60^\circ$일 때, $\triangle ABC$의 넓이를 구하여라.

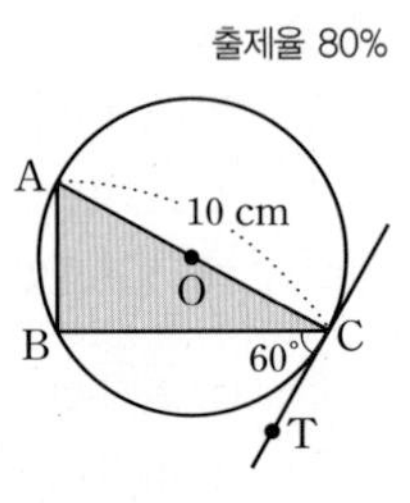

개념 UP 01 두 원에서 내접하는 사각형의 성질

□ABQP와 □PQCD가 각각 두 원 O, O′에 내접할 때

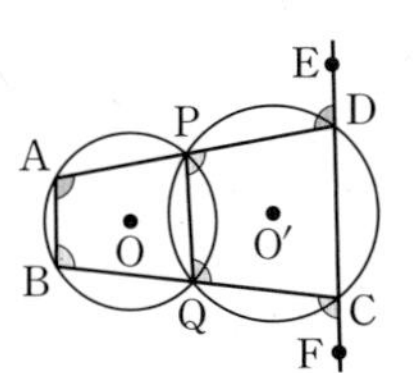

(1) $\angle BAP=\angle PQC=\angle PDE$
$\angle ABQ=\angle QPD=\angle QCF$

(2) $\angle BAP+\angle PDC=180^\circ$
$\angle ABQ+\angle QCD=180^\circ$

(3) $\overline{AB}/\!/\overline{CD}$

출제율 80%

156 오른쪽 그림과 같이 두 원 O, O′이 두 점 P, Q에서 만난다. $\angle D=100^\circ$일 때, $\angle BOP$의 크기는?

중

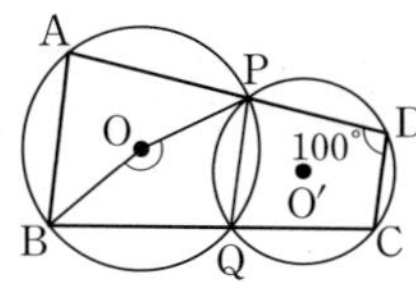

① 130°　② 140°
③ 150°　④ 160°
⑤ 170°

출제율 80%

157 오른쪽 그림과 같이 두 원 O, O′의 교점 P, Q를 각각 지나는 직선과 두 원이 만나는 점을 A, B, C, D라 하자. $\angle PO'D=160^\circ$일 때, $\angle PAC$의 크기를 구하여라.

상

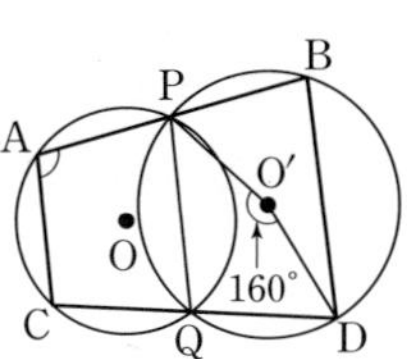

출제율 80%

158 오른쪽 그림에서 $\angle G=82^\circ$, $\angle H=88^\circ$일 때, $\angle A$의 크기를 구하여라.

상

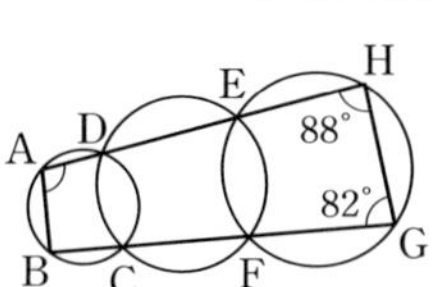

개념 UP 02 두 원에서 접선과 현이 이루는 각

두 원의 교점 T에서의 접선 PQ에 대하여

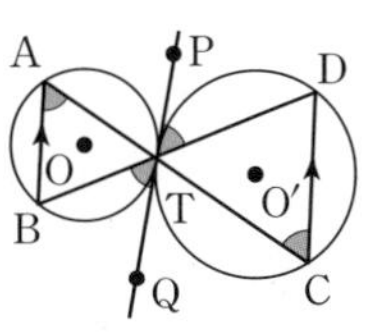

(1) ① $\angle BAT=\angle BTQ=\angle DTP$
$=\angle DCT$
② $\angle BAT=\angle DCT$(엇각)이므로
$\overline{AB}/\!/\overline{CD}$

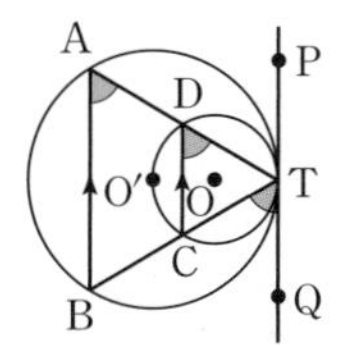

(2) ① $\angle BAT=\angle BTQ=\angle CDT$
② $\angle BAT=\angle CDT$(동위각)이므로
$\overline{AB}/\!/\overline{CD}$

출제율 80%

159 오른쪽 그림과 같이 두 원이 점 P에서 접할 때, $\angle APC$의 크기는?

중

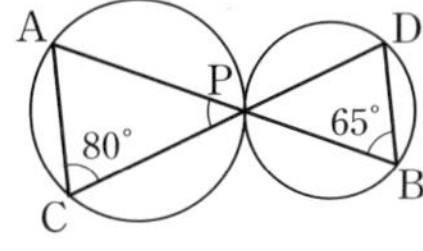

① 35°　② 37°
③ 40°　④ 42°
⑤ 45°

출제율 80%

160 오른쪽 그림에서 $\overleftrightarrow{TT'}$은 두 원의 공통인 접선이다. $\angle BDT=75^\circ$일 때, $2\angle x-\angle y$의 크기는?

상

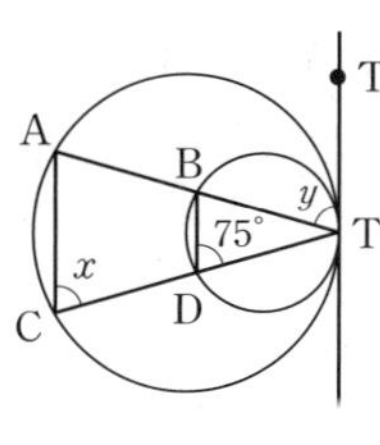

① 45°　② 55°
③ 65°　④ 75°
⑤ 85°

출제율 80%

161 오른쪽 그림에서 $\overleftrightarrow{FG}$는 점 A에서 작은 원과 접한다. $\angle ADE=65^\circ$, $\angle GAE=50^\circ$일 때, $\angle DAE$의 크기는?

상

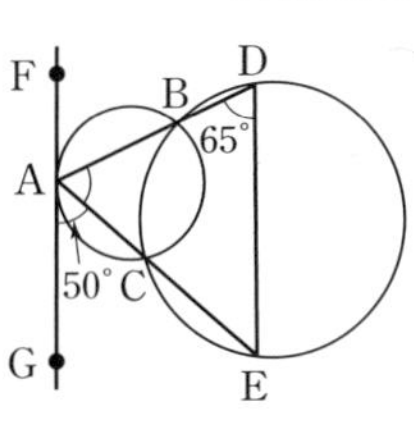

① 45°　② 50°
③ 55°　④ 60°
⑤ 65°

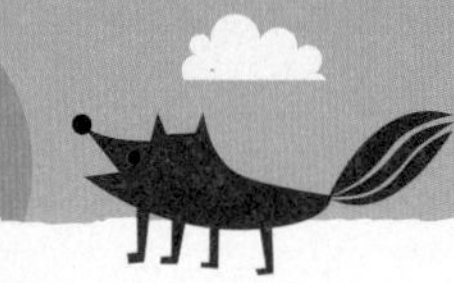

내신 STYLE 학교 시험 100점 맞기

이것만 봐도 70점!

01 다음 그림에서 $\angle y-\angle x$의 크기를 구하여라.

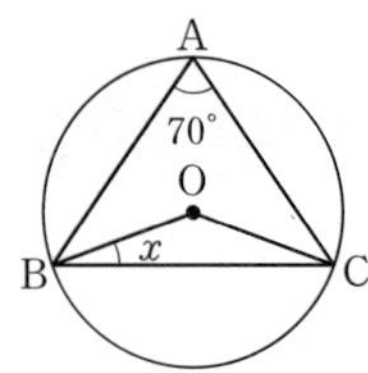

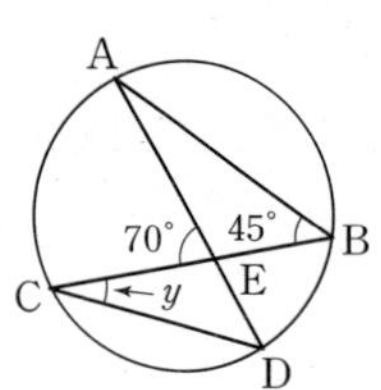

02 오른쪽 그림에서 $\overrightarrow{PA}$, $\overrightarrow{PB}$는 원 O의 접선이고 $\angle APB=60°$일 때, $\angle ACB$의 크기는?

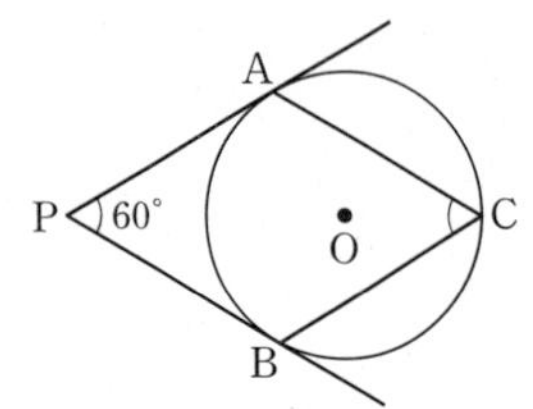

① 40° ② 45° ③ 50° ④ 60° ⑤ 70°

03 오른쪽 그림의 원 O에서 $\angle APB=50°$, $\angle ACB=15°$일 때, $\angle DQC$의 크기는?

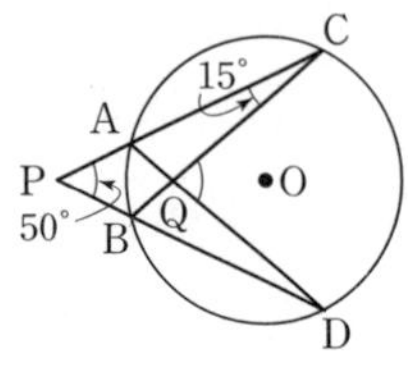

① 65° ② 70° ③ 75° ④ 80° ⑤ 85°

04 오른쪽 그림에서 현 AB는 원 O의 중심을 지난다. $\angle BED=43°$일 때, $\angle ACD$의 크기는?

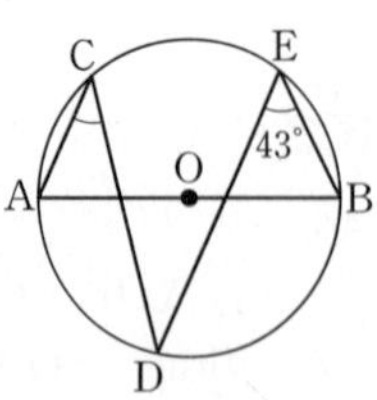

① 43° ② 45° ③ 47° ④ 49° ⑤ 51°

05 오른쪽 그림의 원 O에서 $\widehat{AM}=\widehat{BM}$이고 $\angle D=30°$, $\angle ABD=40°$일 때, $\angle BMD$의 크기는?

① 60° ② 65° ③ 70° ④ 75° ⑤ 80°

06 오른쪽 그림에서 점 P는 두 현 AB, CD의 교점이다. $\widehat{BC}=4$ cm, $\angle ACD=20°$, $\angle BPC=65°$일 때, 이 원의 둘레의 길이는?

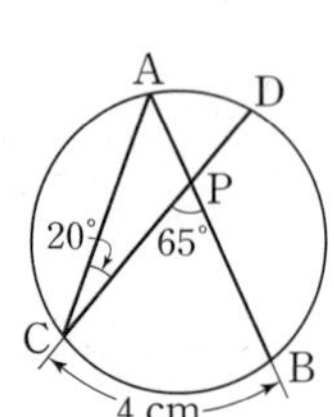

① 6 cm ② 8 cm ③ 10 cm ④ 16 cm ⑤ 20 cm

07 오른쪽 그림에서 □ABCD는 원에 내접하고, 점 P는 $\overline{DA}$와 $\overline{CB}$의 연장선의 교점이다. $\angle DPC=31°$, $\angle ABC=100°$일 때, $\angle DCB$의 크기는?

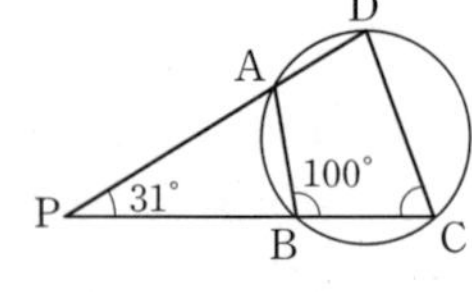

① 59° ② 69° ③ 71° ④ 79° ⑤ 81°

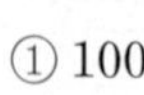

08 오른쪽 그림에서 $\overline{AD}=\overline{CD}$이고 $\angle B=100°$일 때, $\angle AED$의 크기는?

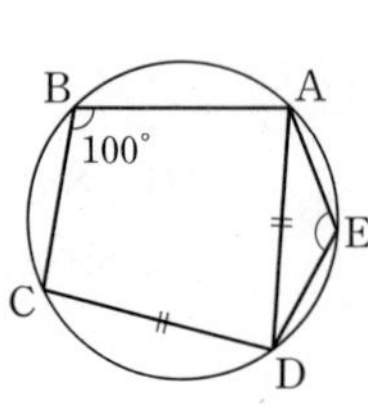

① 100° ② 105° ③ 120° ④ 125° ⑤ 130°

09 오른쪽 그림과 같이 □ABCD가 원에 내접할 때, 다음 중 옳지 <u>않은</u> 것은?

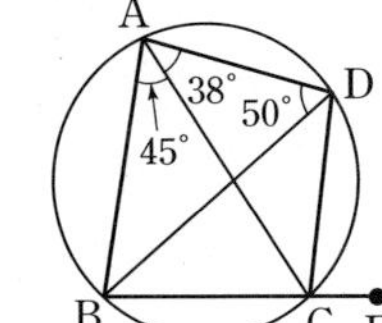

① ∠CBD=38°
② ∠ACB=50°
③ ∠ACD=47°
④ ∠DCE=83°
⑤ ∠ABC=95°

10 오른쪽 그림에서 □ABCD는 원 O에 내접하고 $\overline{BC}$는 원 O의 지름이다. ∠ADE=60°, ∠DBC=25°일 때, $\angle x-\angle y$의 크기는?

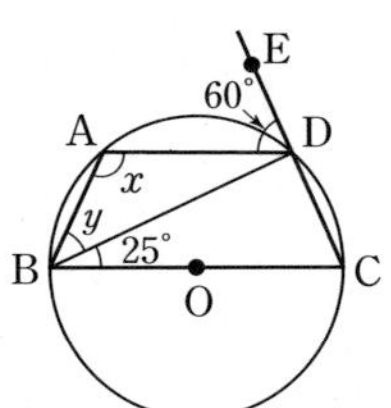

① 65°　② 70°　③ 75°
④ 80°　⑤ 85°

11 오른쪽 그림에서 □ABCD가 원에 내접하고 ∠BPC=40°, ∠AQB=34°일 때, $\angle x$의 크기는?

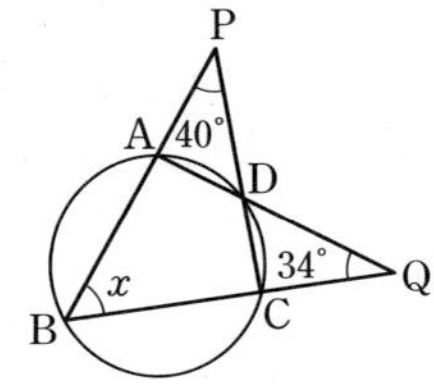

① 47°　② 51°
③ 53°　④ 55°
⑤ 60°

12 오른쪽 그림과 같이 오각형 ABCDE가 원 O에 내접한다. ∠COD=80°일 때, ∠B+∠E의 크기는?

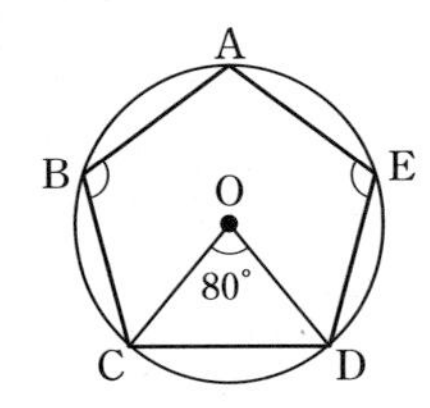

① 210°　② 220°
③ 240°　④ 250°
⑤ 300°

13 다음 중에서 항상 원에 내접하는 사각형을 모두 고르면? (정답 2개)

① 평행사변형　② 마름모
③ 정사각형　④ 등변사다리꼴
⑤ 사다리꼴

14 오른쪽 그림의 원 O에서 $\overline{AB}$는 지름이고, $\overrightarrow{PT}$는 접선이다. ∠ATC=67°일 때, ∠APC의 크기는?

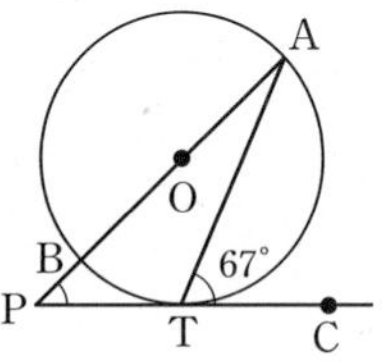

① 44°　② 46°
③ 48°　④ 50°
⑤ 54°

15 오른쪽 그림과 같이 원 O의 지름 AB의 연장선 위의 점 P에서 원 O에 그은 접선 PT의 접점을 C라 하자. $\overline{PC}=\overline{BC}$일 때, ∠BCT의 크기는?

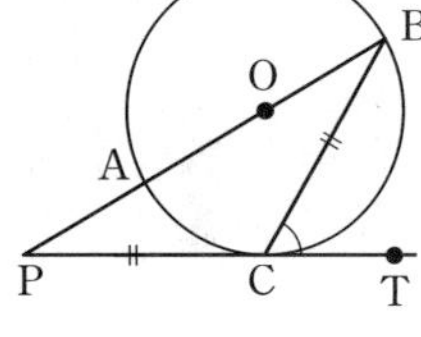

① 55°　② 60°　③ 65°
④ 70°　⑤ 75°

16 오른쪽 그림의 원 O에서 $\overline{AB}$는 지름이고 $\overrightarrow{DC}$는 접선이다. $\overline{AB}$=12 cm, ∠CAB=30°일 때, $\overline{BD}$의 길이를 구하여라.

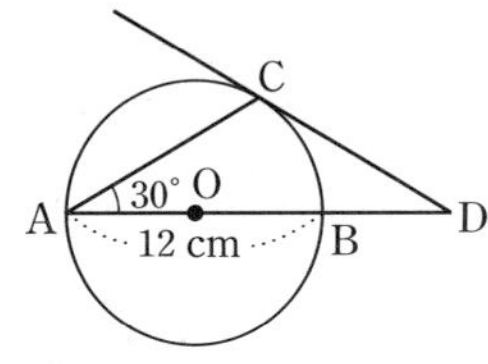

꼭! 맞고 상위권 진입

17 오른쪽 그림과 같이 원 O 위에 $\widehat{AB}=\widehat{BC}=\widehat{CD}$인 네 점 A, B, C, D를 잡아 $\overrightarrow{BA}$와 $\overrightarrow{CD}$의 교점을 E라 하자.
$\angle BEC=28°$일 때, $\angle x$의 크기를 구하여라.

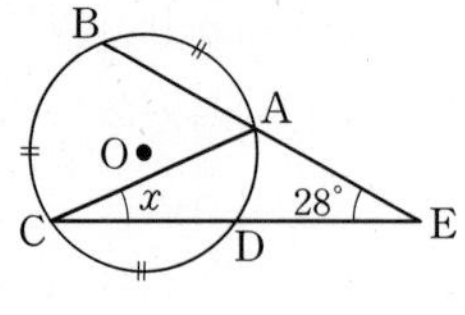

18 오른쪽 그림과 같이 $\overline{AB}>\overline{AC}$인 $\triangle ABC$가 원에 내접한다. 점 A에서의 접선이 현 BC의 연장선과 만나는 점을 D, $\angle ADB$의 이등분선이 변 AB와 만나는 점을 E라 하자. $\angle BAC=40°$일 때, $\angle x$의 크기는?

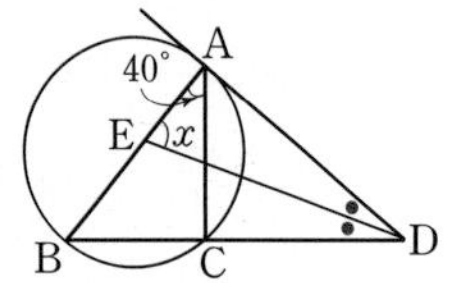

① 60° ② 65° ③ 70°
④ 75° ⑤ 80°

19 오른쪽 그림에서 $\overrightarrow{PT}$는 원의 접선이고, $\widehat{TC}=\widehat{CB}$이다.
$\angle BPT=32°$,
$\angle BTC=27°$일 때,
$\angle ABT$의 크기는?

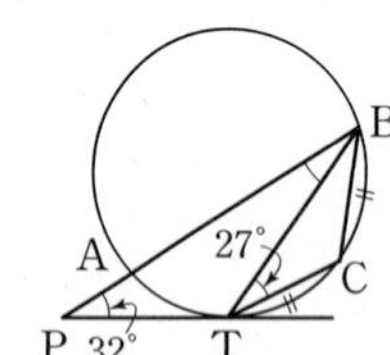

① 22° ② 26° ③ 27°
④ 32° ⑤ 36°

20 오른쪽 그림에서 $\overline{AB}$는 지름이고 $\overline{TP}$는 접선이다.
$\angle TPB=90°$, $\overline{PB}=4$,
$\overline{AB}=13$일 때, $\overline{TB}$의 길이는?

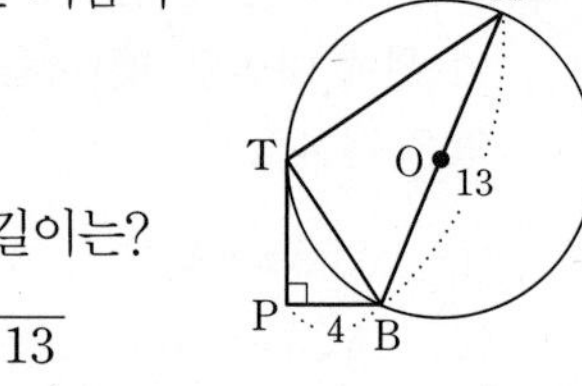

① $2\sqrt{11}$ ② $2\sqrt{13}$
③ $2\sqrt{15}$ ④ $2\sqrt{17}$
⑤ $2\sqrt{19}$

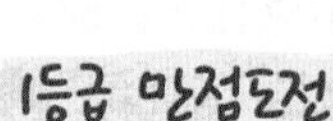

21 오른쪽 그림과 같이 두 원 O, O′이 두 점 P, Q에서 만난다. 점 P를 지나는 직선과 점 Q를 지나는 직선이 두 원과 만나는 점을 각각 A, B와 C, D라 하자. $\angle PAC=100°$일 때, $\angle PBD$의 크기는?

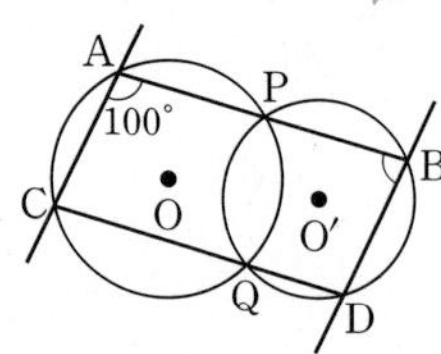

① 70° ② 75° ③ 80°
④ 85° ⑤ 90°

22 오른쪽 그림과 같이 두 원이 점 T에서 접할 때, 점 T를 지나는 두 직선이 두 원과 만나는 점을 각각 A, C, B, D라 하자. 다음 중 옳지 않은 것은?

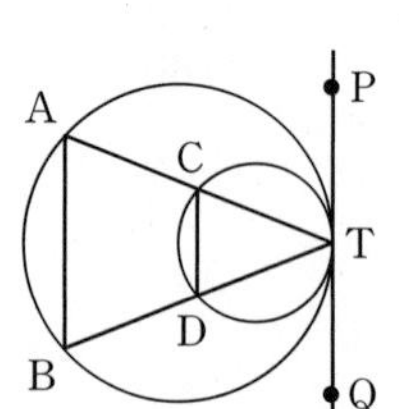

① $\angle ABT=\angle DCT$
② $\overline{AB}/\!/\overline{CD}$
③ $\angle BAT=\angle DCT$
④ $\angle ABT=\angle ATP$
⑤ $\triangle ABT \backsim \triangle CDT$

단계형

23 오른쪽 그림과 같은 원 O에서 $\angle AOB=54°$, $\angle CEB=66°$일 때, $\angle x$의 크기를 구하여라. [6점]

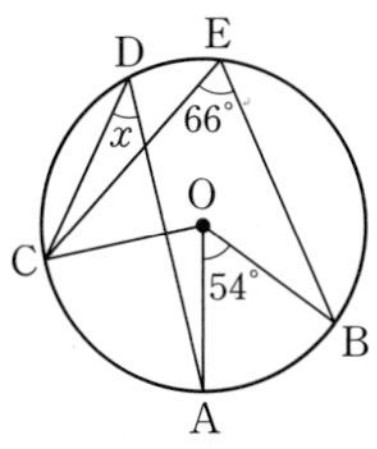

1단계 $\angle COB$의 크기 구하기 [2점]

2단계 $\angle COA$의 크기 구하기 [2점]

3단계 $\angle x$의 크기 구하기 [2점]

단계형

24 오른쪽 그림에서 지름 BC의 연장선과 원 위의 한 점 T에서 그은 접선의 교점을 P라 하자. $\angle BAT=55°$일 때, $\angle x$의 크기를 구하여라. [7점]

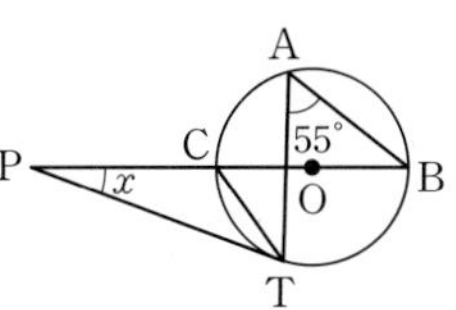

1단계 $\angle BCT$의 크기 구하기 [2점]

2단계 $\angle CTP$의 크기 구하기 [3점]

3단계 $\angle x$의 크기 구하기 [2점]

사고력

25 오른쪽 그림에서 $\overline{AB}$는 원 O의 지름이고 $\angle COD=48°$일 때, $\angle CPD$의 크기를 구하여라. [5점]

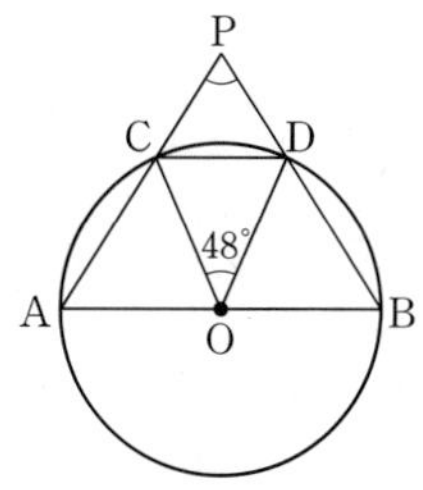

사고력

26 오른쪽 그림에서 $\overleftrightarrow{LM}$은 원 O의 접선이고, $\overset{\frown}{BC}=\overset{\frown}{CD}$이다. $\angle LAD=54°$, $\angle MAB=28°$일 때, $\angle ADC$의 크기를 구하여라. [8점]

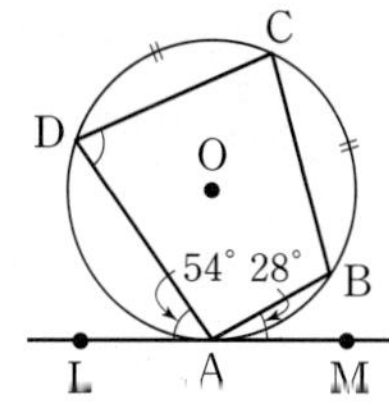

01 대푯값 – 평균, 중앙값

대푯값 : 자료 전체의 특징을 하나의 수로 나타낸 값으로 평균, 중앙값, 최빈값 등이 있다. 이때 대푯값으로 가장 많이 쓰이는 것은 평균이다.

(1) 평균 : (평균)$=\frac{(\text{자료의 총합})}{(\text{자료의 총 개수})}$

(2) 중앙값 : 자료를 크기순으로 나열했을 때, 한가운데에 위치한 값

포인트개념

• n개의 자료를 크기순으로 나열했을 때, 중앙값은

① n이 홀수이면 $\frac{n+1}{2}$번째 변량

② n이 짝수이면 $\frac{n}{2}$번째와 $\left(\frac{n}{2}+1\right)$번째 변량의 평균

예제 1

다음 자료의 평균, 중앙값을 각각 구하여라.

(1) 2, 6, 7, 9, 16

(2) 80, 85, 85, 90, 100

(3) 8, 4, 9, 9, 8, 10

02 대푯값 – 최빈값

최빈값 : 자료의 값 중에서 가장 많이 나타나는 값

① 변량이 모두 다르거나, 다른 변량의 각각의 개수가 모두 같은 경우에는 최빈값이 없다.

② 가장 많이 나타나는 변량이 두 개 이상인 경우는 그 값이 모두 최빈값이다.

③ 자료의 수가 많은 경우에 평균이나 중앙값보다 구하기 쉽고, 숫자로 나타내지 못하는 자료의 경우에도 쉽게 구할 수 있다.

포인트개념

• 최빈값은 존재하지 않을 수도 있고, 2개 이상일 수도 있다.

예제 2

다음 자료의 최빈값을 구하여라.

(1) 10, 16, 18, 18, 19, 20

(2) 2, 2, 3, 4, 6, 6, 7, 8

(3) 15, 24, 33, 42, 55

(4) 귤, 사과, 사과, 사과, 감, 딸기, 배

03 산포도와 편차

(1) 산포도 : 대푯값을 중심으로 자료가 흩어져 있는 정도를 하나의 수로 나타낸 값으로 분산, 표준편차 등이 있다. 평균을 대푯값으로 할 때,

① 산포도가 크면 자료들이 대푯값으로부터 멀리 흩어져 있다.

② 산포도가 작으면 자료들이 대푯값 주위에 밀집되어 있다.

(2) 편차 : 각 변량에서 평균을 뺀 값 ➡ (편차)=(변량)−(평균)

① 편차의 총합은 항상 0이다.

② 평균보다 큰 변량의 편차는 양수이고, 평균보다 작은 변량의 편차는 음수이다.

③ 편차의 절댓값이 클수록 그 변량은 평균에서 멀리 떨어져 있고, 편차의 절댓값이 작을수록 그 변량은 평균에 가까이 있다.

예제 3

다음 표에서 x의 값을 구하여라.

변량	A	B	C	D	E
편차	-2	3	4	0	x

04 산포도 — 분산, 표준편차

(1) 분산 : 편차의 제곱의 평균 ➡ $(\text{분산})=\dfrac{\{(\text{편차})^2\text{의 총합}\}}{(\text{변량의 개수})}$

(2) 표준편차 : 분산의 음이 아닌 제곱근 ➡ $(\text{표준편차})=\sqrt{(\text{분산})}$

① 표준편차의 단위는 변량의 단위와 같다.

② 표준편차가 클수록 평균을 중심으로 변량들이 넓게 흩어져 있고 표준편차가 작을수록 평균을 중심으로 변량들이 모여 있다. 이를 '자료의 분포가 고르다.'라고 한다.

예제 4

다음 자료의 분산과 표준편차를 각각 구하여라.

7, 6, 9, 10, 12, 10

05 산점도

(1) 산점도 : 어떤 자료에서 두 변량 x, y에 대하여 순서쌍 (x, y)를 좌표평면 위에 점으로 나타낸 그래프

① 산점도의 좌표평면은 제1사분면으로 생각한다.

② 주어진 자료의 두 변량 x, y를 순서쌍 (x, y)로 나타낸다.

③ 좌표평면의 x축과 y축의 좌표를 확인하여 순서쌍 (x, y)를 점으로 찍는다.

(2) 산점도에서 두 변량 x, y에 대하여 '~이상(이하)', '~초과(미만)', '~보다 높은(낮은)', '~와 같은' 등의 조건이 주어질 때, 다음과 같은 기준이 되는 보조선을 이용한다.

예 기준선이 각각 $x=a$, $y=b$, $y=x$일 때

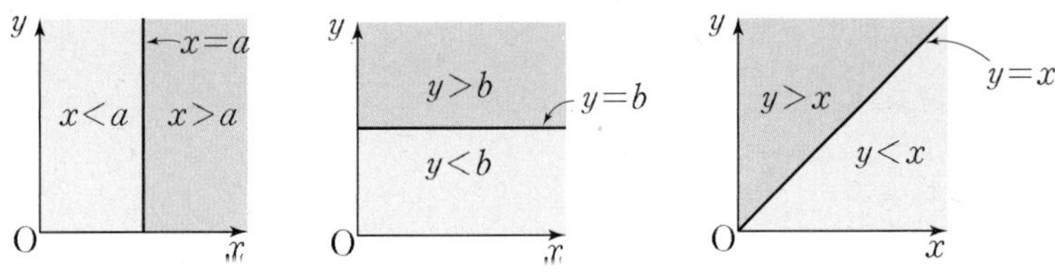

예제 5

다음은 학생 5명의 영어 점수와 수학 점수를 조사하여 나타낸 표이다. 영어 점수를 x점, 수학 점수를 y점이라 할 때, x, y의 산점도를 그려라.

학생	A	B	C	D	E
영어 점수(점)	75	85	90	95	80
수학 점수(점)	75	80	85	95	85

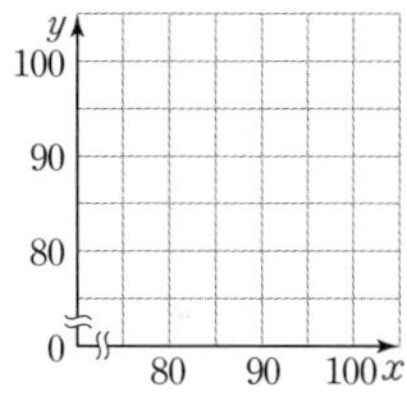

06 상관관계

(1) 두 변량 x, y 사이에 한 쪽이 증가하면 거기에 따라 다른 쪽이 감소하거나 증가하는 경향이 있을 때, 두 변량 x, y 사이의 관계를 상관관계라고 한다.

이때 상관관계가 있는 산점도에서 점들이 한 직선 주위에 가까이 모여 있으면 강한 상관관계를 나타내고 넓은 범위에 흩어져 있으면 약한 상관관계를 나타낸다.

(2) 상관관계의 종류

① 양의 상관관계 : 두 변량 x, y에서 x의 값이 증가함에 따라 y의 값도 대체로 증가하는 관계

② 음의 상관관계 : 두 변량 x, y에서 x의 값이 증가함에 따라 y의 값은 대체로 감소하는 관계

③ 상관관계가 없는 경우 : 두 변량 x, y에서 x가 증가함에 따라 y의 값이 증가하는지 감소하는지 그 관계가 분명하지 않은 관계

예제 6

다음 중 두 변량 사이에 음의 상관관계가 있는 것은?

① 키와 몸무게
② 산의 높이와 정상에서의 기온
③ 영어 성적과 등교 시간
④ 도시 인구 수와 교통량
⑤ 지능 지수와 신발의 치수

유형 STYLE 유형격파+기출문제

대표 유형 **평균**

01 다음은 학생 6명의 영어 성적이다. 학생 6명의 영어 성적의 평균이 80점일 때, 미란이의 영어 성적은?

학생	영철	수영	미란	두훈	유리	기석
성적(점)	70	85	x	90	95	60

① 70점　② 75점　③ 80점
④ 85점　⑤ 90점

출제율 95%

02 3개의 변량 l, m, n의 평균이 8일 때, 6개의 변량 9, l, m, 2, n, 7의 평균은?
(중)

① 5　② 6　③ 7
④ 8　⑤ 9

출제율 90%

03 오른쪽 표는 A, B 두 반의 학생 수와 국어 성적의 평균을 조사하여 나타낸 것이다. 이때 A, B 두 반 전체의 국어 성적의 평균은?
(중)

반	학생 수(명)	평균(점)
A	20	82
B	25	73

① 76점　② 77점　③ 78점
④ 79점　⑤ 80점

출제율 90%

04 남주가 4회에 걸쳐서 본 수학 시험의 평균은 85점이었다. 한 번 더 시험을 치른 후에 5회의 평균이 87점 이상이 되려면 마지막 시험에서 남주가 받아야 할 최소 점수는?
(중)

① 93점　② 94점　③ 95점
④ 96점　⑤ 97점

출제율 90%

05 오른쪽 줄기와 잎 그림은 민정이네 반 학생 10명이 1년 동안 읽은 책의 수를 조사하여 나타낸 것이다. 이 자료의 평균은?
(중)

(0|3은 3권)

줄기	잎
0	3 4 5
1	0 1 2
2	1 5
3	0 4

① 12권　② 13.2권
③ 14권　④ 15.5권
⑤ 16권

출제율 85%

06 어느 중학교 3학년 학생 200명의 수학 성적을 분석한 결과 상위 10 %의 평균이 92점이고, 나머지 학생들의 평균은 70점이었다. 이 학교 3학년 전체 학생의 수학 성적의 평균은?
(상)

① 70.8점　② 71.3점　③ 71.8점
④ 72.2점　⑤ 72.8점

출제율 85%

07 효진이네 배구 동아리의 신입 회원 7명의 키의 평균을 구하는데 키가 172 cm인 어떤 한 신입 회원의 키를 잘못 측정하여 평균을 실제보다 1 cm 높게 구하였다. 이때 잘못 측정한 신입 회원의 키는?
(상)

① 165 cm　② 171 cm　③ 173 cm
④ 179 cm　⑤ 182 cm

대표 유형 **중앙값**

08 다음은 어느 지역의 일주일 동안의 강수량을 차례로 나타낸 것이다. 이때 강수량의 중앙값을 구하여라.

(단위 : mm)

36.0　3.1　14.5　28.5　0.0　77.5　0.5

출제율 95%

09 하 다음은 6개의 변량을 작은 값부터 크기순으로 나열한 것이다. 이 자료의 중앙값이 12일 때, x의 값을 구하여라.

4　7　11　x　16　17

출제율 90%

10 하 중앙값에 대한 다음 보기 의 설명 중 옳은 것을 모두 고른 것은?

보기
ㄱ. 대푯값으로 가장 많이 사용된다.
ㄴ. 변량을 작은 것부터 나열하거나 큰 것부터 나열하여도 중앙값은 같다.
ㄷ. 자료의 개수가 홀수 개이면 중앙값은 크기순으로 나열했을 때 한가운데에 위치한 값이다.

① ㄱ　② ㄱ, ㄴ　③ ㄱ, ㄷ
④ ㄴ, ㄷ　⑤ ㄱ, ㄴ, ㄷ

출제율 95%

11 중 4개의 변량 x, 10, 15, 25의 중앙값이 20일 때, 다음 중 x의 값으로 옳지 않은 것은?

① 20　② 25　③ 27
④ 30　⑤ 32

출제율 90%

12 중 중앙값이 46인 4개의 변량이 있다. 이 중 3개의 변량이 42, 48, 55일 때, 나머지 변량을 구하면?

① 47　② 46　③ 45
④ 44　⑤ 43

출제율 90%

13 중 다음 자료의 평균이 18이고 중앙값이 y일 때, $x+y$의 값을 구하여라.

14, 21, 18, 24, 20, 15, x, 17, 26

출제율 90%

14 중 다음 표는 승원이의 5일 동안의 컴퓨터 이용 시간을 조사하여 나타낸 것이다. 월요일의 컴퓨터 이용 시간을 x분, 5일 동안의 컴퓨터 이용 시간의 중앙값을 y분이라 할 때, $y-x$의 값은?

요일	월	화	수	목	금	평균
시간(분)	x	83	36	29	42	45

① 0　② 1　③ 5
④ 10　⑤ 12

출제율 85%

15 상 다음 두 조건을 모두 만족하는 두 수 a, b의 값을 각각 구하여라.

(i) a, 5, 7, 11, 14의 중앙값은 7이다.
(ii) 3, a, b, 10, 12의 평균과 중앙값이 모두 8이다.

대표 유형 **최빈값**

16 다음은 어느 반 학생들이 체육 시간에 자유투를 던져 골인한 횟수를 기록한 것이다. 이때 평균, 중앙값, 최빈값을 각각 구하여라.

(단위 : 회)

6	16	9	6	15
18	6	10	14	10

출제율 95%

17 하 오른쪽 표는 설현이네 반 학생 20명이 좋아하는 동물을 조사하여 나타낸 것이다. 이때 이 자료의 최빈값을 구하여라.

동물	학생 수(명)
앵무새	1
고양이	6
강아지	8
금붕어	3
토끼	2

내신 UP POINT
최빈값은 자료의 수가 많은 경우에 평균이나 중앙값보다 구하기 쉽고, 숫자로 나타내지 못하는 자료의 경우에도 쉽게 구할 수 있다.

출제율 85%

18 하 하라네 반 학생들이 좋아하는 연예인을 조사하였다. 다음 중 하라네 반 학생들이 가장 좋아하는 연예인을 쉽게 알 수 있는 것은?

① 평균 ② 중앙값 ③ 최빈값
④ 계급 ⑤ 계급값

출제율 90%

19 하 다음은 세윤이네 반 학생 25명의 통학 시간을 조사하여 나타낸 줄기와 잎 그림이다. 이때 중앙값과 최빈값을 각각 구하여라.

통학 시간

(1|0은 10분)

줄기	잎
1	0 0 2 6 6 7 8
2	0 1 1 3 4 5 5 5
3	0 0 0 0 7 9
4	1 2 3 8

출제율 95%

20 중 다음은 지효네 반 여학생 10명의 몸무게를 조사하여 나타낸 것이다. 평균이 51 kg일 때, 중앙값과 최빈값을 각각 구하여라.

(단위 : kg)

41, 47, 52, 47, 48, 54, 56, 54, 57, x

출제율 95%

21 중 다음은 민선이가 볼링공을 6번 굴렸을 때, 쓰러뜨린 핀의 개수를 조사하여 나타낸 것이다. 최빈값이 9개일 때, 중앙값을 구하여라.

(단위 : 개)

7	9	x	10	8	6

출제율 90%

22 다음은 대푯값에 대한 설명이다. 옳지 않은 것은?

중

① 자료 전체의 특징을 하나의 수로 나타낸 값을 그 자료의 대푯값이라 한다.
② 대푯값으로 가장 많이 쓰이는 것은 최빈값이다.
③ 자료의 값 중 가장 많이 나타난 값을 최빈값이라고 한다.
④ 자료의 개수가 홀수 개이면 한가운데에 있는 값이 중앙값이다.
⑤ 최빈값은 2개 이상일 수도 있고 없을 수도 있다.

출제율 90%

23 다음 자료의 평균과 최빈값이 모두 2일 때, ab의 값은? (단, $a<b$)

중

2	7	1	0	-2	a	b

① 2 ② 4 ③ 6
④ 8 ⑤ 10

출제율 85%

24 다음은 시완이네 반 학생 7명이 일주일 동안 공부를 한 시간을 조사하여 나타낸 것이다. 공부를 한 시간의 평균과 최빈값이 같을 때, x의 값을 구하면?

중

(단위 : 시간)

8, 6, 6, 5, x, 4, 6

① 5 ② 6 ③ 7
④ 8 ⑤ 9

대표유형 **편차**

25 다음은 어떤 양궁 선수가 10회의 화살을 쏘아 얻은 점수와 편차를 나타낸 것이다. 이때 표를 완성하여라.

회	1	2	3	4	5	6	7	8	9	10
점수(점)	8	10	9	5	7	8	8	10	6	9
편차(점)										

출제율 95%

26 다음 표에서 x, y의 값을 각각 구하여라.

하

변량	7	12	13	9	10	9
편차		x			y	

출제율 95%

27 동욱이네 반 학생들의 작년 1년 동안의 봉사 활동 시간의 평균은 28시간이다. 동욱이의 봉사 활동 시간의 편차가 7시간일 때, 동욱이가 작년에 한 봉사 활동 시간은?

하

① 7시간 ② 21시간 ③ 28시간
④ 32시간 ⑤ 35시간

출제율 95%

28 다음 표는 학생 5명의 키의 편차를 나타낸 것이다. 키의 평균이 167 cm일 때, A 학생의 키는?

중

학생	A	B	C	D	E
편차(cm)	x	4	$-2x$	3	-9

① 158 cm ② 165 cm ③ 167 cm
④ 170 cm ⑤ 171 cm

출제율 90%

29 다음 표는 학생 5명의 수학 성적의 편차를 조사하여 나타낸 것이다. 이때 수학 성적이 가장 좋은 학생은?
중

학생	A	B	C	D	E
편차(점)	2	x	0	-4	-1

① A ② B ③ C
④ D ⑤ E

출제율 85%

30 다음 표는 A, B, C, D, E 5명의 과학 시험 점수에 대한 편차를 나타낸 것이다. 5명의 점수의 평균이 22점일 때, B와 D의 점수의 평균은?
중

학생	A	B	C	D	E
편차(점)	2	x	-3	$x+2$	7

① 15점 ② 16점 ③ 17점
④ 18점 ⑤ 19점

출제율 80%

31 다음은 5회에 걸쳐 실시한 혜성이의 영어 듣기 평가 성적의 편차를 나타낸 표이다. 5회까지 얻은 영어 평가 성적의 평균이 15점이고 4회는 3회보다 9점 더 높은 점수를 얻었을 때, 5회에서 얻은 점수는?
중

회	1	2	3	4	5
편차(점)	2	-1	-4		

대표 유형 **분산과 표준편차**

32 학생 5명의 수학 성적이 다음과 같을 때, 평균, 분산, 표준편차를 각각 구하여라.

(단위 : 점)

50	70	80	40	60

출제율 95%

33 다음 표는 4명의 자유투 던지기 성공 횟수를 조사하여 나타낸 것이다. 이 4명의 성공 횟수의 분산은?
하

학생	석구	연석	성욱	의승
횟수(회)	12	2	6	4

① 0 ② 4 ③ 14
④ 16 ⑤ 56

출제율 95%

34 다음은 어느 모둠 학생 5명의 체육 성적의 편차를 조사하여 나타낸 표이다. 이들 학생 5명의 체육 성적의 분산은?
중

학생	A	B	C	D	E
편차(점)	-1	3	-1	x	1

① 2.4 ② 3 ③ 3.2
④ 3.6 ⑤ 4

출제율 95%

35 5개의 변량 -2, 1, x, 5, 7의 평균이 2일 때, 표준편차는?
중

① $\sqrt{6}$ ② $\sqrt{10}$ ③ $2\sqrt{3}$
④ 10 ⑤ 12

출제율 90%

36 다음 중 옳지 않은 것을 모두 고르면? (정답 2개)

중

① 분산은 편차의 평균이다.
② 편차의 총합은 항상 0이다.
③ 평균은 극단적인 값에 영향을 받는다.
④ 표준편차는 분산의 음이 아닌 제곱근이다.
⑤ 표준편차가 클수록 변량은 평균 주위에 밀집되어 있다.

출제율 90%

37 다음 자료에 대한 설명 중 옳지 않은 것은?

중

21, 25, 22, 24, 23

① 평균은 23이다.
② 편차의 총합은 0이다.
③ 편차의 제곱의 총합은 20이다.
④ 분산은 2이다.
⑤ 표준편차는 $\sqrt{2}$이다.

출제율 85%

38 수학 수행평가 결과 남학생 8명과 여학생 12명의 평균은 같고, 분산은 각각 5, 8이었다. 남학생과 여학생 전체 20명의 수학 수행평가 점수의 분산을 구하여라.

중

출제율 90%

39 네 수 a, b, c, d의 평균이 8이고 분산이 2일 때, 네 수 a^2, b^2, c^2, d^2의 평균을 구하여라.

상

출제율 90%

40 5개의 변량에 대하여 그 편차가 각각 3, m, 1, n, -1이고 표준편차가 $2\sqrt{2}$일 때, mn의 값은?

상

① -20 ② -10 ③ -3
④ 3 ⑤ 10

출제율 80%

41 5명의 학생 A, B, C, D, E의 수학 성적이 다음과 같을 때, 평균이 M, 표준편차가 S이다. 5명 모두 각각 1점씩 성적을 올려줄 때, 평균과 표준편차를 구하면?

상

학생	A	B	C	D	E
성적(점)	5	8	7	6	9

① M, S ② M, $S+1$ ③ $M+1$, S
④ $M+1$, $S+1$ ⑤ $M+2$, $S+1$

출제율 80%

42 연속하는 세 자연수의 표준편차는?

상

① $\frac{\sqrt{2}}{3}$ ② $\frac{\sqrt{3}}{3}$ ③ $\frac{\sqrt{6}}{3}$
④ $\frac{2}{3}$ ⑤ 2

대표유형 자료의 분석

43 평균 성적이 같은 A, B, C, D 네 명의 학생의 각 과목의 성적에 대한 표준편차가 다음과 같을 때, 모든 과목의 성적이 가장 고른 학생을 말하여라.

학생	A	B	C	D
표준편차(점)	$2\sqrt{3}$	$3\sqrt{2}$	4	$\sqrt{15}$

내신 UP POINT

자료의 분석

(1) 표준편차 또는 분산이 작다.
① 변량이 평균 주위에 밀집되어 있다.
② 변량 사이의 차이가 작다.
③ 자료가 고르다.

(2) 표준편차 또는 분산이 크다.
① 변량이 평균에서 멀리 흩어져 있다.
② 변량 사이의 차이가 크다.
③ 자료가 고르지 않다.

출제율 95%

44 하 다음 중 자료의 분포 상태가 가장 고른 반을 말하여라. (단, 각 반의 학생 수는 모두 같다.)

반	A	B	C	D	E
평균(cm)	78	81	77	82	85
표준편차(cm)	$2\sqrt{3}$	3	$2\sqrt{2}$	$\sqrt{7}$	4

출제율 90%

45 중 아래의 표는 4명이 한 모둠이 되어 다트 게임을 실시한 결과를 조사하여 나타낸 것이다. 다음 물음에 답하여라.

회	1	2	3	4	5
A 모둠의 점수(점)	18	16	14	10	12
B 모둠의 점수(점)	20	18	6	12	24
C 모둠의 점수(점)	6	12	20	8	14

(1) 각 모둠의 점수의 평균과 분산을 각각 구하여라.
(2) 점수가 우수한 모둠부터 차례로 나열하여라.
(3) 점수가 고른 모둠부터 차례로 나열하여라.

출제율 90%

46 중 다음 표는 A, B 두 지역의 기온을 조사하여 나타낸 것이다. 이때 하루 동안 어느 지역의 기온이 더 고르다고 할 수 있는지 말하여라.

시각(시)	3	6	9	12	15	18	21	24
A 지역 기온(℃)	2	1	4	5	7	2	2	1
B 지역 기온(℃)	5	6	8	9	10	7	6	5

출제율 85%

47 중 다음 자료 중 표준편차가 가장 작은 것은?

① 2, 8, 2, 8, 2, 8
② 3, 3, 5, 5, 7, 7
③ 4, 4, 6, 5, 5, 6
④ 4, 6, 6, 6, 4, 4
⑤ 5, 5, 5, 5, 5, 5

출제율 85%

48 중 아래의 자료는 각각 5명으로 구성된 A, B 두 모둠의 학생의 국어 말하기 수행평가 성적을 조사하여 나타낸 것이다. 다음 설명 중 옳은 것은?

(단위 : 점)

A 모둠 :	6	4	5	2	8
B 모둠 :	3	4	6	7	5

① A 모둠이 B 모둠보다 성적이 더 좋으며 고르다.
② A 모둠이 B 모둠보다 성적은 더 좋으나 B 모둠이 A 모둠보다 성적은 더 고르다.
③ B 모둠이 A 모둠보다 성적이 더 좋으며 고르다.
④ A 모둠과 B 모둠의 평균은 같고, A 모둠이 B 모둠보다 성적이 더 고르다.
⑤ A 모둠과 B 모둠의 평균은 같고, B 모둠이 A 모둠보다 성적이 더 고르다.

출제율 80%

49 중 다음 그림과 같은 과녁에 A, B, C 세 사람이 5발의 화살을 쏘았다. 세 사람이 쏜 화살이 맞힌 점수의 평균이 모두 8점일 때, 점수가 가장 고른 사람은 누구인지 말하여라.

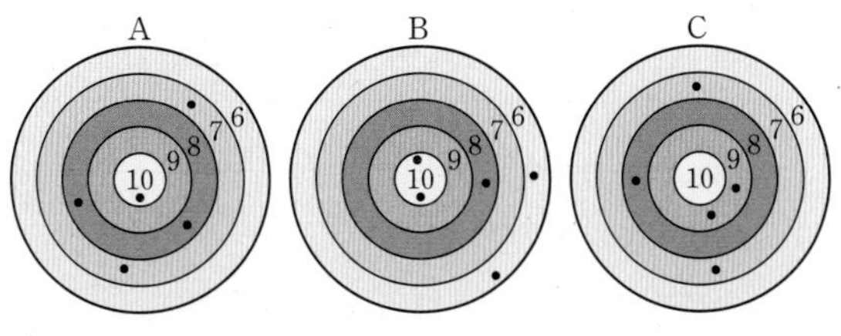

출제율 80%

50 상 아래는 A반 10명, B반 10명이 각각 일주일 동안 읽은 책의 수를 조사하여 나타낸 막대그래프이다. 다음 물음에 답하여라.

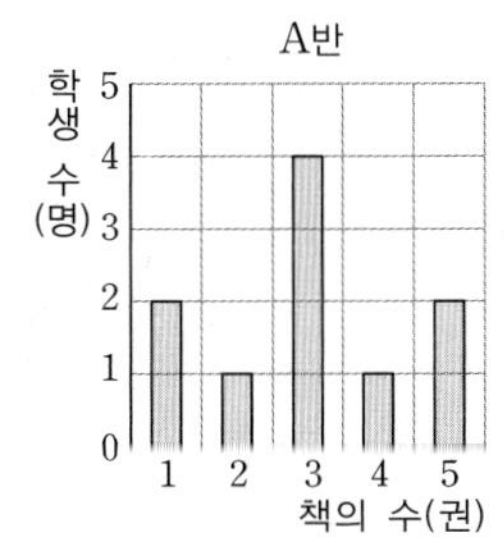

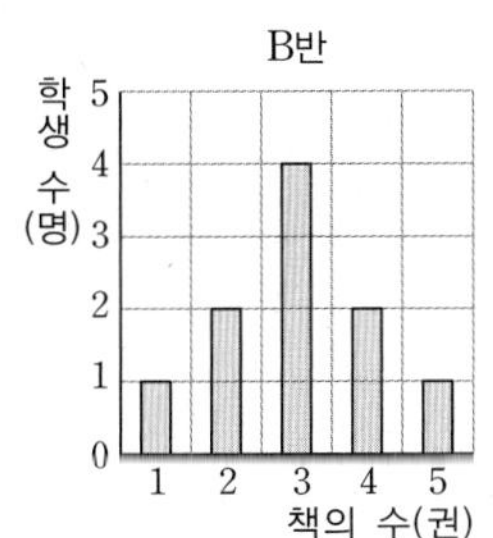

(1) 두 반의 일주일 동안 읽은 책의 수의 평균을 각각 구하여라.

(2) 두 반의 일주일 동안 읽은 책의 수의 분산을 각각 구하여라.

(3) 두 반 중 어느 반이 일주일 동안 읽은 책의 수가 더 고른지 말하여라.

대표유형 **산점도 그리기**

51 다음 A와 B에 대한 변량을 나타낸 표를 보고 순서쌍 (A, B)를 구하고, 산점도로 나타내어라.

A	1	3	2	4	5
B	2	3	4	2	1

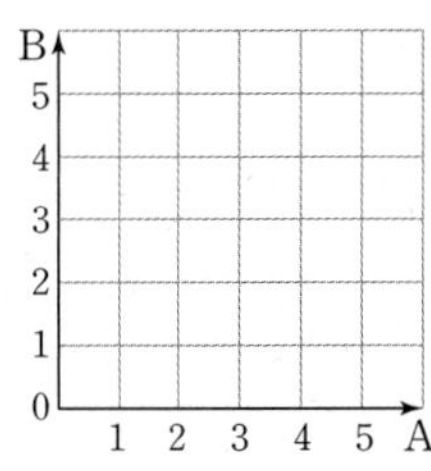

내신 UP POINT

① 산점도의 좌표평면은 제1사분면으로 생각한다.

② 주어진 자료의 두 변량 x, y를 순서쌍 (x, y)로 나타낸다.

③ 좌표평면의 x축과 y축의 좌표를 확인하여 순서쌍 (x, y)를 점으로 찍는다.

출제율 90%

52 하 다음은 어느 편의점에서 그날의 최고 기온과 하루 동안 판매된 음료수 A개를 일주일 동안 조사하여 나타낸 것이다. 최고 기온과 음료수 판매량의 산점도로 알맞은 것은?

최고기온(℃)	30	31	29	28	27	30	28
A의 판매량(병)	70	75	65	65	55	65	60

①
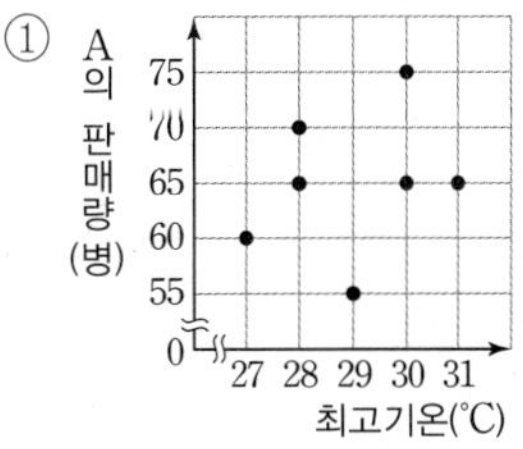

②
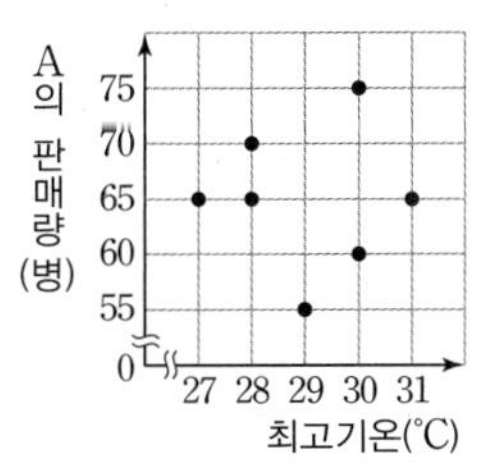

③
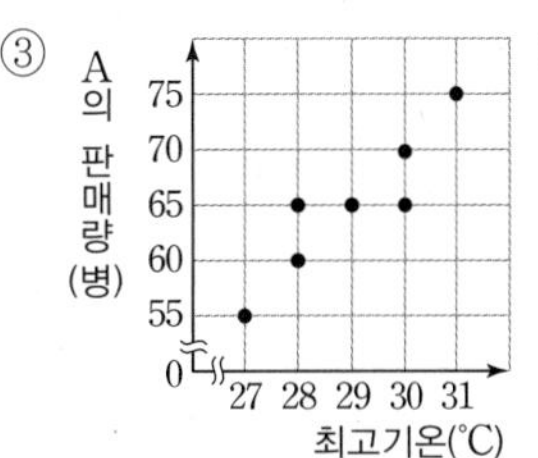

④
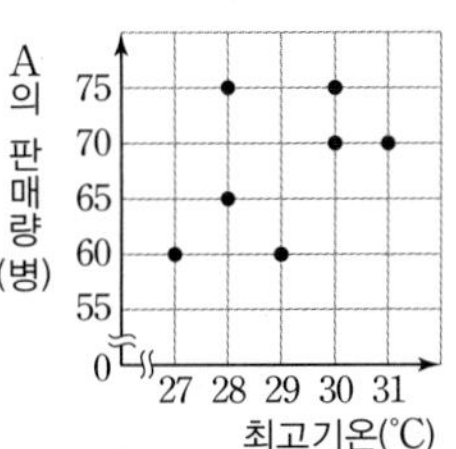

⑤
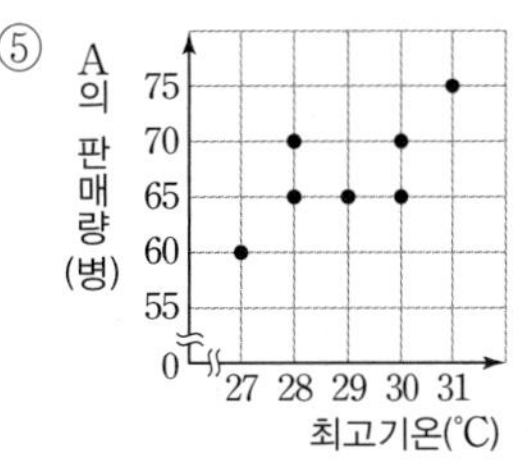

출제율 90%

53 (하) 다음은 학생 10명의 한 달 동안 읽은 책의 수와 일주일 동안의 평균 게임시간을 조사하여 나타낸 표이다. 한 달 동안 읽은 책의 수와 일주일 동안의 평균 게임 시간에 대한 산점도를 그려라.

학생	A	B	C	D	E	F	G	H	I	J
책의 수(권)	7	3	6	4	6	4	5	5	6	7
게임 시간(시간)	1	5	5	3	3	6	5	4	2	3

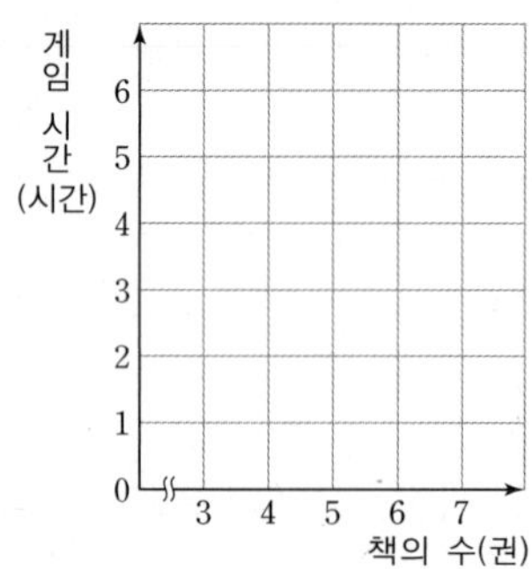

출제율 90%

54 (중) 다음은 유리네 반 학생 20명의 수학, 과학 수행평가 점수를 조사하여 나타낸 표이다. 수학 점수를 x점, 과학 점수를 y점이라 할 때, x, y의 산점도를 그려라.

수학(점)	10	80	90	30	50	50	80	60	80	60
과학(점)	20	70	90	40	30	60	80	70	90	50

수학(점)	60	40	40	20	70	30	70	10	20	70
과학(점)	80	30	60	50	60	20	80	10	40	40

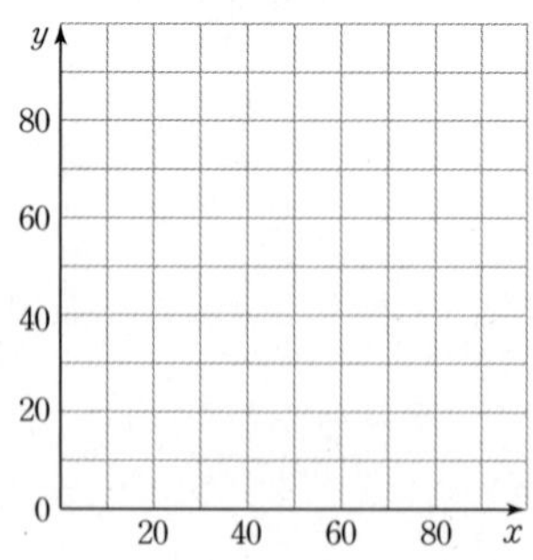

대표유형 **산점도의 이해(1) – '~이상(이하)', '~초과(미만)'**

55 오른쪽 그림은 학생 10명의 국어 성적과 수학 성적을 조사하여 나타낸 산점도이다. 국어 성적이 70점 미만인 학생 수를 a명, 수학 성적이 80점 이상인 학생 수를 b명이라고 할 때, $a+b$의 값은?

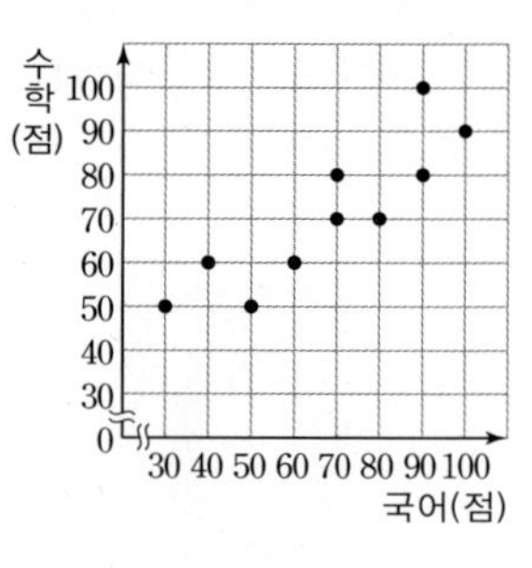

① 7 ② 8 ③ 10
④ 11 ⑤ 12

내신 UP POINT
① 이상, 이하 : 기준선 위에 있는 점도 포함한다.
② 초과, 미만 : 기준선 위에 있는 점은 포함하지 않는다.

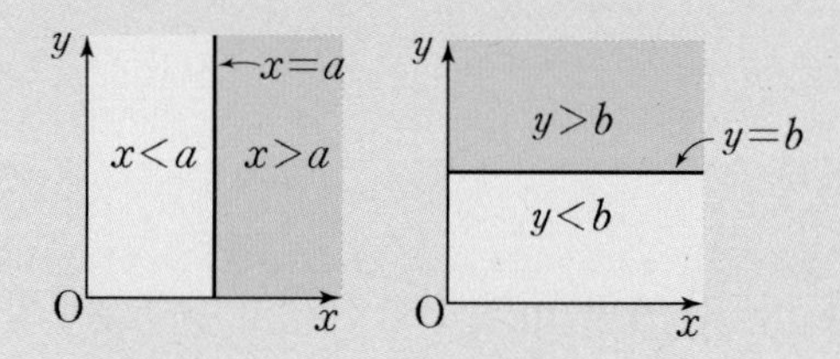

출제율 95%

56 (하) 오른쪽 그림은 양궁 선수 12명이 1차, 2차에 화살을 쏘아 얻은 점수를 조사하여 나타낸 산점도이다. 물음에 답하여라.

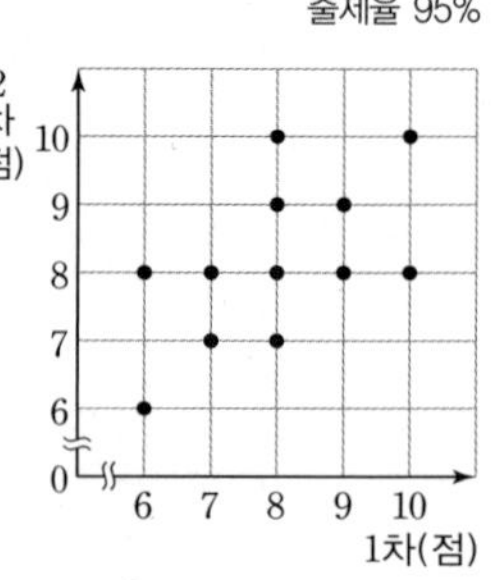

(1) 1차 점수가 9점 초과인 선수 수를 구하여라.
(2) 2차 점수가 7점 이하인 선수 수를 구하여라.
(3) 1차 점수와 2차 점수가 모두 8점 이상인 선수 수를 구하여라.

출제율 90%

57 중 다음 그림은 15명의 학생들을 대상으로 키와 몸무게를 조사하여 나타낸 산점도이다. 물음에 답하여라.

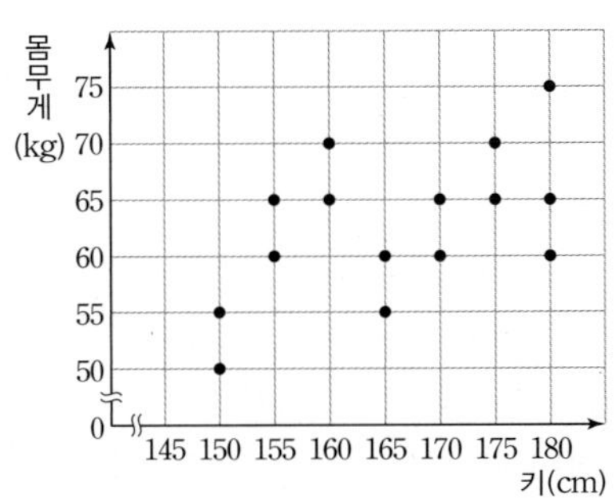

(1) 몸무게가 55 kg 이하인 학생은 전체의 몇 %인가?

① 20 % ② 25 % ③ 30 % ④ 35 % ⑤ 40 %

(2) 키가 160 cm 이상 175 cm 미만인 학생은 전체의 몇 %인가?

① 25 % ② 30 % ③ 35 % ④ 40 % ⑤ 45 %

(3) 키가 175 cm 초과이고 몸무게가 70 kg 이상인 학생은 몇 명인지 구하여라.

출제율 85%

58 중 오른쪽 그림은 어느 학급 학생 20명에 대한 학기 초 수학 성적과 학기 말 수학 성적의 산점도이다. 학기 초와 학기 말 중 적어도 하나의 성적이 80점 이상인 학생은 전체의 몇 %인가?

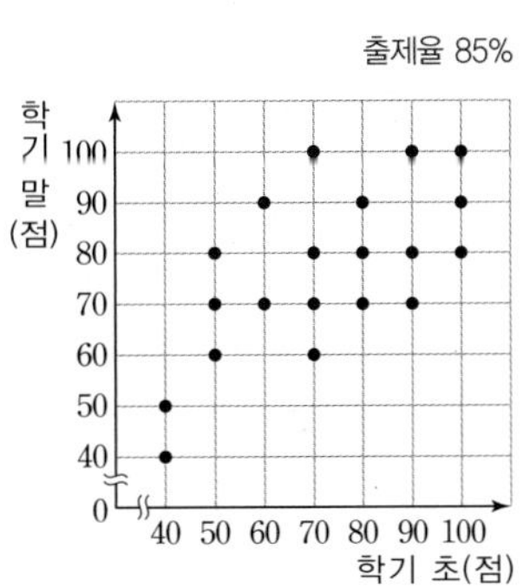

① 45 % ② 50 % ③ 55 % ④ 60 % ⑤ 65 %

대표유형 산점도의 이해(2) – '~보다 높은(낮은)', '~와 같은'

59 오른쪽 그림은 학생 10명의 영어 성적과 국어 성적에 대한 산점도이다. 영어 성적이 국어 성적보다 높은 학생 수를 구하여라.

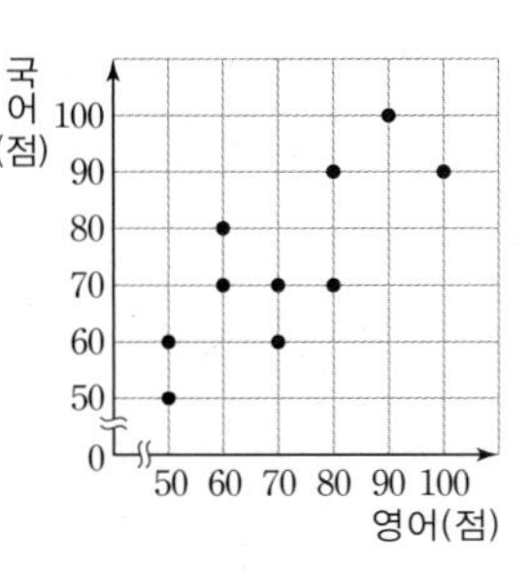

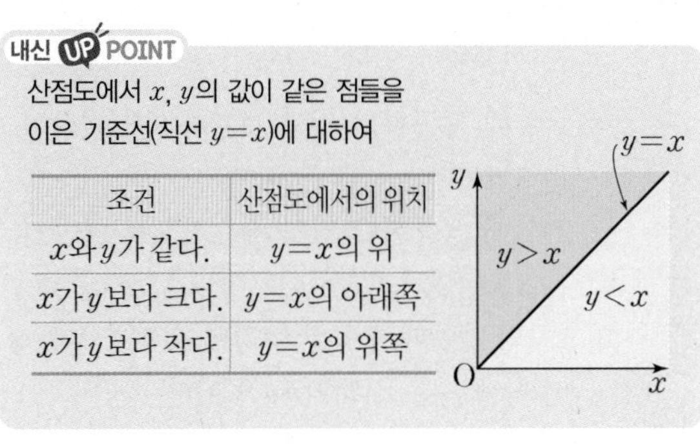

내신 UP POINT

산점도에서 x, y의 값이 같은 점들을 이은 기준선(직선 $y=x$)에 대하여

조건	산점도에서의 위치
x와 y가 같다.	$y=x$의 위
x가 y보다 크다.	$y=x$의 아래쪽
x가 y보다 작다.	$y=x$의 위쪽

출제율 95%

60 하 오른쪽 그림은 학생 10명의 하루 동안 공부 시간과 게임 시간을 조사하여 나타낸 산점도이다. 다음 물음에 답하여라.

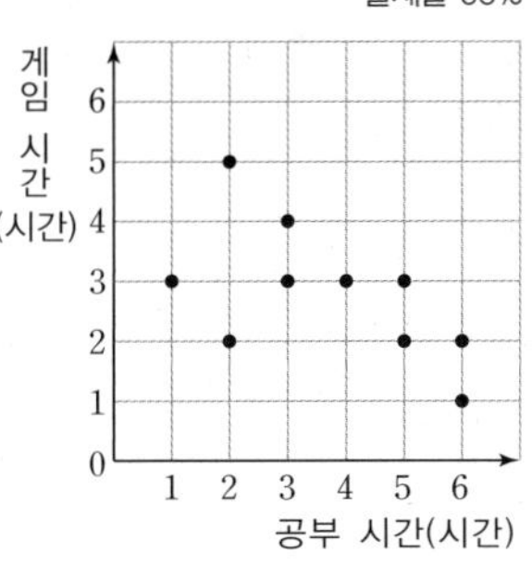

(1) 공부 시간과 게임 시간이 같은 학생 수는 전체의 몇 %인가?

① 15 % ② 20 % ③ 25 % ④ 30 % ⑤ 40 %

(2) 공부 시간보다 게임 시간이 긴 학생 수는?

① 2명 ② 3명 ③ 4명 ④ 5명 ⑤ 7명

출제율 90%

61 중 오른쪽 그림은 15명의 학생이 두 번에 걸쳐 고리던지기에서 성공한 고리의 개수를 조사하여 나타낸 산점도이다. 다음 중 옳지 않은 것은?

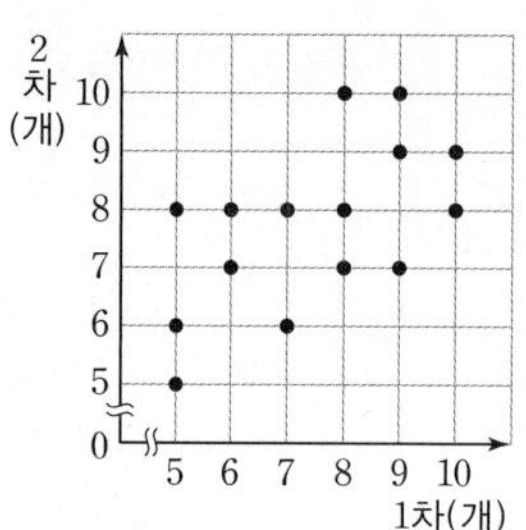

① 1차와 2차에서 성공한 고리의 개수가 같은 학생은 3명이다.
② 2차 때보다 1차 때 성공한 개수가 더 많은 학생 수는 전체의 $\frac{1}{3}$이다.
③ 1차 때 성공한 고리의 개수가 9개 이상인 학생 수는 5명이다.
④ 2차 때 성공한 고리의 개수가 7개 미만인 학생 수는 3명이다.
⑤ 1차와 2차 때 성공한 고리의 개수가 모두 8개 이상인 학생 수는 전체의 30 %이다.

출제율 90%

62 중 오른쪽 그림은 20명의 학생의 컴퓨터 필기 성적과 실기 성적에 대한 산점도이다. 필기 성적보다 실기 성적이 낮은 학생 수는 a명, 필기 성적과 실기 성적이 같은 학생은 전체의 b %일 때, $b-a$의 값은?

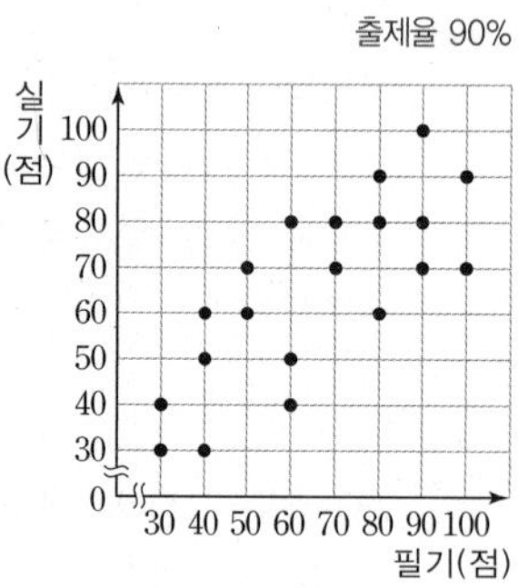

① 4 ② 5 ③ 6
④ 7 ⑤ 8

대표유형 산점도의 이해(3)

63 오른쪽 그림은 제기차기 대회에 참가한 12명이 1차, 2차에 성공한 제기차기의 개수를 조사하여 나타낸 산점도이다. 1차와 2차에 성공한 제기차기의 개수의 합이 18개 초과인 참가자는 몇 명인지 구하여라.

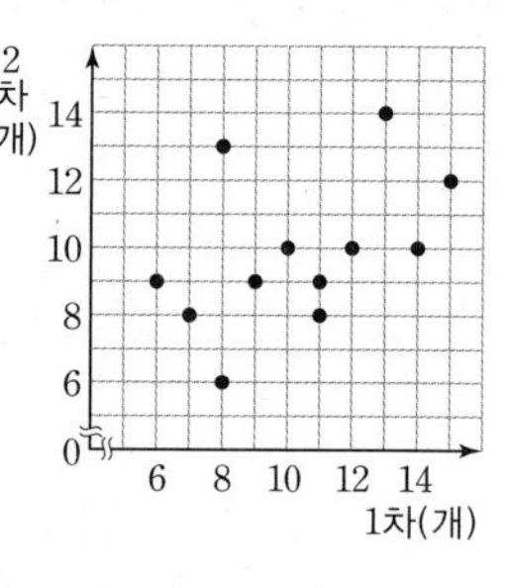

내신 UP POINT

주어진 조건에 따라 다음과 같이 기준이 되는 보조선을 긋는다.

① 두 변량의 합에 대한 조건이 주어졌을 때
➡ 합이 $2a$ 이상(이하)인 경우

② 두 변량의 차에 대한 조건이 주어졌을 때
➡ 차가 a 이상(이하)인 경우

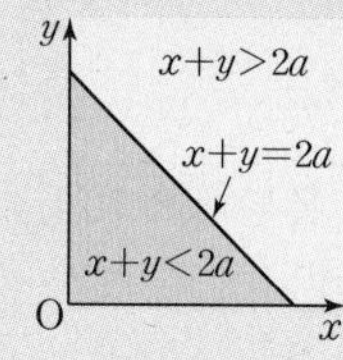

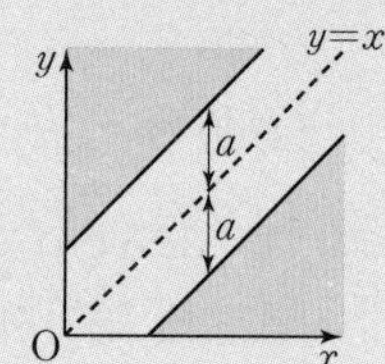

출제율 90%

64 중 오른쪽 그림은 지우네 반 학생들이 1학기와 2학기 동안에 읽은 책의 수를 조사하여 나타낸 산점도이다. (단, 중복되는 점은 없다.)

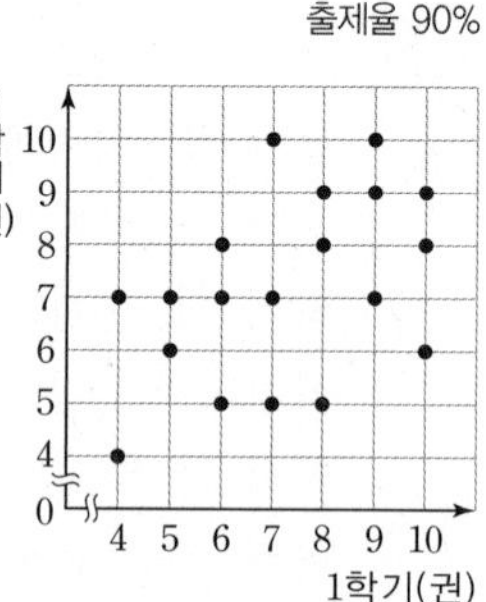

(1) 지우네 반 학생 수는 몇 명인지 구하여라.
(2) 1학기와 2학기 동안 읽은 책의 수의 차가 가장 큰 학생이 2학기 동안 읽은 책의 수를 구하여라.
(3) 1학기와 2학기 동안 읽은 책의 수의 차가 3권인 학생은 모두 몇 명인지 구하여라.

출제율 90%

65 중

오른쪽 그림은 상윤이네 반 학생 25명의 영어 말하기 평가와 듣기 평가 점수에 대한 산점도이다. 다음 산점도에 대한 설명으로 옳지 않은 것은?

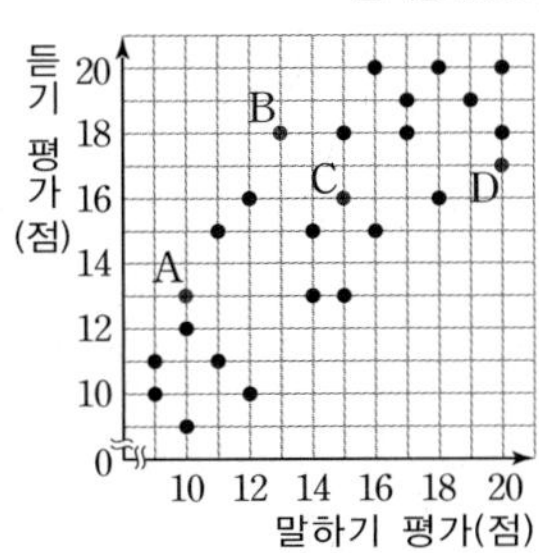

① 학생 A보다 말하기 평가 점수가 낮은 학생 수는 2명이다.
② 학생 C보다 말하기 평가 점수와 듣기 평가 점수가 모두 높은 학생 수는 8명이다.
③ 두 평가 점수가 모두 같은 학생 수는 3명이다.
④ 말하기 평가 점수와 듣기 평가 점수의 차이가 가장 큰 학생은 학생 B이다.
⑤ 두 평가 점수의 합이 25점 이하인 학생은 전체의 20 %이다.

출제율 80%

66 상

오른쪽 그림은 20명의 학생이 두 차례에 걸쳐 얻은 수학 성적에 대한 산점도이다. 물음에 답하여라.

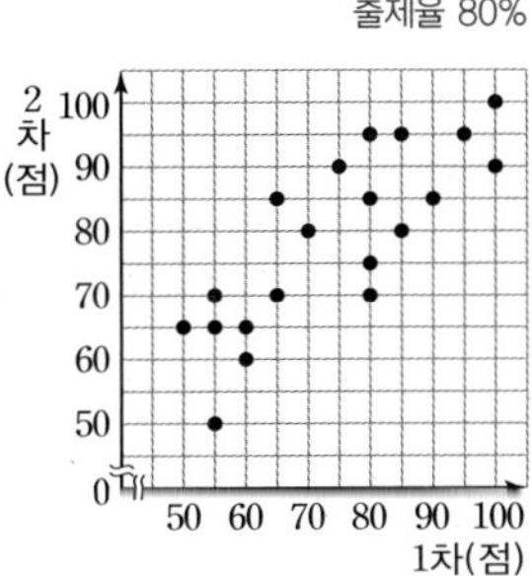

(1) 2차 성적이 1차 성적보다 높지 않은 학생은 전체의 몇 %인지 구하여라.
(2) 다음 조건 을 모두 만족하는 학생은 몇 명인지 구하여라.

조건
(i) 1차보다 2차의 성적이 향상되었다.
(ii) 두 과목의 점수의 합이 160점 초과이다.
(iii) 두 과목의 점수의 차가 20점 이상이다.

대표유형 **산점도의 이해(4)**

67

오른쪽 그림은 민기네 반 학생 13명의 몸무게와 키에 대한 산점도이다. 몸무게가 65 kg 이상인 학생들의 키의 평균을 구하여라.

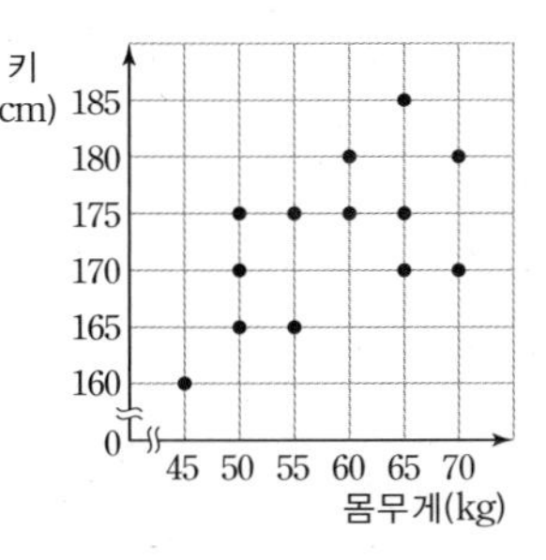

내신 UP POINT
산점도에서 평균 구하기
① 주어진 조건을 만족하는 점들을 찾는다.
② 찾은 점의 순서쌍 (x, y)에서 평균을 구하고자 하는 변량의 값(x의 값 또는 y의 값)을 이용하여 그 변량의 평균을 구한다.

출제율 85%

68 중

오른쪽 그림은 체육 대회에 참가한 선수 15명의 양궁 점수와 사격 점수를 조사하여 나타낸 산점도이다. 물음에 답하여라.

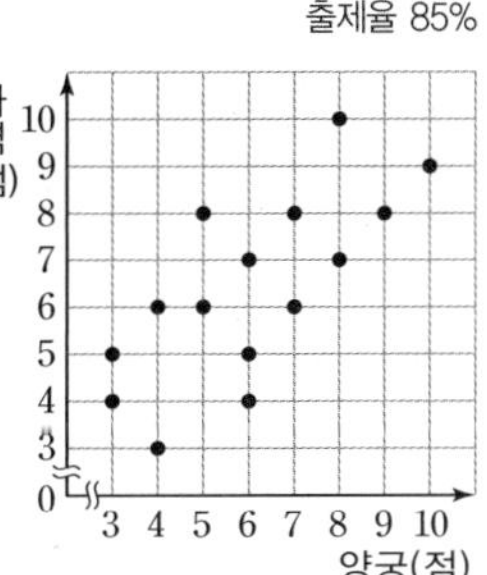

(1) 두 종목의 평균이 8점 이상인 선수들의 사격 점수의 평균을 구하여라.
(2) 양궁의 점수는 5점 이상 7점 이하이고, 사격 점수는 5점 초과 8점 이하인 선수들의 양궁 점수의 평균은?
① 5.2점 ② 5.5점 ③ 6점
④ 6.3점 ⑤ 6.5점

출제율 85%

69 (중) 오른쪽 그림은 은우네 반 학생 20명의 윗몸일으키기와 팔굽혀펴기 횟수에 대한 산점도이다. 다음 보기 중 옳은 것을 모두 고른 것은?

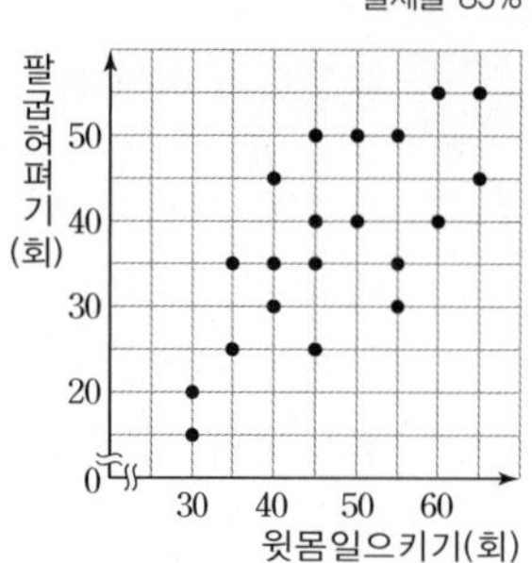

보기

ㄱ. 팔굽혀펴기와 윗몸일으키기의 횟수가 같은 학생은 전체의 10 %이다.

ㄴ. 윗몸일으키기보다 팔굽혀펴기를 더 많이 한 학생은 4명이다.

ㄷ. 윗몸일으키기를 45회 한 학생들의 팔굽혀펴기의 횟수의 평균은 35회이다.

ㄹ. 팔굽혀펴기를 30회 미만으로 한 학생들의 윗몸일으키기 횟수의 평균은 35회이다.

① ㄱ, ㄴ ② ㄱ, ㄹ ③ ㄴ, ㄷ
④ ㄴ, ㄹ ⑤ ㄷ, ㄹ

출제율 80%

70 (상) 오른쪽 그림은 어느 중학교 3학년 학생 25명의 수학 성적과 과학 성적에 대한 산점도이다. 두 과목 점수의 합이 상위 20 % 이내에 드는 학생들에게 상을 주려고 한다.
상을 받는 학생 수와 두 과목 점수의 합의 평균을 각각 a명, b점이라 할 때, $a+b$의 값을 구하여라.

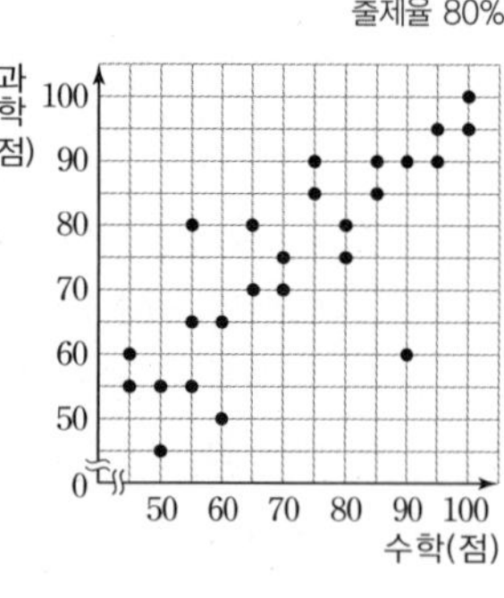

대표유형 **산점도 이해(5)**

71 오른쪽 그림은 학생 20명의 하루 평균 공부 시간과 수학 성적을 조사하여 나타낸 산점도이다. 다음 설명 중 옳지 않은 것은?

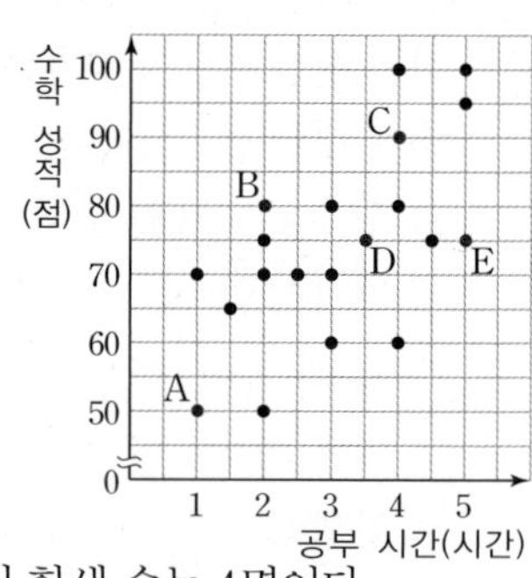

① 수학 성적이 70점인 학생 수는 4명이다.
② C 학생보다 수학 성적이 좋은 학생은 3명이다.
③ A, B, C, D, E 학생 중에서 공부하는 시간에 비하여 성적이 가장 부진한 학생은 E이다.
④ A, B, C, D, E 5명의 수학 성적의 평균은 74점이다.
⑤ 공부 시간이 4시간 이상인 학생은 전체의 30 %이다.

출제율 90%

72 (중) 오른쪽 그림은 학생 15명의 수면 시간과 공부 시간에 대한 산점도이다. 다음 중 산점도에 대한 설명으로 옳지 않은 것은?

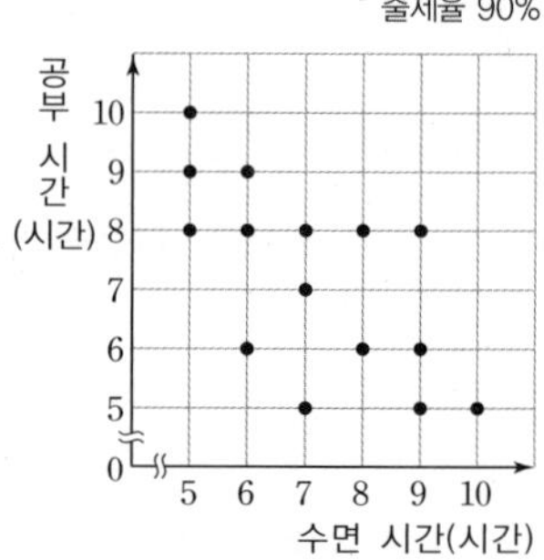

① 수면 시간이 6시간 이하인 학생 수는 6명이다.
② 공부 시간과 수면 시간이 모두 8시간 이상인 학생 수는 2명이다.
③ 수면 시간이 9시간 이상인 학생들의 공부 시간의 평균은 6시간이다.
④ 대체로 수면 시간이 짧을수록 공부 시간이 긴 편이다.
⑤ 수면 시간과 공부 시간이 같은 학생은 전체의 30 %이다.

출제율 85%

73 중 오른쪽 그림은 농구부 선수들이 성공한 2점슛과 3점슛의 개수를 조사하여 나타낸 산점도이다. 다음 중 산점도에 대한 설명이 옳은 것을 모두 고르면? (정답 2개) (단, 중복되는 점은 없다.)

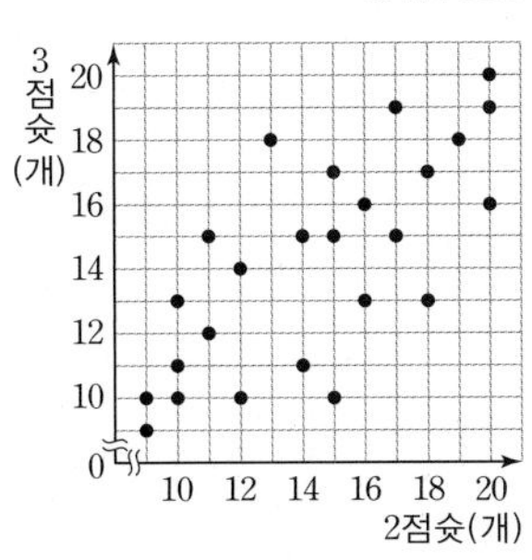

① 조사한 선수 수는 25명이다.
② 2점슛과 3점슛의 차가 5개인 선수는 4명이다.
③ 2점슛과 3점슛의 개수가 같은 선수는 전체의 20 %이다.
④ 2점슛과 3점슛의 개수의 평균이 18개 초과인 선수는 5명이다.
⑤ 성공한 3점 슛의 개수가 12개 이상 16개 미만인 선수 수는 10명이다.

출제율 85%

74 중 오른쪽 그림은 선빈이네 중학교 야구부 선수 25명의 4월과 5월에 기록한 안타 개수를 조사하여 나타낸 산점도이다. 다음 중 산점도에 대한 설명이 옳지 않은 것을 모두 고르면? (정답 2개)

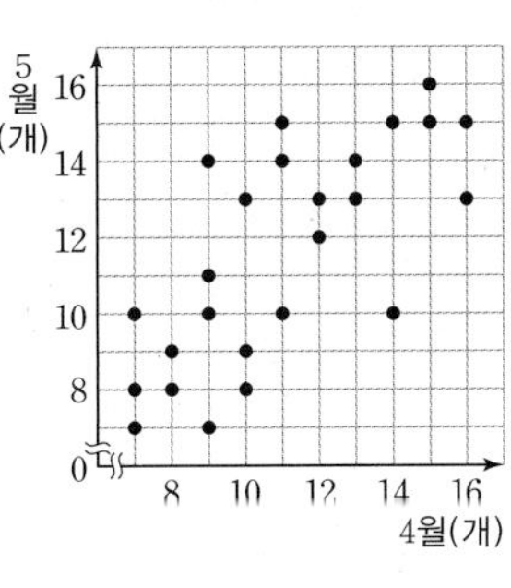

① 4월보다 5월에 친 안타 개수가 더 많은 선수는 13명이다.
② 4월의 안타 개수가 15개 이상인 학생 수는 전체의 16 %이다.
③ 4월과 5월의 안타 개수의 평균이 13개인 선수는 4명이다.
④ 4월과 5월의 안타 개수의 차가 가장 큰 선수의 5월의 안타 개수는 15개다.
⑤ 4월과 5월의 안타 개수의 변화가 없는 선수는 5명이다.

출제율 85%

75 중 오른쪽 그림은 사격 선수들이 두 차례에 걸쳐서 총을 쏘아 얻은 점수를 조사하여 나타낸 것이다. 중복되는 점이 없다고 할 때, 다음 보기에서 옳은 것을 모두 고른 것은?

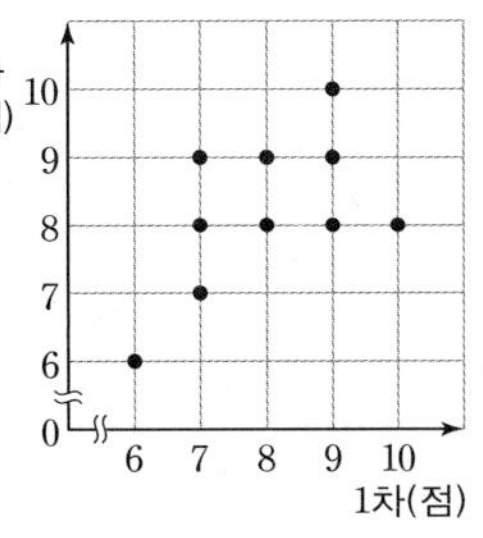

보기

ㄱ. 조사 대상자의 수는 알 수 없다.
ㄴ. 1차와 2차에서 같은 점수를 얻은 사람은 전체의 40 %이다.
ㄷ. 1차와 2차 점수 중 적어도 하나가 9점 이상인 사람은 5명이다.
ㄹ. 2차의 점수가 8점인 선수들의 1차 점수의 평균은 8.5점이다.

① ㄱ, ㄴ ② ㄱ, ㄹ ③ ㄴ, ㄷ
④ ㄴ, ㄹ ⑤ ㄷ, ㄹ

출제율 80%

76 상 오른쪽 그림은 학생 16명의 국어 성적과 영어 성적에 대한 산점도이다. 다음 중 산점도에 대한 설명이 틀린 학생은 누구인지 구하여라.

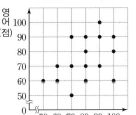

영어(점) 100 90 80 70 60 50 0
50 60 70 80 90 100 국어(점)

보미 : 두 과목의 평균이 70점 미만인 학생 수는 전체의 25 %이다.
하영 : 상위 15 %인 학생들의 영어 성적의 평균은 95점이다.
남주 : 두 과목의 차가 20점인 학생 수는 5명이다.
은지 : 두 과목 중 적어도 하나의 성적이 90점 이상인 학생 수는 3명이다.

대표유형 **상관관계**

77 다음 중 여름철 기온(x)과 냉방기의 사용으로 인한 전기의 사용량(y)에 대한 상관관계를 나타내기에 적절한 산점도는?

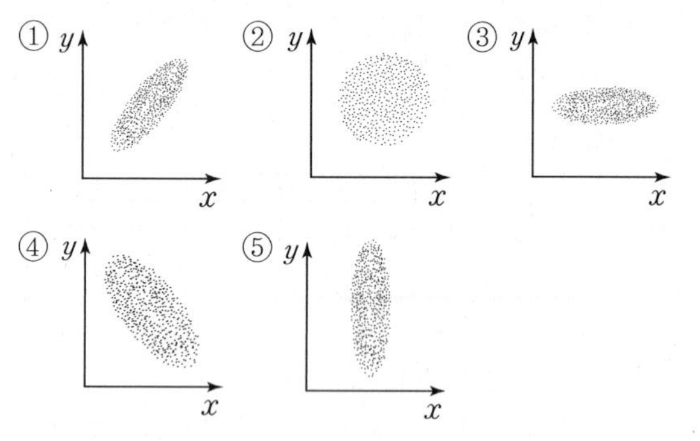

내신 UP POINT

두 변량 x, y 사이에 한 쪽이 증가하면 거기에 따라 다른 쪽이 감소하거나 증가하는 경향이 있을 때, 두 변량 x, y 사이의 관계를 상관관계라고 한다.

① 양의 상관관계 : 두 변량 x, y에서 x의 값이 증가함에 따라 y의 값도 대체로 증가하는 관계

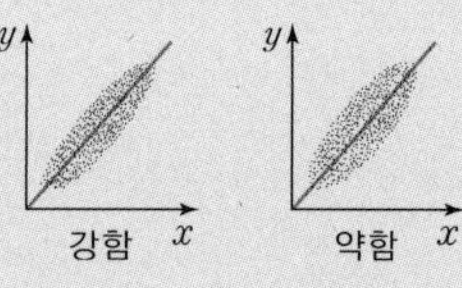

② 음의 상관관계 : 두 변량 x, y에서 x의 값이 증가함에 따라 y의 값은 대체로 감소하는 관계

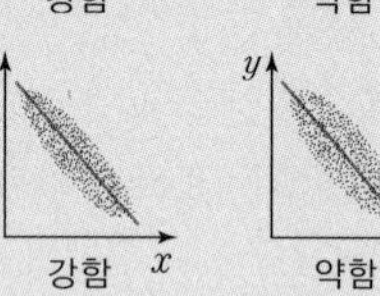

③ 상관관계가 없는 경우 : 두 변량 x, y에서 x가 증가함에 따라 y의 값이 증가하는지 감소하는지 그 관계가 분명하지 않은 관계

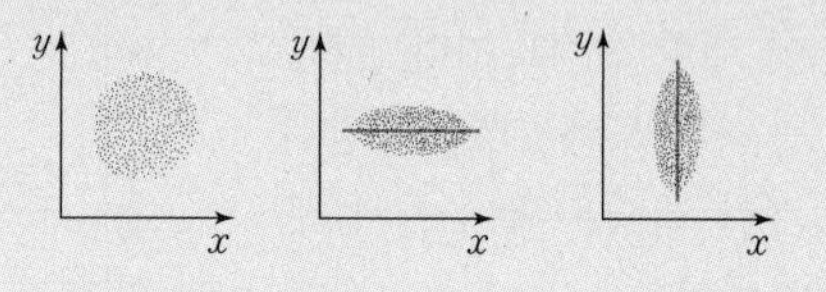

출제율 95%

78 (하) 오른쪽 그림은 산의 높이와 정상에서의 기온을 조사하여 나타낸 산점도이다. 두 변량 사이의 상관관계를 말하여라.

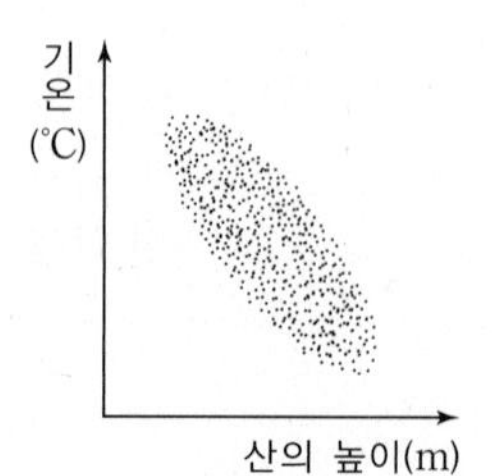

출제율 95%

79 (하) 1년 동안의 고구마의 생산량을 x톤, 고구마의 가격을 y원이라고 할 때, 다음 중 두 변량 x, y 사이의 상관관계를 나타낸 산점도로 적절한 것은?

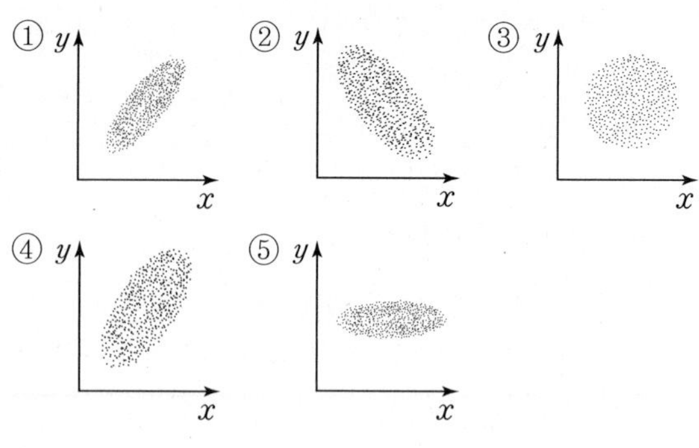

출제율 90%

80 (중) 다음 중 두 변량 사이에 상관관계가 양의 상관관계인 것을 모두 고르면? (정답 2개)

① 겨울철 최저 기온과 핫팩의 판매량
② 책의 두께와 무게
③ 대류권에서 지면으로부터의 높이와 기온
④ 통학 거리와 통학 시간
⑤ 시력과 몸무게

출제율 90%

81 (중) 다음 중 두 변량 사이의 상관관계가 나머지 넷과 다른 하나는?

① 흡연량과 폐암발생률
② 월별 마트 방문 고객 수와 매출액
③ 자동차 운행거리와 중고차 거래 가격
④ 여름철 최고 낮 기온과 아이스크림 판매량
⑤ 도시의 교통량과 대기 오염도

출제율 90%

82 다음 중 두 변량에 대한 산점도를 그렸을 때, 오른쪽 그림과 같은 모양으로 가장 적절한 것은?

① 산의 높이와 산소의 농도
② 수면 시간과 지능 지수
③ 키와 수학 성적
④ 운동량과 심장 박동수
⑤ 하루 중 낮의 길이와 밤의 길이

출제율 85%

83 다음 보기 에서 두 변량 사이의 관계와 산점도를 가장 알맞게 짝지은 것은?

보기

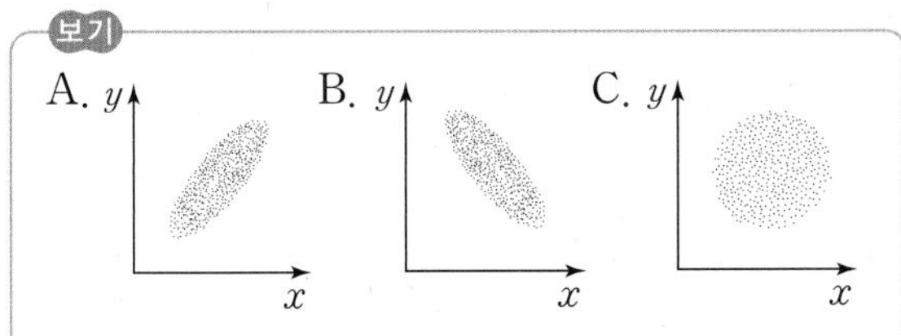

(가) 통화 시간과 휴대 전화 요금
(나) 강수량과 습도
(다) 머리 둘레와 달리기 기록
(라) 나이와 시력

	A	B	C
①	(가)	(나)	(다), (라)
②	(가), (나)	(라)	(다)
③	(나)	(다), (라)	(가)
④	(나), (라)	(가)	(다)
⑤	(다)	(라)	(가), (나)

출제율 85%

84 어느 학급 학생 25명의 하루 평균 스마트폰 사용 시간과 시험 성적의 평균을 조사하였더니 스마트폰 사용 시간이 길수록 시험 성적의 평균이 낮아지는 경향을 보였다고 한다. 다음 중 스마트폰 사용 시간과 시험 성적의 평균 사이의 상관관계와 유사한 상관관계를 갖는 두 변량을 고른 것은?

① 키와 신발의 치수
② 나무의 높이와 나이테의 개수
③ 자동차의 이동 거리와 남은 연료의 양
④ 시력과 윗몸일으키기 횟수
⑤ 운동량과 칼로리 소모량

출제율 85%

85 아래의 두 그림은 두 마트 A, B의 여름철 평균 기온과 아이스크림 판매량에 대한 산점도이다. 다음 중 옳은 것은?

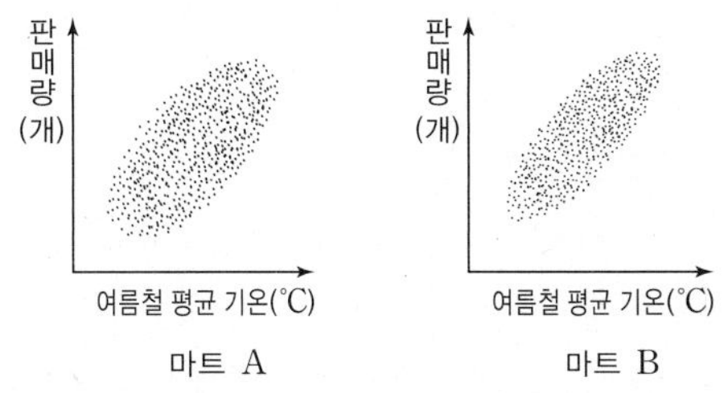

① 마트 B의 아이스크림이 마트 A의 아이스크림보다 많이 팔린다.
② 마트 B에서는 음의 상관관계가 나타난다.
③ 마트 A는 마트 B보다 약한 상관관계가 보인다.
④ 여름철 평균 기온이 올라갈수록 아이스크림의 판매량은 대체로 줄어든다.
⑤ 여름철 평균 기온과 아이스크림 판매량 사이에는 아무런 상관관계가 없다.

대표 유형 **상관관계 해석하기**

86 오른쪽 그림은 어느 중학교 3학년 학생들의 과학 성적과 수학 성적에 대한 산점도이다. 다음 중 옳은 것은?

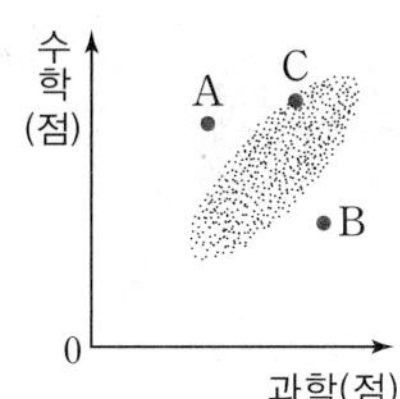

① A는 수학에 비해 과학을 잘 하는 편이다.
② B는 과학에 비해 수학을 못하는 편이다.
③ 과학 성적과 수학 성적은 음의 상관관계가 있다.
④ C는 B보다 과학 성적이 더 높다.
⑤ C는 A보다 과학 성적과 수학 성적이 모두 낮다.

내신 UP POINT

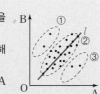

변량 A, B의 범위가 같고, 대각선 l을 기준선이라고 하면
① 기준선 위쪽 : 변량 A의 값에 비해 변량 B의 값이 더 크다.
② 기준선 또는 기준선 근처 : 변량 A와 B의 값이 같거나 비슷하다.
③ 기준선 아래 : 변량 B의 값에 비해 변량 A의 값이 더 크다.

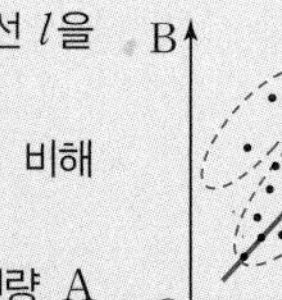

출제율 90%

87 중 오른쪽 그림은 수진이네 반 학생들의 키와 몸무게를 조사하여 나타낸 산점도이다. 다음 물음에 답하여라.

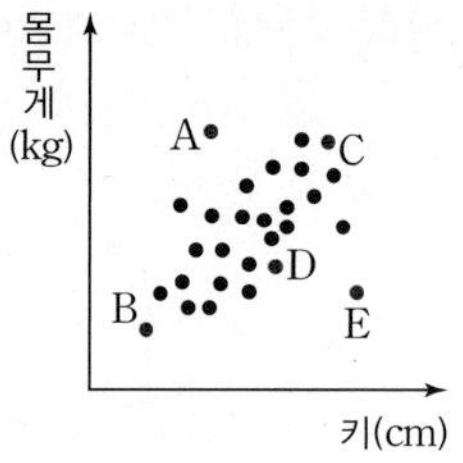

(1) A~E 중 키가 가장 큰 학생은?

① A ② B ③ C
④ D ⑤ E

(2) A~E 중 몸무게가 가장 가벼운 학생은?

① A ② B ③ C
④ D ⑤ E

(3) A~E 중 키에 비해 몸무게가 많이 나가는 학생은?

① A ② B ③ C
④ D ⑤ E

출제율 90%

88 중 오른쪽 그림은 산의 높이와 기온에 대한 산점도이다. 다음 중 산점도에 대한 설명으로 옳은 것을 모두 고르면? (정답 2개)

기온(℃)
A C D B E
산의 높이(m)

① 산의 높이가 높을수록 기온은 대체로 높아지는 편이다.
② A~E 중 가장 높은 산은 E이다.
③ A~E 중 기온이 가장 높은 산은 C이다.
④ B는 같은 높이인 산들에 비해 기온이 낮은 편이다.
⑤ A는 D보다 따뜻한 지역에 있다.

출제율 90%

89 중 오른쪽 그림은 근영이네 반 학생들의 전 과목 평균 점수와 수학 점수에 대한 산점도이다. 다음 설명 중 옳은 것을 모두 고르면? (정답 2개)

수학(점)
A B C D E
0

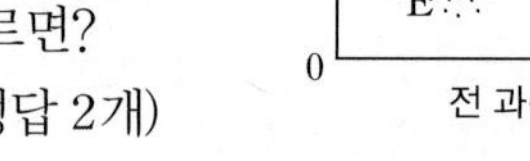

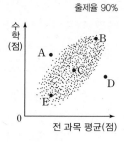

① 전 과목 평균 점수와 수학 점수 사이에는 상관관계가 없다.
② A~E 중 수학 점수가 가장 높은 학생은 B이다.
③ A는 전 과목 평균 점수보다 수학 점수가 낮다.
④ 전 과목 평균 점수와 수학 점수의 차가 가장 큰 학생은 E이다.
⑤ A~E 중 전 과목 평균 점수가 가장 높은 학생은 D이다.

출제율 85%

90 중 오른쪽 그림은 어느 회사의 직장인의 월 평균 소득액과 저축액을 조사하여 나타낸 산점도이다. 다음 보기 중 옳은 것끼리 짝지은 것은?

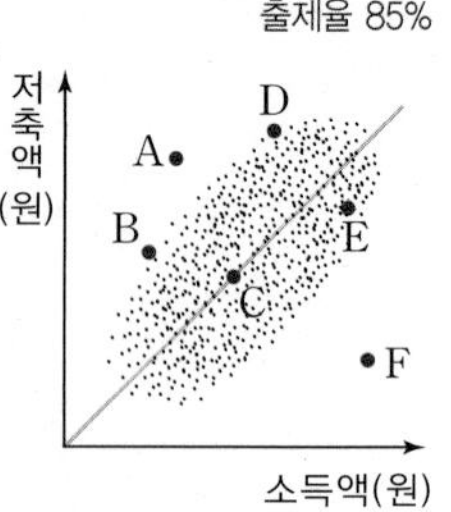

보기

ㄱ. E는 소득에 비해 저축액이 많은 편이다.
ㄴ. 소득액과 저축액 사이에는 음의 상관관계가 있다고 할 수 있다.
ㄷ. F는 소득액에 대한 저축액의 비율이 낮은 편이다.
ㄹ. A~F 중 D는 저축액이 가장 많다.
ㅁ. A~F 중 소득에 비해 저축액이 많은 편에 속하는 사람은 E, F의 2명이다.

① ㄱ, ㄷ ② ㄴ, ㄹ ③ ㄱ, ㄹ
④ ㄷ, ㄹ ⑤ ㄷ, ㅁ

발전유형

개념 UP 01 분산과 표준편차의 활용

다음을 이용하여 문제를 해결한다.

(1) $(\text{분산})=\dfrac{\{(\text{편차})^2\text{의 총합}\}}{(\text{변량의 개수})}$

(2) $(\text{표준편차})=\sqrt{(\text{분산})}$

출제율 85%

91 상 다음 자료는 어느 야구 선수의 7년 동안의 실책의 개수이다. 실책의 개수의 평균이 7개, 분산이 8일 때, a, b의 값을 각각 구하여라. (단, $a<b$)

(단위 : 개)

7, 10, 9, 7, 10, a, b

출제율 80%

92 상 어느 모둠의 남학생 3명의 수학 쪽지시험 성적의 평균은 7점, 분산은 7이고, 여학생 2명의 수학 쪽지시험 성적의 평균은 7점, 분산은 2이다. 이때 남녀 학생 5명의 수학 쪽지시험 성적의 표준편차를 구하여라.

출제율 80%

93 상 실수 $p_1, p_2, \cdots, p_6$에 대하여 함수 $f(x)=(x-p_1)^2+(x-p_2)^2+\cdots+(x-p_6)^2$의 꼭짓점의 좌표가 $(m, 2)$일 때, 실수 $p_1, p_2, \cdots, p_6$의 표준편차를 구하여라. $\left(\text{단, } m=\dfrac{p_1+p_2+\cdots+p_6}{6}\right)$

개념 UP 02 변량을 추가(또는 삭제)했을 때, 상관관계구하기

주어진 산점도에 추가(삭제)한 변량을 표시한 후 상관관계를 파악한다.

출제율 85%

94 상 오른쪽 그림은 두 변량 x와 y에 대한 산점도이다. 얼룩진 부분의 자료가 아래의 표와 같을 때, 다음 물음에 답하여라.

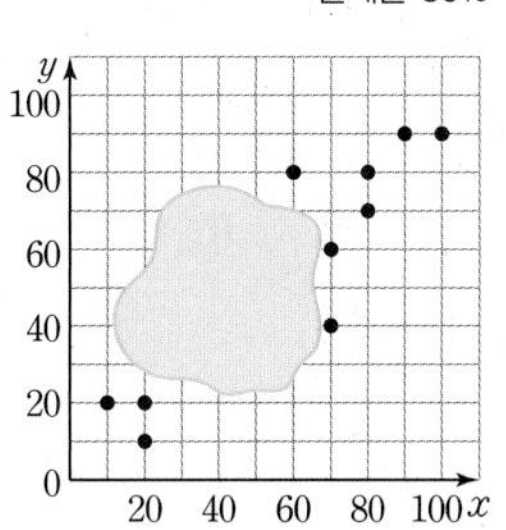

x	30	60	40	50	40	50	60
y	30	60	40	30	60	50	50

(1) 위의 표를 이용하여 오른쪽 산점도를 완성하여라.

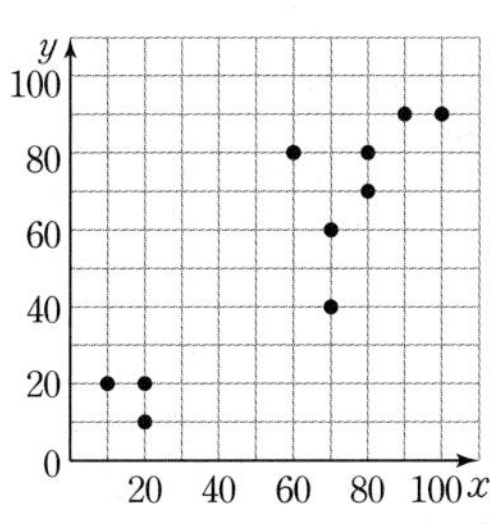

(2) 두 변량 x와 y 사이의 상관관계를 말하여라.

출제율 80%

95 상 오른쪽 그림은 두 변량 x, y에 대한 산점도이다. 다음 물음에 답하여라.

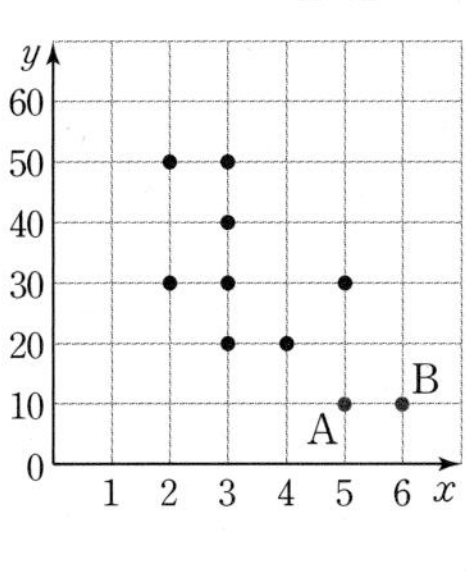

(1) 오른쪽 산점도에서 점 A, B를 삭제했을 때, 두 변량 x와 y 사이의 상관관계를 말하여라.

(2) 위 산점도에서 다음 5개의 자료를 추가하였을 때, 두 변량 x와 y 사이의 상관관계를 말하여라.

x	1	4	5	2	4
y	60	30	20	60	40

학교 시험 100점 맞기

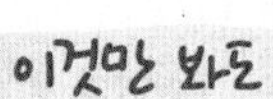

이것만 봐도 70점!

01 다음은 6명의 학생의 공 던지기에 대한 기록이다. 공 던지기 기록의 평균은?

(단위 : m)

34	28	30	38	43	49

① 34 m ② 35 m ③ 36 m
④ 37 m ⑤ 38 m

02 오른쪽 표는 A, B 두 반의 남학생과 여학생의 수와 수학 성적의 평균을 조사하여 나타낸 것이다. 이때 A, B 두 반 전체의 수학 성적의 평균은?

학생	남학생	여학생
학생 수(명)	30	20
평균(점)	66	68

① 66.6점 ② 66.8점 ③ 67점
④ 67.2점 ⑤ 67.5점

03 다음은 어느 인터넷 게임 카페 회원들의 나이를 조사하여 나타낸 것이다. 이때 나이의 중앙값은?

(단위 : 살)

11	15	13	17	14	12
16	12	17	15	18	10

① 13.5살 ② 14살 ③ 14.5살
④ 15살 ⑤ 16살

04 다음 자료의 평균이 83이고 중앙값이 y일 때, $x+y$의 값을 구하여라.

x	80	95	90	76	77	83

05 오른쪽 표는 유라네 반 학생 25명이 좋아하는 간식을 조사하여 나타낸 것이다. 이때 이 자료의 최빈값을 구하여라.

간식	학생 수(명)
김밥	4
라면	7
쫄면	3
떡볶이	6
빵	2
과자	3

06 다음은 예담이네 반 남학생 10명의 턱걸이 기록을 조사하여 나타낸 것이다. 평균이 6회일 때, 중앙값과 최빈값을 각각 구하여라.

(단위 : 회)

7, 4, 2, 12, 3, x, 8, 5, 7, 5

07 다음 표는 5명의 몸무게와 각각의 편차를 조사하여 나타낸 것이다. 이때 $a+b$의 값을 구하여라.

이름	연수	민석	혜민	지수	상현
몸무게(kg)	48	59	55	52	a
편차(kg)	-8	3	-1	b	10

08 다음 표는 민식이가 10회의 다트 게임에서 얻은 득점을 조사하여 나타낸 것이다. 민식이의 득점의 분산은?

회	1	2	3	4	5	6	7	8	9	10
득점(점)	7	5	6	8	7	7	8	9	7	6

① 1.2 ② 2 ③ 2.5
④ 3.4 ⑤ 7

09 다음과 같이 주어진 자료의 표준편차는?

6	11	9	5	6	5

① $\sqrt{3}$　② $\sqrt{5}$　③ $\sqrt{6}$
④ $\sqrt{7}$　⑤ $2\sqrt{2}$

10 다음 설명 중에서 옳지 <u>않은</u> 것은?

① 대푯값에는 평균, 중앙값, 최빈값 등이 있다.
② 대푯값을 중심으로 자료가 흩어져 있는 정도를 하나의 수로 나타낸 값을 산포도라 한다.
③ 평균에서 각 변량을 뺀 값을 편차라 한다.
④ 표준편차의 제곱은 분산이다.
⑤ 편차의 절댓값이 작을수록 산포도가 작다.

11 다음 자료에 대한 설명 중 옳은 것을 모두 고르면? (정답 2개)

4	3	7	5	8	3

① 평균은 4이다.
② 분산은 5이다.
③ 최빈값은 2개 있다.
④ 중앙값은 변량 중에 없다.
⑤ 변량에 대하여 가장 큰 편차는 3이다.

12 다음 표는 학생 5명의 기말고사 성적을 조사하여 평균과 표준편차를 나타낸 것이다. 성적이 가장 고른 사람은 누구인지 구하여라.

이름	민규	초희	영선	유경	기훈
평균(점)	80	96	76	84	60
표준편차(점)	2.5	4	6	3.7	5.4

13 오른쪽 그림은 학생 10명의 영어 말하기 평가와 듣기 평가 점수에 대한 산점도이다. 이때 말하기 평가가 듣기 평가보다 높지 않은 학생은 전체의 몇 %인지 구하여라.

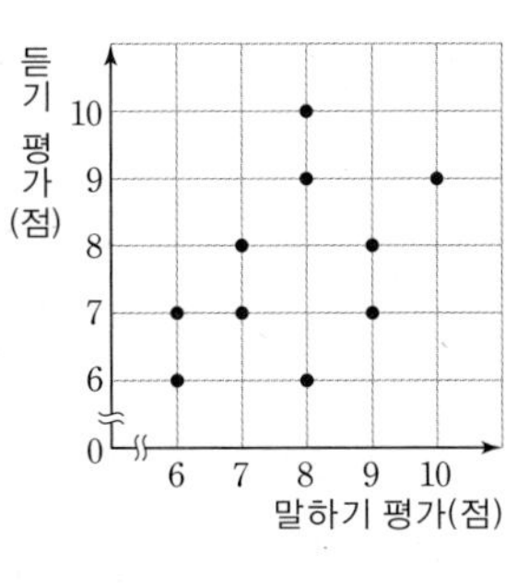

14 다음 중 두 변량에 대한 산점도가 대체로 오른쪽 그림과 같은 모양이 되는 것은?

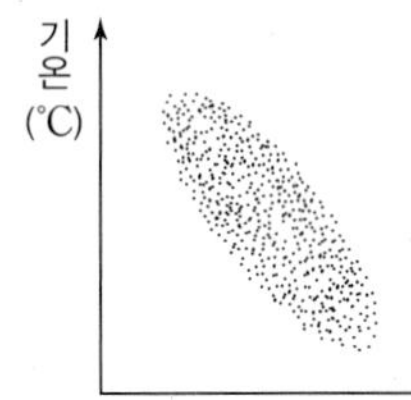

① 머리둘레와 앉은 키
② 사과의 생산량과 사과 가격
③ 몸무게와 시력
④ 통화 시간과 스마트폰 요금
⑤ 키와 신발 치수

15 다음 중 두 변량 사이에 양의 상관관계가 있는 것을 모두 고르면? (정답 2개)

① 수학 성적과 달리기 기록
② 강수량과 습도
③ 키와 몸무게
④ 가슴둘레와 지능지수
⑤ 산의 높이와 기온

16 오른쪽 그림은 은재네 학교 학생들의 왼쪽 눈과 오른쪽 눈의 시력에 대한 산점도이다. 은재, 창섭, 나은, 가영, 다희 중 왼쪽 눈의 시력에 비해 오른쪽 눈의 시력이 가장 나쁜 학생을 구하여라.

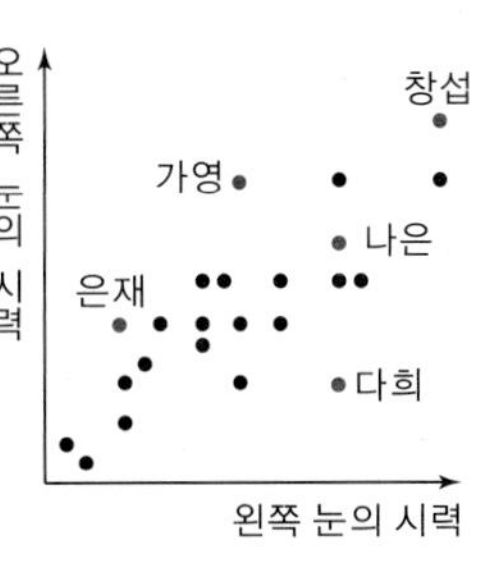

꼭! 맞고 상위권 진입

17 혜진이네 댄스 동아리의 회원 8명의 몸무게의 평균을 구하는데 몸무게가 56 kg인 혜진이의 몸무게를 잘못 측정하여 평균을 실제보다 1 kg 낮게 구하였다. 이때 잘못 측정한 혜진이의 몸무게는?

① 48 kg ② 55 kg ③ 57 kg
④ 64 kg ⑤ 66 kg

18 다음 두 조건을 모두 만족하는 두 수 a, b의 값을 각각 구하여라.

> (i) 3, 6, 9, 10, a의 중앙값은 6이다.
> (ii) 2, 12, 13, a, b의 평균은 8이고, 중앙값은 9이다.

19 5개의 변량 3, x, 4, $8-x$, 5의 분산이 2일 때, 가능한 변량 x의 값을 모두 구하면? (정답 2개)

① 2 ② 3 ③ 4
④ 5 ⑤ 6

20 오른쪽 그림은 사격 선수들이 두 차례에 걸쳐서 총을 쏘아 얻은 점수를 조사하여 나타낸 것이다. 중복되는 점이 없다고 할 때, 다음 중 옳지 <u>않은</u> 것은?

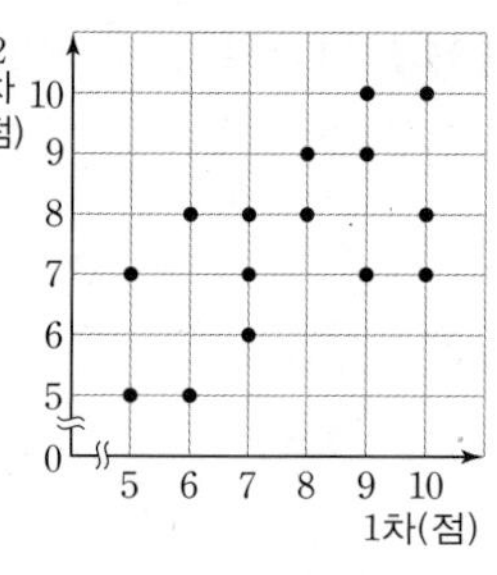

① 조사 대상자는 15명이다.
② 1차와 2차에서 같은 점수를 얻은 사람은 5명이다.
③ 1차와 2차에서 적어도 하나의 점수가 8점 초과인 사람은 9명이다.
④ 1차의 점수가 7점인 선수들의 2차 점수의 평균은 7점이다.
⑤ 1차와 2차의 점수 차가 가장 큰 선수의 2차 점수는 7점이다.

1등급 만점도전

21 5개의 변량 a, b, c, d, e의 평균이 5이고 분산이 3일 때, $2a-1$, $2b-1$, $2c-1$, $2d-1$, $2e-1$의 평균은 p, 표준편차는 q이다. 이때 pq의 값을 구하여라.

22 오른쪽 그림은 어느 중학교 3학년 학생들의 키와 발의 크기를 나타낸 산점도이다. 다음 보기 중 옳은 것을 모두 골라라.

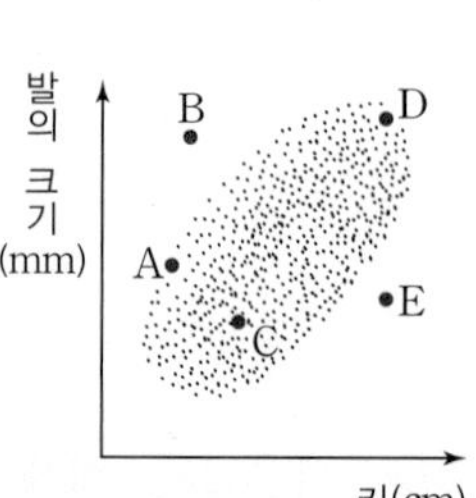

> 보기
> ㄱ. 키와 발의 크기는 양의 상관관계가 있다.
> ㄴ. B는 키에 비해 발의 크기가 큰 편이다.
> ㄷ. D는 C보다 키가 크다.
> ㄹ. A는 A, B, C, D, E 중 발의 크기가 가장 작다.
> ㅁ. A, B, C, D, E 중 키에 비해 발의 크기가 작은 편인 학생은 B와 E이다.

단계형

23 다음 자료의 중앙값이 x, 최빈값이 y일 때, $x+y$의 값을 구하여라. [6점]

3, 1, 9, 12, 6, 7, 9, 12, 18, 4, 3, 12

1단계 x의 값 구하기 [2점]

2단계 y의 값 구하기 [2점]

3단계 $x+y$의 값 구하기 [2점]

단계형

24 오른쪽 그림은 두 변량 x와 y에 대한 산점도이다. 얼룩진 부분의 자료가 다음 표와 같을 때, 두 변량 x, y 사이의 상관관계를 구하여라. [7점]

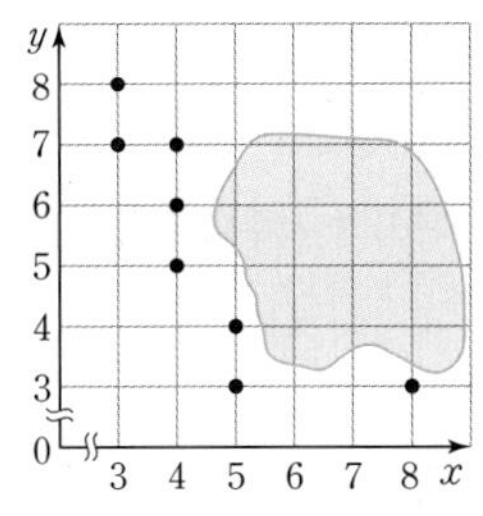

x	6	7	5	7	6	6	8
y	6	4	6	5	4	5	4

1단계 위의 표를 이용하여 오른쪽 산점도를 완성하여라. [4점]

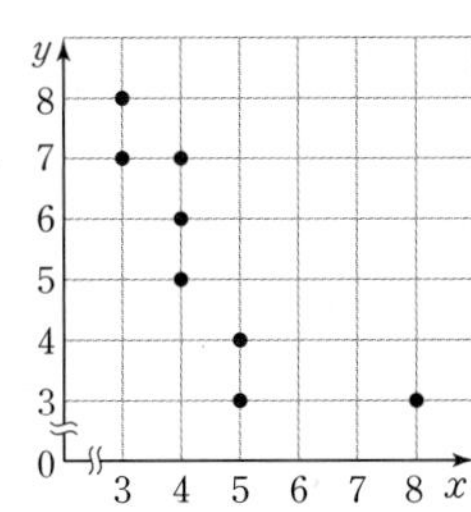

2단계 두 변량 x와 y 사이의 상관관계를 말하여라. [3점]

사고력

25 희연이와 지연이에게 노끈을 각각 5개씩 100 cm가 되도록 자르게 하였다. 자른 노끈의 길이를 재었더니 다음과 같았을 때, 누가 더 고르게 잘랐는지 말하여라. [7점]

(단위 : cm)

희연 : 100, 98.5, 101.5, 101, 99
지연 : 101, 99, 98.5, 99.5, 102

사고력

26 오른쪽 그림은 선우네 반 학생 20명의 수학 점수와 과학 점수에 대한 산점도이다. A보다 두 과목의 점수의 평균이 낮은 학생 수는 전체의 몇 %인지 구하여라. [6점]

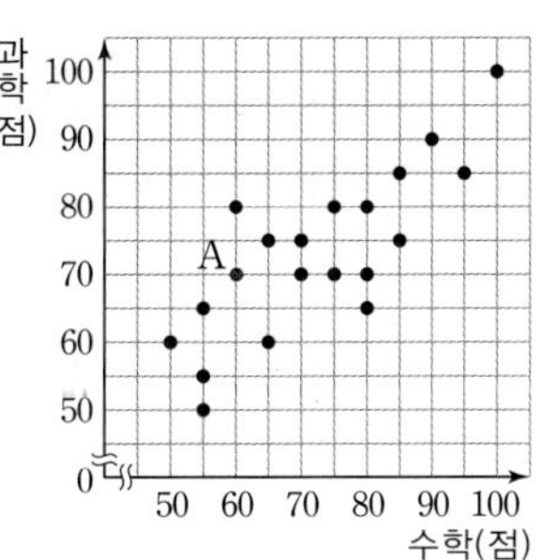

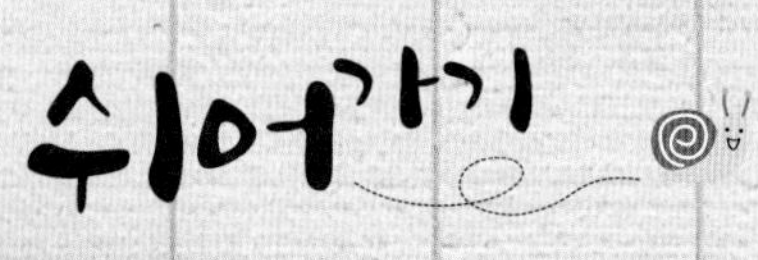

친구의 믿음

고대 시라쿠사의 피타고라스파 철학자인 다몬과 핀티아스에 관한 다음과 같은 일화가 있습니다.

피타고라스파 철학자인 핀티아스는 그 당시 왕과 귀족들의 무책임함과 폭력 정치를 무척 비난하였습니다.
이에 화가 난 왕은 핀티아스를 잡아 감옥에 가두었고 결국 사형을 선고했습니다.
그러자 효자였던 핀티아스는 집에 돌아가 연로하신 부모님께 마지막 인사를 하게 해달라고 간청했습니다.
하지만 왕은 국법과 질서가 흔들릴 수도 있었기 때문에 거절하였습니다.
이때 핀티아스의 친구인 다몬이 보증을 서겠다면서 나섰습니다.
"폐하, 제가 그의 귀환을 보증합니다. 그를 보내주십시오."
"다몬, 만일 핀티아스가 돌아오지 않는다면 어쩌겠느냐?"
"그렇다면 어쩔 수 없이 친구를 잘못 사귄 죄로 제가 대신 교수형을 받겠습니다."
결국 왕은 허락했고 다몬은 기쁜 마음으로 핀티아스를 대신하여 감옥에 갇혔습니다.

사형을 집행하는 날, 약속된 시간이 가까워짐에도 핀티아스의 모습은 보이지 않았습니다.
결국 사형 집행 시간이 되자 다몬은 교수대로 끌려 나왔고 그의 목에 밧줄이 걸렸습니다.
다몬의 친척들은 울부짖기 시작했고 사람들은 우정을 저버린 핀티아스를 욕하며 저주를 퍼부었습니다.
그러자 목에 밧줄을 건 다몬이 눈을 부릅뜨고 화를 냈습니다.
"나의 친구 핀티아스를 욕하지 마라! 당신들이 내 친구를 어찌 알겠는가."
죽음을 앞둔 다몬이 의연하게 말하자 모두 꿀 먹은 벙어리가 되었습니다.
그런데 사형을 집행하려던 순간 멀리서 핀티아스가 말을 재촉하며 달려오며 고함을 쳤습니다.
그는 숨을 헐떡이며 "제가 돌아왔습니다. 이제 다몬을 풀어주십시오. 사형수는 접니다."라고 말했습니다.
핀티아스는 거센 폭풍우를 만나 고생 끝에 도착한 것입니다.
두 사람은 서로를 끌어안고 작별을 고했습니다.
"다몬, 나의 소중한 친구여. 저세상에 가서도 자네를 잊지 않겠네."
"핀티아스, 자네가 먼저 가는 것뿐일세. 다음 세상에서 다시 만나도 우리는 틀림없이 친구가 될 거야."

두 사람의 우정을 비웃었던 사람들 사이에서 탄식이 흘러나왔습니다.
이들을 지켜보던 왕이 자리에서 일어나 큰 소리로 외쳤습니다.
"핀티아스의 죄를 사면해 주노라!"
왕은 그와 같은 명령을 내린 뒤 나직하게 혼자 말을 했습니다.
바로 곁에 서 있던 시종만이 그 말을 들을 수 있었습니다.
"내 모든 것을 다 주더라도 저런 친구를 한번 사귀어보고 싶구나."

여러분들은 이기적인 생각으로 자신만 생각하고 살아가고 있진 않나요?
친구는 소중한 자산입니다. 항상 친구를 믿는 마음을 가져 보세요.

Part Ⅱ

싹쓸이 핵심 기출문제

싹쓸이 핵심 예상문제

실전 모의고사

학교 시험 끝내주는 싹쓸이 핵심 기출문제

01 원주각과 중심각의 크기(1)

오른쪽 그림의 원 O에서 $\angle APB=55°$일 때, $\angle x+\angle y$의 크기는?

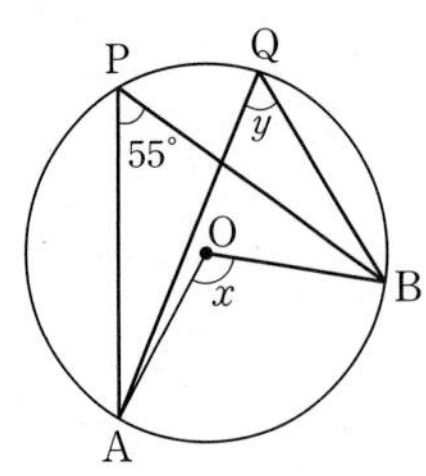

① 155° ② 160° ③ 165° ④ 170° ⑤ 175°

02 원주각과 중심각의 크기(2)

오른쪽 그림과 같이 원 O 밖의 한 점 P에서 원 O에 그은 두 접선의 접점을 각각 A, B라 하자. 호 AB 위의 한 점 Q에 대하여 $\angle AQB=100°$일 때, $\angle APB$의 크기는?

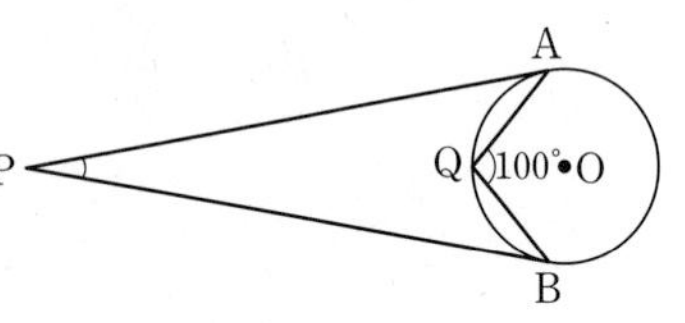

① 20° ② 25° ③ 30° ④ 35° ⑤ 40°

03 원주각의 성질(1)

오른쪽 그림에서 네 점 A, B, C, D는 원 위의 점이고, $\overline{AC}$와 $\overline{BD}$의 교점을 P, $\overline{AB}$와 $\overline{CD}$의 연장선의 교점을 Q라 하자. $\angle ABD=45°$, $\angle AQD=30°$일 때, $\angle BAC$의 크기를 구하여라.

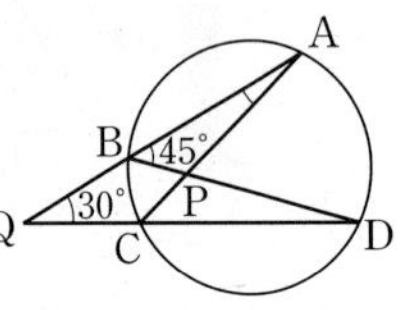

04 원주각의 성질(2) — 반원에 대한 원주각

오른쪽 그림의 원 O에서 $\overline{AB}$가 지름일 때, $\angle x$의 크기를 구하면?

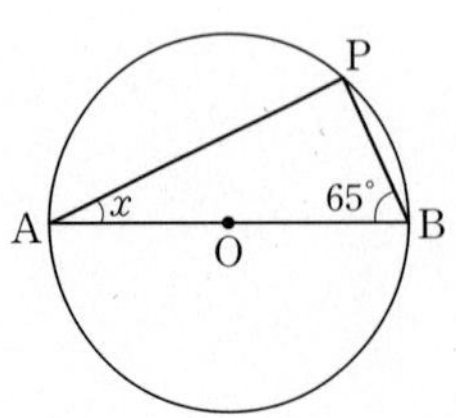

① 20° ② 25° ③ 30° ④ 35° ⑤ 38°

05 원주각의 크기와 호의 길이

오른쪽 그림의 원 O에서 $\angle AOB=80°$이고 $\widehat{AB}=8$ cm, $\widehat{CD}=6$ cm일 때, $\angle CED$의 크기는?

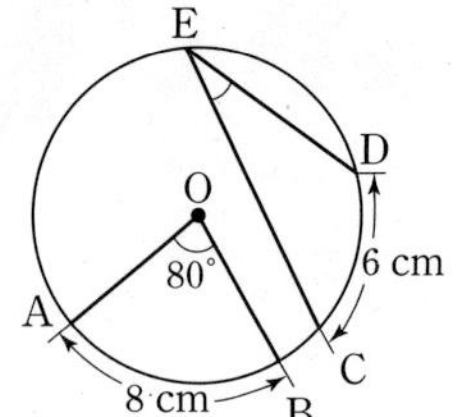

① 30° ② 40° ③ 45° ④ 50° ⑤ 60°

06 원에 내접하는 사각형의 성질(1)

오른쪽 그림에서 □APBQ는 원 O에 내접하고 $\angle AOB=160°$일 때, $\angle APB$의 크기는?

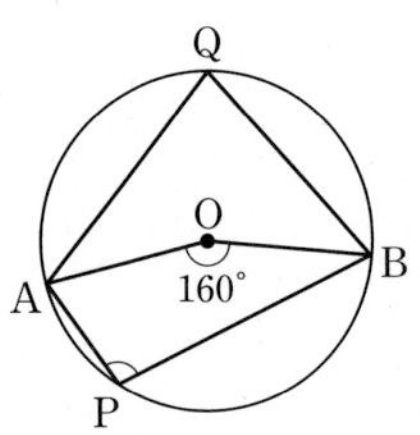

① 80° ② 85° ③ 90° ④ 95° ⑤ 100°

07 원에 내접하는 사각형의 성질(2)

오른쪽 그림에서 $\angle x$, $\angle y$의 크기를 각각 구하여라.

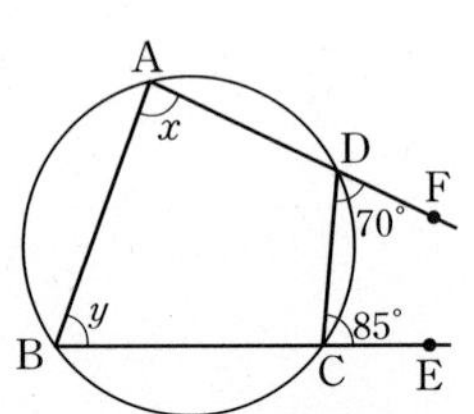

08 원에 내접하는 사각형의 성질의 활용

오른쪽 그림에서 $\angle P=36°$, $\angle Q=32°$일 때, $\angle x$의 크기는?

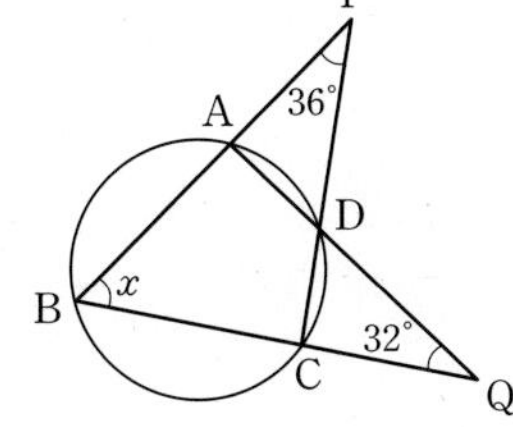

① 54° ② 55° ③ 56° ④ 57° ⑤ 58°

09 내접하는 다각형

오른쪽 그림과 같이 오각형 ABCDE가 원 O에 내접하고 $\angle A=70°$, $\angle D=130°$일 때, $\angle BOC$의 크기는?

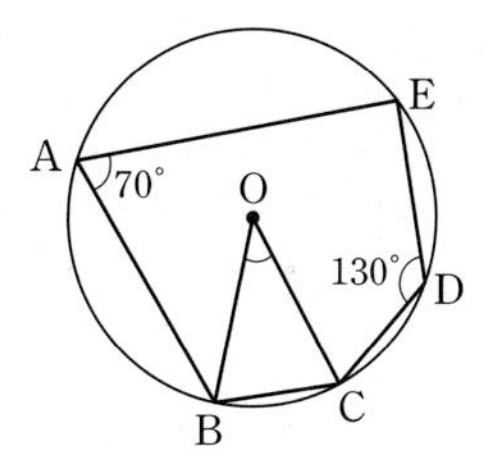

① 30° ② 35° ③ 38° ④ 40° ⑤ 42°

10 두 원에서 내접하는 사각형의 성질

오른쪽 그림과 같이 두 원 O와 O′이 두 점 A와 B에서 만나고, 두 점 A와 B를 각각 지나는 직선이 두 원 O, O′과 네 점 C, D, E, F에서 만난다. $\angle E=80°$일 때, $\angle F$의 크기는?

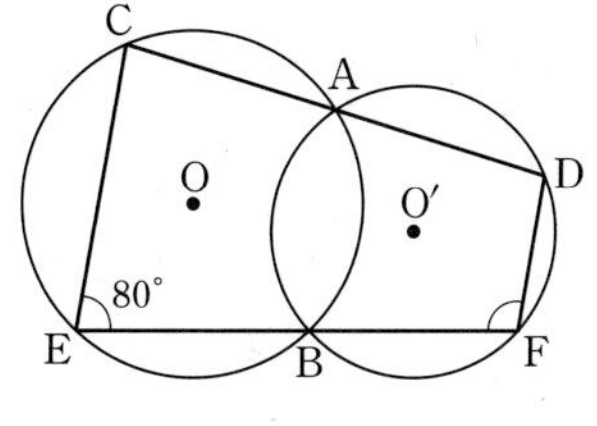

① 90° ② 95° ③ 100° ④ 105° ⑤ 110°

11 사각형이 원에 내접하기 위한 조건

다음 중 네 점 A, B, C, D가 한 원 위에 있는 것은?

①

②

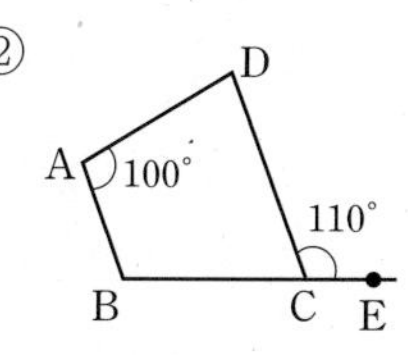

③

④

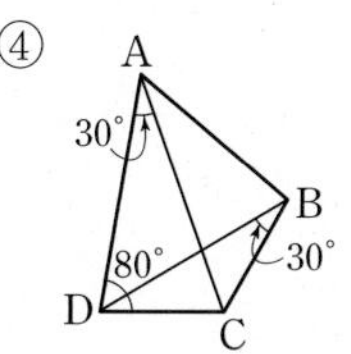

⑤

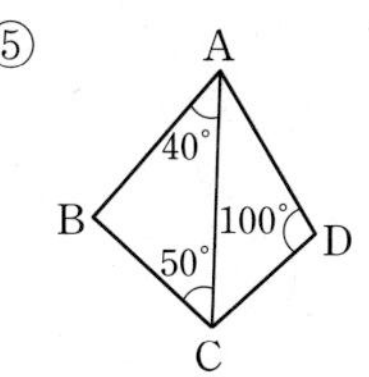

12 접선과 현이 이루는 각

오른쪽 그림의 원 O에서 $\overrightarrow{PT}$는 접선이고 $\overline{AB}$는 지름이다. $\angle ATC=67°$일 때, $\angle BAT$의 크기는?

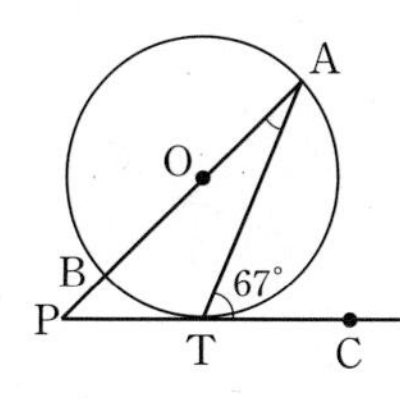

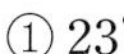

① 23° ② 24° ③ 25° ④ 26° ⑤ 27°

13 두 원에서 접선과 현이 이루는 각

오른쪽 그림에서 $\overleftrightarrow{PQ}$는 두 원의 공통인 접선이고, 점 T는 그 접점이다. $\angle PTD=80°$일 때, $\angle x$, $\angle y$의 크기를 각각 구하여라.

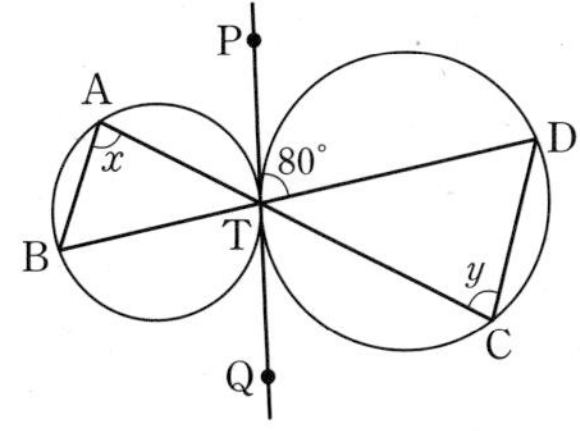

14 평균 구하기

지영이가 4회에 걸쳐서 본 시험의 평균이 91점이었다. 한 번 더 시험을 치른 후에 5회의 평균이 92점 이상이 되려면 마지막 시험에서 지영이가 받아야 할 최소 점수는?

① 93점 ② 94점 ③ 95점
④ 96점 ⑤ 97점

15 중앙값 구하기

오른쪽의 자료는 A반 학생 15명을 대상으로 자유투를 20번 던져 성공한 횟수를 조사하여 나타낸 것이다. 이때 중앙값은?

(단위 : 회)

5	13	8	6	16
4	9	11	3	14
14	17	4	12	18

① 10회 ② 11회
③ 12회 ④ 13회
⑤ 14회

16 최빈값 구하기

다음은 어느 반 학생 30명의 통학 시간을 조사하여 나타낸 표이다. 이때 최빈값은?

시간(분)	5	10	15	20	25
학생 수(명)	4	6	10	5	5

① 5분 ② 10분 ③ 15분
④ 20분 ⑤ 25분

17 편차의 뜻과 성질

다음은 학생 6명의 키에 대한 편차를 나타낸 표이다. 학생들의 키의 평균이 158 cm일 때, D 학생의 키를 구하여라.

(단위 : cm)

학생	A	B	C	D	E	F
편차	-5	3	4	x	-1	2

18 분산과 표준편차 구하기

5개의 변량 60, 75, 80, 65, 70의 분산과 표준편차를 각각 구하여라.

19 자료의 분석

다음은 네 반의 100 m 달리기 기록의 평균과 표준편차를 나타낸 표이다. 100 m 달리기 기록이 가장 고른 반을 말하여라.

	1반	2반	3반	4반
평균(점)	12.7	16.5	13.6	14.3
표준편차(점)	1.5	2	1.3	2.2

20 산점도 그리기

다음은 학생 10명의 일주일 동안의 TV 시청 시간과 독서량에 대하여 조사하여 나타낸 표이다. TV 시청 시간과 독서량의 산점도를 완성하여라.

TV 시청 시간(시간)	1	9	8	2	2	4	3	4	5	7
독서량(권)	5	1	1	4	3	2	4	3	4	3

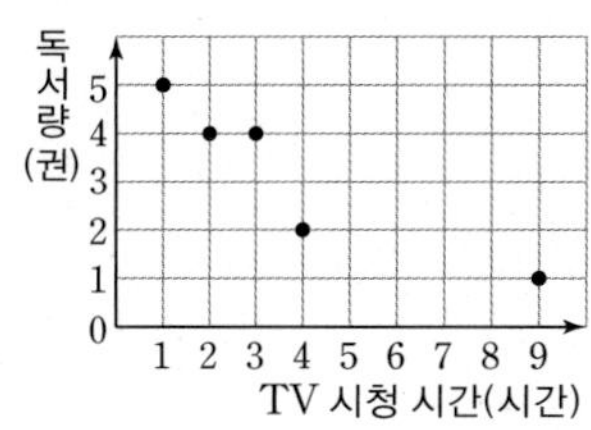

21 산점도 이해하기(1)

오른쪽 그림은 예린이네 반 학생의 몸무게와 키에 대한 산점도이다. 몸무게는 55 kg 이상 65 kg 이하이고 키는 170 cm 초과인 학생은 몇 명인가? (단, 중복되는 점은 없다.)

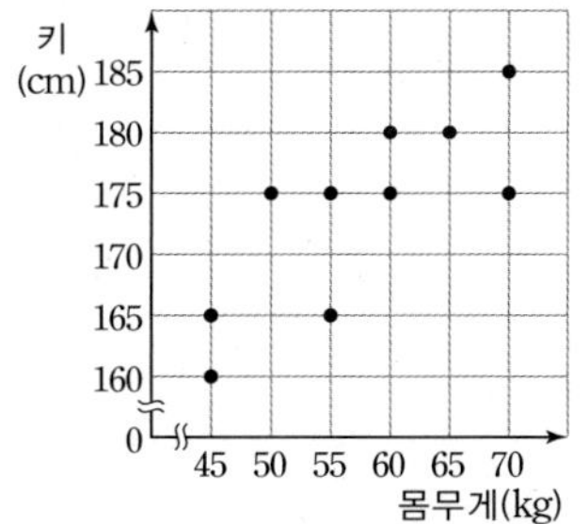

① 3명 ② 4명
③ 5명 ④ 6명
⑤ 7명

22 산점도 이해하기(2)

오른쪽 그림은 학생 10명의 영어 말하기 평가 점수와 듣기 평가 점수에 대한 산점도이다. 듣기 평가 점수가 말하기 평가 점수보다 높은 학생 수는 전체 몇 %인가?

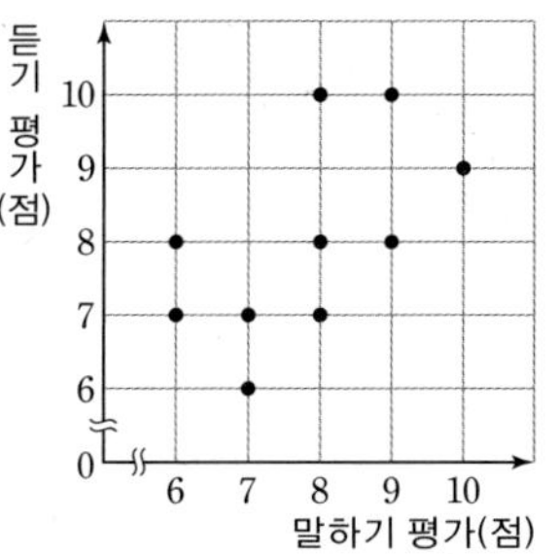

① 30 % ② 35 %
③ 40 % ④ 45 %
⑤ 50 %

23 산점도 이해하기(3)

오른쪽 그림은 학생 15명이 두 차례에 걸쳐 본 국어 성적을 조사하여 나타낸 산점도이다. 1차와 2차의 성적이 모두 80점 이상인 학생의 1차 국어 성적의 평균을 구하면?

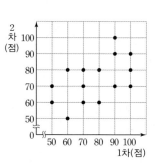

① 85점 ② 89점
③ 90점 ④ 91점
⑤ 92점

24 상관관계

다음 중 두 변량 사이의 상관관계가 상품의 공급량과 가격사이의 상관관계와 같은 것은?

① 나무의 높이와 나이테의 개수
② 머리둘레와 철봉 매달리기 기록
③ 키와 시력
④ 통학 거리와 소요시간
⑤ 산의 높이와 정상에서의 기온

25 상관관계 이해하기

오른쪽 그림은 어느 회사 직원들의 지난 달 소득액과 저축액을 조사하여 나타낸 산점도이다. A, B, C, D 4명의 직원 중 소득에 비해 비교적 저축을 많이 한 사람은 누구인지 구하여라.

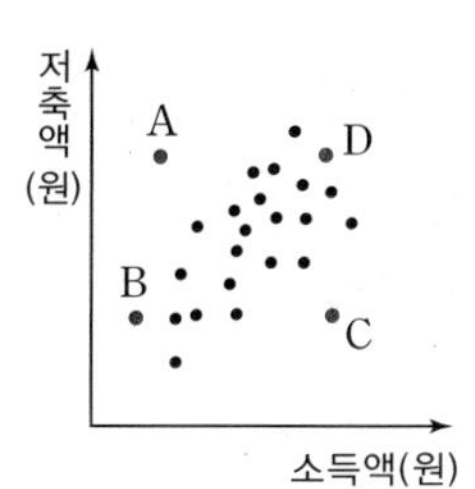

01 원주각과 중심각의 크기(1)

오른쪽 그림의 원 O에서 $\angle APB=80^\circ$일 때, $\angle x-\angle y$의 크기는?

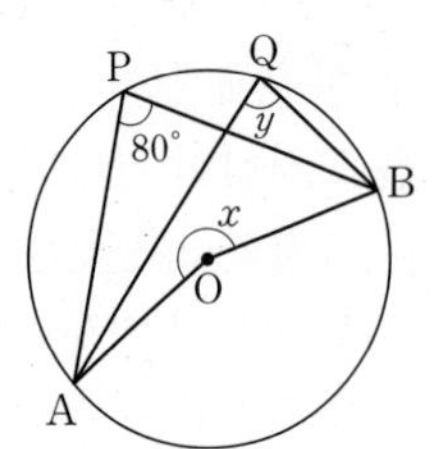

① 110° ② 120° ③ 130° ④ 140° ⑤ 150°

02 원주각과 중심각의 크기(2)

오른쪽 그림과 같이 원 O 밖의 한 점 P에서 원 O에 그은 두 접선의 접점을 각각 A, B라 하자. 호 AB 위의 한 점 Q에 대하여 $\angle APB=60^\circ$일 때, $\angle AQB$의 크기는?

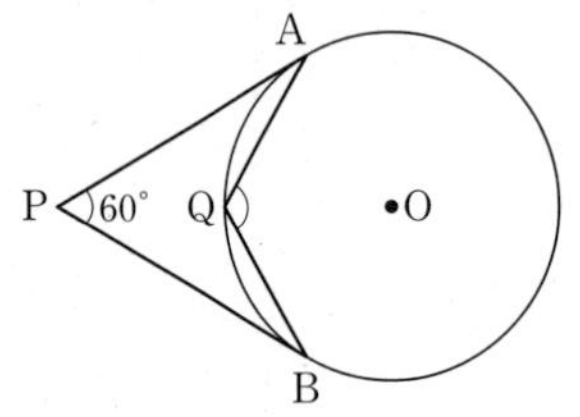

① 100° ② 105° ③ 110° ④ 115° ⑤ 120°

03 원주각의 성질(1)

오른쪽 그림에서 $\overline{PB}$는 원 O의 지름이고 $\angle APB=33^\circ$일 때, $\angle x$의 크기는?

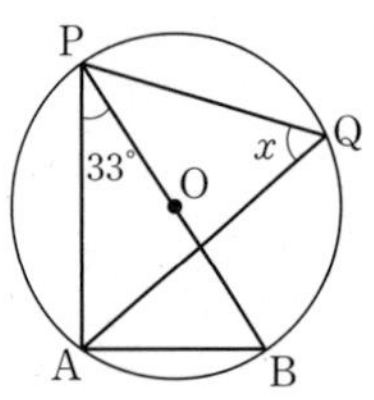

① 55° ② 57° ③ 60° ④ 63° ⑤ 65°

04 원주각의 성질(2) — 반원에 대한 원주각

오른쪽 그림의 원 O에서 $\overline{AB}$는 지름이고, $\angle PAB=40^\circ$일 때, $\angle x+\angle y$의 크기를 구하여라.

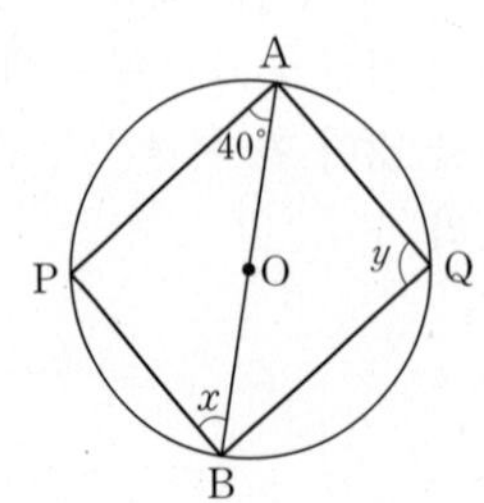

05 원주각의 크기와 호의 길이

오른쪽 그림의 원 O에서 $\overset{\frown}{AB}:\overset{\frown}{CD}=2:5$이다. $\angle ACB=30^\circ$일 때, $\angle CPD$의 크기를 구하여라.

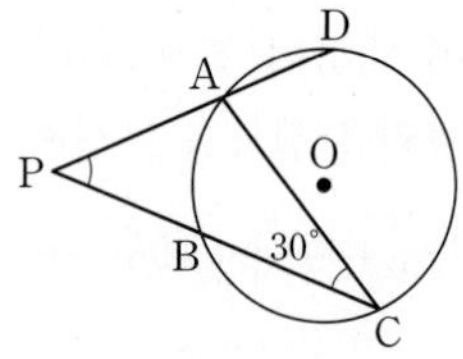

06 원에 내접하는 사각형의 성질(1)

오른쪽 그림의 원 O에서 $\angle ABC=30^\circ$일 때, $\angle ADC$의 크기를 구하여라.

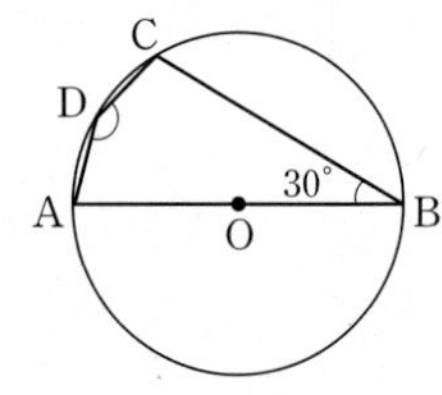

07 원에 내접하는 사각형의 성질(2)

오른쪽 그림에서 $\angle x+\angle y$의 크기를 구하면?

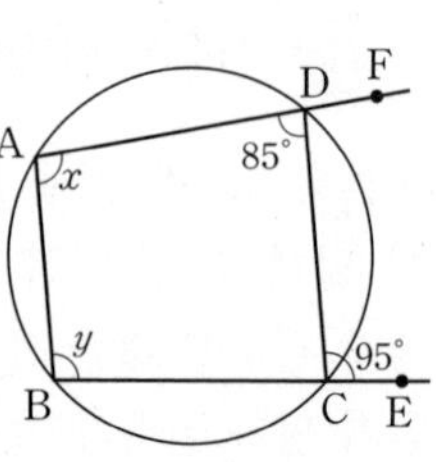

① 170° ② 180° ③ 185° ④ 190° ⑤ 195°

08 원에 내접하는 사각형의 성질의 활용

오른쪽 그림에서 $\angle x$의 크기는?

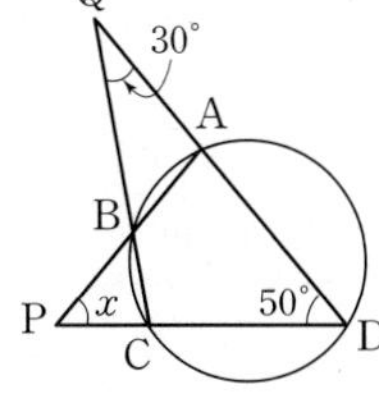

① 30° ② 35°
③ 40° ④ 45°
⑤ 50°

09 내접하는 다각형

오른쪽 그림과 같이 원 O에 내접하는 오각형 ABCDE에서 $\angle B=104°$, $\angle COD=58°$일 때, $\angle x$의 크기를 구하여라.

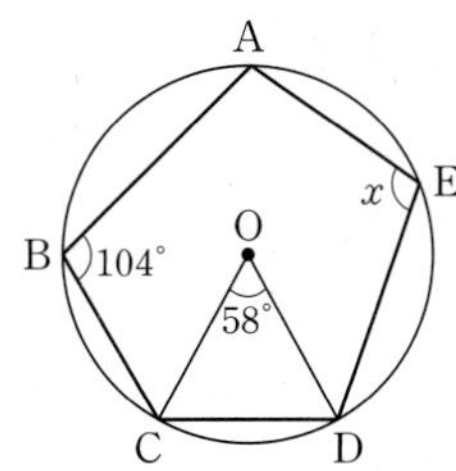

10 두 원에서 내접하는 사각형의 성질

오른쪽 그림과 같이 두 원 O와 O′이 두 점 A와 B에서 만나고, 두 점 A와 B를 각각 지나는 직선이 두 원 O, O′과 네 점 C, D, E, F에서 만난다. $\angle D=50°$일 때, $\angle ACE$의 크기는?

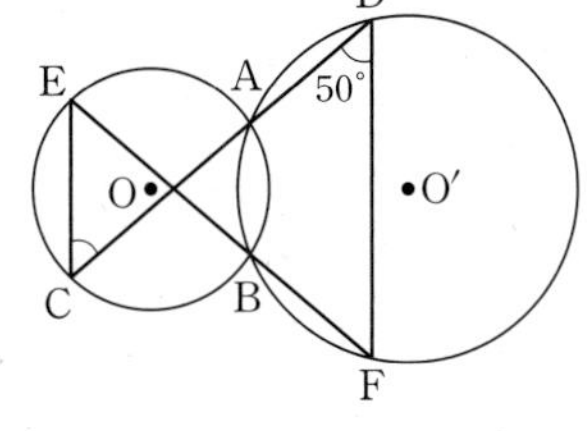

① 40° ② 45° ③ 50°
④ 55° ⑤ 60°

11 사각형이 원에 내접하기 위한 조건

다음 사각형 ABCD 중 원에 내접할 수 없는 것은?

①

②
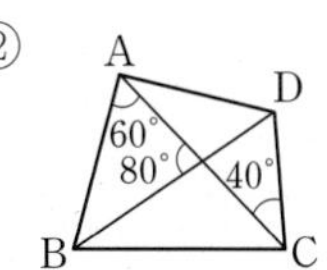

③

④
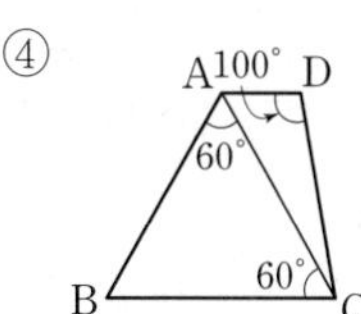

⑤
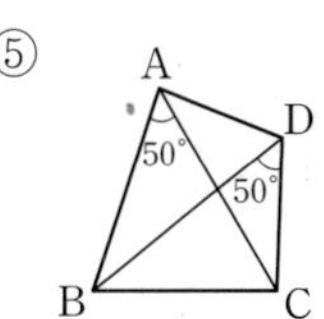

12 접선과 현이 이루는 각

오른쪽 그림에서 원 O는 △ABC의 내접원이고, △DEF의 외접원이다. $\angle ABC=48°$, $\angle DEF=46°$일 때, $\angle EDF$의 크기는?

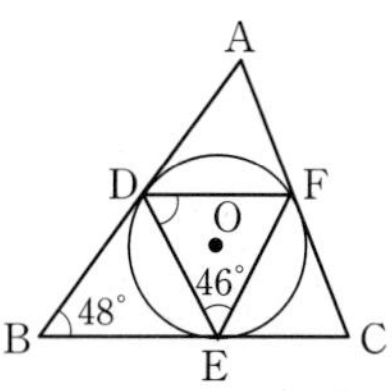

① 63° ② 65°
③ 66° ④ 67°
⑤ 68°

13 두 원에서 접선과 현이 이루는 각

오른쪽 그림에서 $\overleftrightarrow{PQ}$는 두 원의 공통인 접선이고, 점 T는 그 접점이다. $\angle BAT=50°$, $\angle TDC=60°$일 때, $\angle DTC$의 크기는?

① 50° ② 55°
③ 60° ④ 65°
⑤ 70°

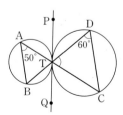

14 평균 구하기

다음은 은주의 중간고사 성적표이다. 평균이 85점 이상일 때, 사회의 최소 점수는?

과목	국어	수학	영어	사회	과학
점수(점)	75	100	85		95

① 70점 ② 75점 ③ 80점
④ 85점 ⑤ 90점

15 중앙값 구하기

다음 주어진 자료에서 구한 평균, 중앙값을 각각 a, b라 할 때, $a+b$의 값은?

5 9 6 11 9 10 6 7 9 8

① 15 ② 15.5 ③ 16
④ 16.5 ⑤ 17

16 최빈값 구하기

다음은 음료 자판기에서 30명이 뽑은 음료수를 조사한 것이다. 이 자료의 최빈값은?

음료수	콜라	환타	커피	주스	물
학생 수(명)	5	9	3	4	9

① 콜라 ② 주스 ③ 환타, 물
④ 콜라, 커피 ⑤ 커피

17 편차의 뜻과 성질

다음 표는 학생 5명의 수학 성적과 각각의 편차를 나타낸 것이다. A, B, C의 값을 각각 구하여라.

수학 성적(점)	69	74	A	71	B
편차(점)	-4	1	-3	-2	C

18 분산과 표준편차 구하기

다음 자료에 대한 설명 중 옳은 것은?

6 9 4 10 7 6

① 평균은 6이다.
② 편차의 총합은 10이다.
③ 편차의 제곱의 총합은 18이다.
④ 분산은 4이다.
⑤ 표준편차는 $3\sqrt{2}$이다.

19 자료의 분석

오른쪽 표는 세 학급의 영어 성적과 표준편차를 나타낸 것이다. 다음 보기에서 옳은 것을 모두 고르면?

학급	1반	2반	3반
평균(점)	70	76	75
표준편차(점)	3	4	6

(단, 각 학급의 학생 수는 모두 같다.)

보기
ㄱ. 2반의 영어 성적의 평균이 가장 높다.
ㄴ. 세 학급의 학생 중 영어 성적이 가장 우수한 학생은 2반에 있다.
ㄷ. 영어 성적은 1반이 가장 고르다.

① ㄱ ② ㄴ ③ ㄷ
④ ㄱ, ㄷ ⑤ ㄴ, ㄷ

20 산점도 그리기

다음은 민재네 반 학생 10명의 일주일 동안 읽은 책의 수와 게임 시간을 조사하여 나타낸 표이다. 게임 시간과 책의 수의 산점도를 완성하여라.

책의 수(권)	5	1	3	1	2	4	2	3	3	5
게임 시간(시간)	1	5	2	3	3	3	2	3	4	2

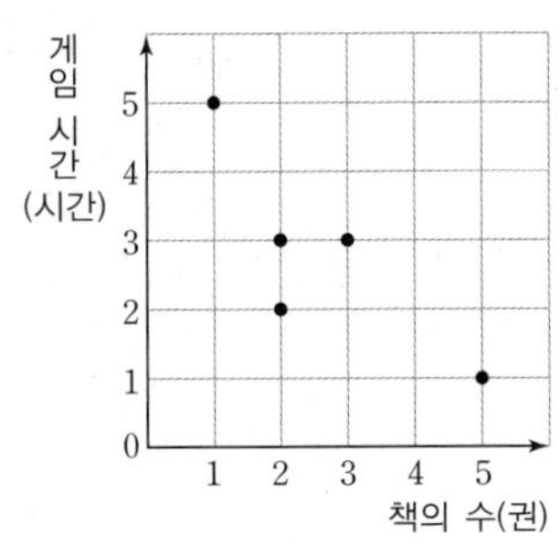

21 산점도 이해하기(1)

오른쪽 그림은 민주네 반 학생 15명의 윗몸 일으키기 횟수와 팔굽혀펴기 횟수를 조사하여 나타낸 산점도이다. 윗몸 일으키기는 35개 초과 60개 미만이고 팔굽혀펴기는 30개 이상 50개 이하인 학생 수를 구하여라.

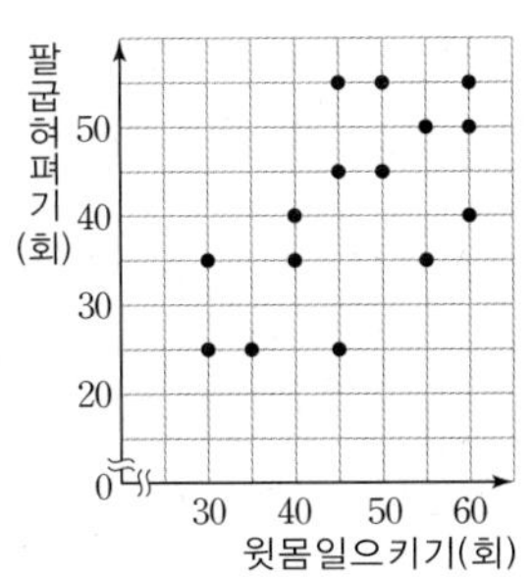

22 산점도 이해하기(2)

오른쪽 그림은 어느 중학교 양궁 선수들의 1차와 2차의 점수를 조사하여 나타낸 산점도이다. 1차 점수보다 2차 점수가 더 낮지 않은 학생은 전체의 몇 %인지 구하여라. (단, 중복되는 점은 없다.)

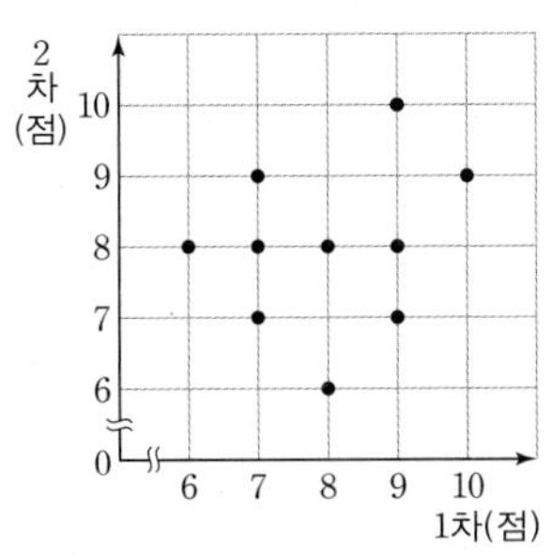

23 산점도 이해하기(3)

오른쪽 그림은 학생 11명이 자격증 시험을 본 결과를 조사하여 나타낸 산점도이다. 필기 성적과 실기 성적이 모두 70점 이상이어야 합격한다고 한다. 이때 합격한 학생들의 실기 성적의 평균은?

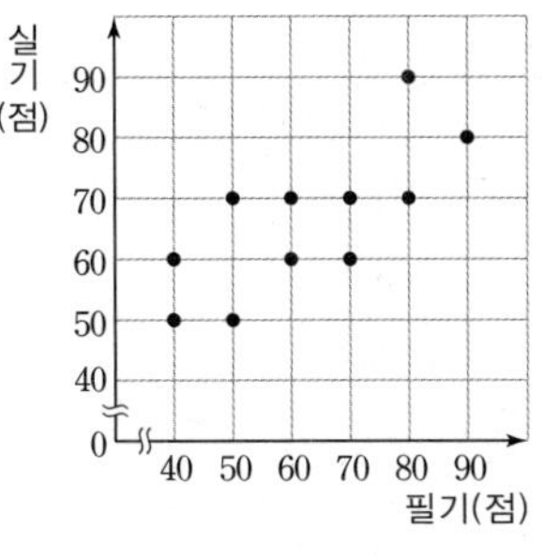

① 75점 ② 77.5점 ③ 80점
④ 82.5점 ⑤ 85점

24 상관관계

다음 중 두 변량 사이의 상관관계가 나머지 넷과 다른 하나는?

① 산의 높이와 산소량
② 감자의 생산량과 감자의 시장 가격
③ 키와 한 걸음의 너비
④ 하루 중 낮의 길이와 밤의 길이
⑤ 운동량과 비만도

25 상관관계 이해하기

오른쪽 그림은 지윤이네 반 학생들의 키와 앉은키를 조사하여 나타낸 산점도이다. A, B, C, D 4명의 학생 중 키에 비하여 앉은키가 가장 작은 학생은 누구인지 구하여라.

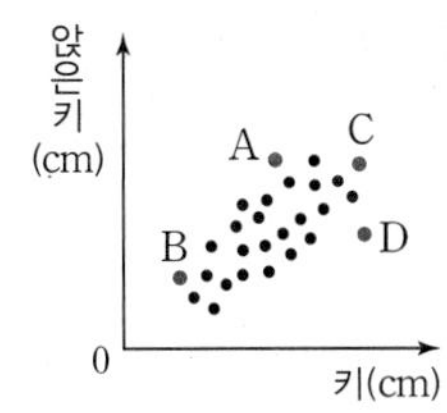

01 오른쪽 그림에서 $\angle x$의 크기를 구하면?

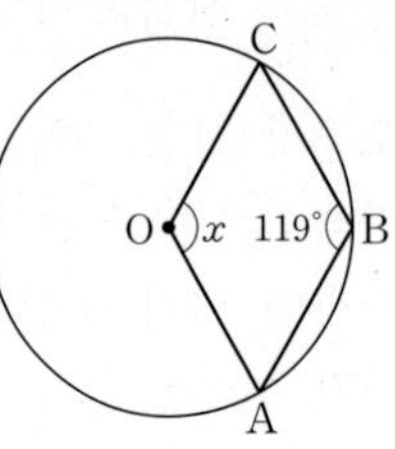

① 122° ② 158°
③ 202° ④ 218°
⑤ 238°

02 오른쪽 그림의 원 O에서 $\angle AOC=110°$, $\angle BPC=30°$일 때, $\angle AQB$의 크기는?

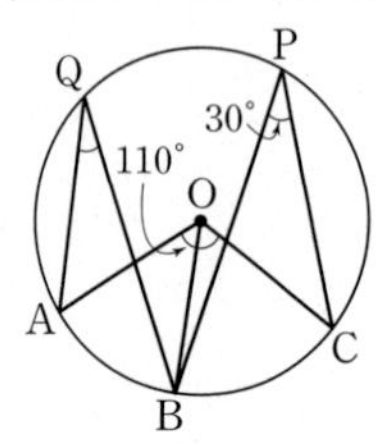

① 10° ② 15°
③ 20° ④ 25°
⑤ 30°

03 오른쪽 그림에서 $\overline{AB}=\overline{BD}$일 때, $\angle BAD$의 크기는?

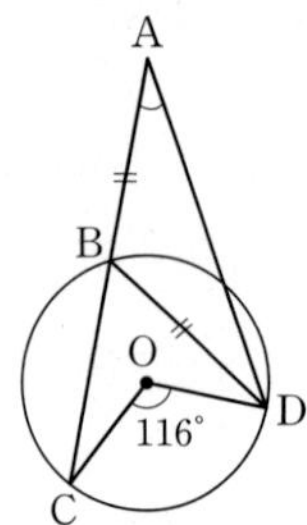

① 26° ② 27°
③ 28° ④ 29°
⑤ 30°

04 오른쪽 그림에서 $\overline{AB}$는 지름이고 $\widehat{PB}=6\pi$일 때, $\widehat{PA}$의 길이는?

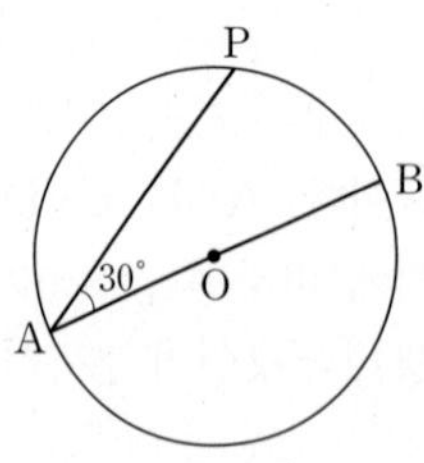

① 8π ② 12π
③ 16π ④ 20π
⑤ 24π

05 오른쪽 그림에서 점 P는 두 현 AB, CD의 교점이다. $\widehat{BC}=6$ cm이고
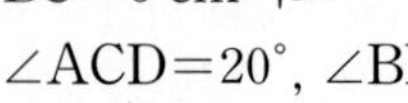
$\angle ACD=20°$, $\angle BPC=60°$
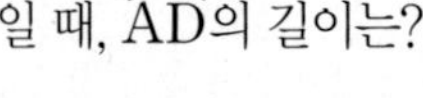
일 때, $\widehat{AD}$의 길이는?

① 1.5 cm ② 2 cm
③ 2.5 cm ④ 3 cm
⑤ 4 cm

06 오른쪽 그림의 □ABCD가 원에 내접한다고 할 때, $\angle x$의 크기는?

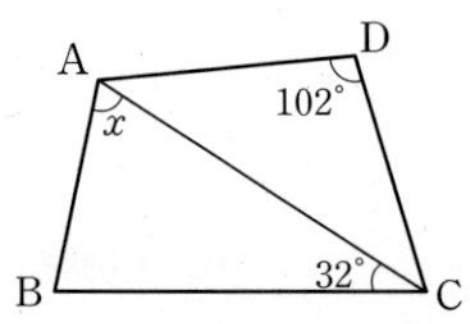

① 65° ② 68°
③ 70° ④ 76°
⑤ 82°

07 오른쪽 그림과 같이 원에 내접하는 □ABCD에서 $\angle EBA=101°$, $\angle BDC=51°$일 때 $\angle ACB$의 크기는?

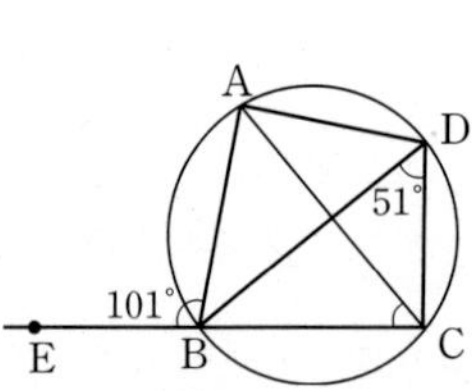

① 47° ② 48° ③ 49°
④ 50° ⑤ 51°

08 오른쪽 그림에서 □ABCD는 원 O에 내접하고 ∠BCD=120°이다. 이때 ∠x+∠y의 크기는?

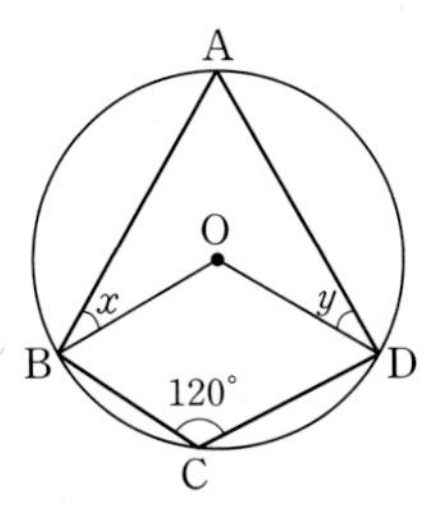

① 50° ② 55°
③ 60° ④ 65°
⑤ 70°

09 오른쪽 그림과 같이 두 점 P, Q에서 만나는 두 원에서 ∠A=96°일 때, ∠x의 크기는?

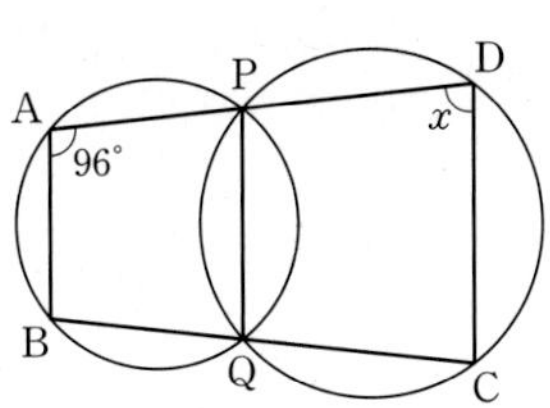

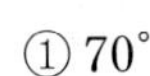

① 70° ② 76°
③ 80° ④ 84°
⑤ 86°

10 다음 중 네 점 A, B, C, D가 한 원 위에 있지 <u>않은</u> 것을 모두 고르면? (정답 2개)

①
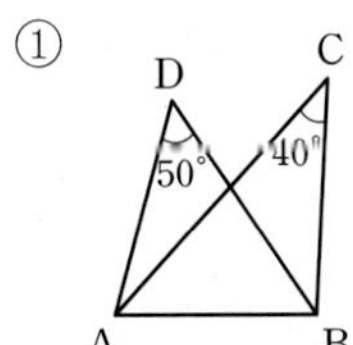

②
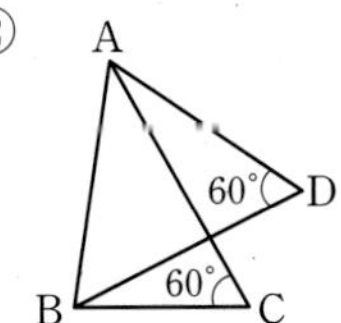

③
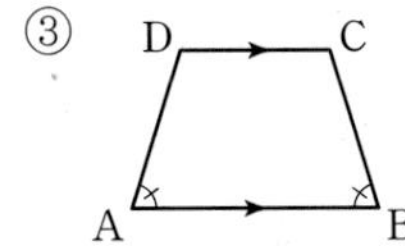

④
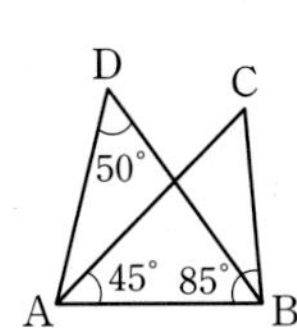

⑤
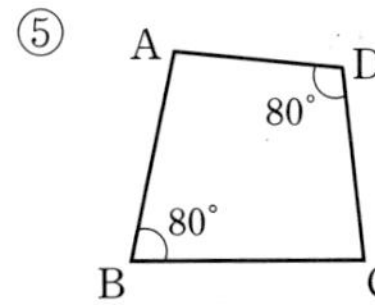

11 오른쪽 그림에서 $\overleftrightarrow{TT'}$이 원 O의 접선이고 점 A가 그 접점일 때, ∠x, ∠y의 크기를 각각 구하여라.

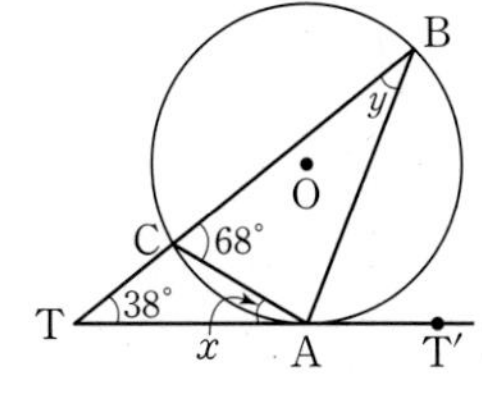

12 오른쪽 그림에서 $\overleftrightarrow{AT}$는 원의 접선이고, 점 D는 $\widehat{AB}$를 이등분하는 점이다. ∠DAT=24°일 때, ∠ACB의 크기는?

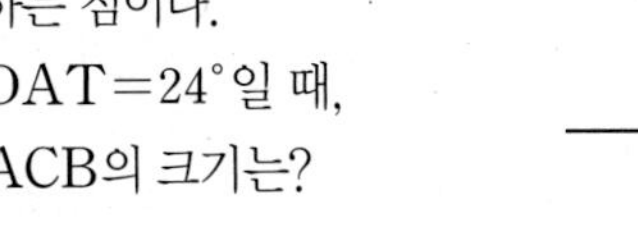

① 24° ② 36° ③ 48°
④ 60° ⑤ 72°

13 현지의 4회에 걸친 수학 시험 성적의 평균은 84점이었다. 5회의 시험에서 성적이 향상되어 5회까지의 평균이 4회까지의 평균보다 2점 더 올랐다고 할 때, 5회의 성적은 몇 점인가?

① 88점 ② 90점 ③ 92점
④ 94점 ⑤ 96점

14 다음 자료의 평균이 70일 때, 중앙값과 최빈값을 각각 구하여라.

74	65	x	63	78	66

15 다음 설명 중 옳은 것은?

① 자료 전체의 특징을 하나의 수로 나타낸 값을 산포도라 한다.
② 편차는 각 변량과 평균의 차를 말한다.
③ 편차의 평균으로 변량들이 흩어져 있는 정도를 알 수 있다.
④ 표준편차가 클수록 변량이 평균을 중심으로 넓게 흩어져 있다고 볼 수 있다.
⑤ 자료의 개수가 많을수록 산포도가 작아진다.

16 다음은 어느 양궁 선수가 8회에 걸쳐 쏜 양궁 점수를 기록한 것이다. 양궁 점수의 분산은?

(단위 : 점)

7	9	8	9	10	10	9	10

① 0.8 ② 1 ③ 1.4
④ 5 ⑤ 8

17 6개의 변량의 편차는 -5, -3, a, b, 1, 2이고 표준편차는 3일 때, ab의 값을 구하여라.

18 다음은 25명의 학생에 대한 영어 듣기 평가 점수와 말하기 평가 점수를 조사하여 나타낸 산점도이다. 듣기 평가 점수는 8점 이상이고, 말하기 평가 점수는 7점 이상인 학생은 전체의 몇 %인가?

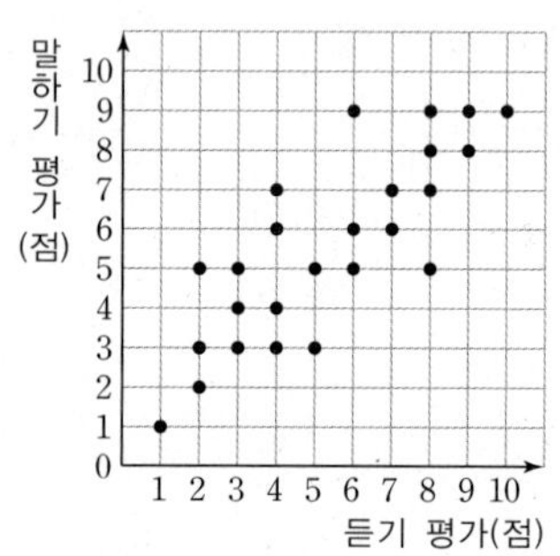

① 20 % ② 24 % ③ 28 %
④ 30 % ⑤ 32 %

19 위 18의 산점도에서 두 평가 점수의 차이가 3점 이상인 학생 수는?

① 2명 ② 3명 ③ 4명
④ 5명 ⑤ 6명

20 다음 중 여름철 폭염 일수(x)와 냉방기의 사용으로 인한 비용(y)에 대한 산점도로 가장 적당한 것은?

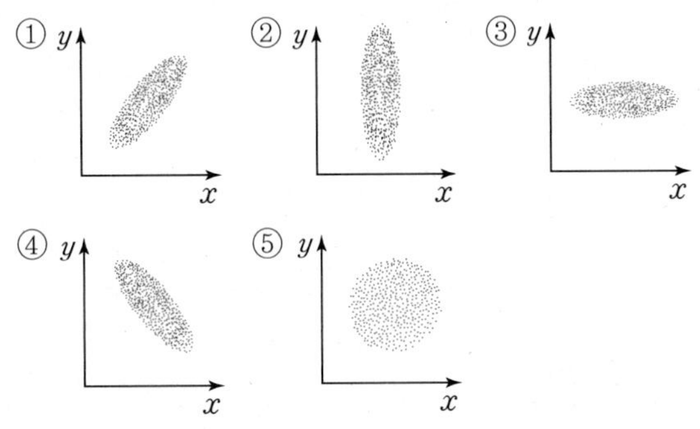

21 다음 두 변량 사이에 음의 상관관계가 있는 것은?

① 키와 몸무게
② 운동량과 비만도
③ 강수량과 경제 성장률
④ 가슴 둘레와 지능 지수
⑤ 평균 공부 시간과 수학 성적

22 오른쪽 그림은 어느 중학교 3학년 학생들의 월 평균 독서량과 국어 성적에 대한 산점도이다. 다음 중 옳지 <u>않은</u> 것은?

① A~E 중 월 평균 독서량이 가장 적은 학생은 A이다.
② A~E 중 D는 국어 성적이 가장 좋다.
③ 월 평균 독서량과 국어 성적 사이는 양의 상관관계가 있다.
④ E는 월 평균 독서량에 비하여 국어 성적이 좋은 편이다.
⑤ B는 A보다 월 평균 독서량도 많고, 국어 성적도 더 높다.

서술형 문제

23 오른쪽 그림과 같이 두 현 AB, CD가 점 P에서 만난다. 호 AC, 호 BD의 길이가 각각 원의 둘레의 길이의 $\frac{1}{5}$, $\frac{1}{6}$일 때, $\angle$APC의 크기를 구하여라. [6점]

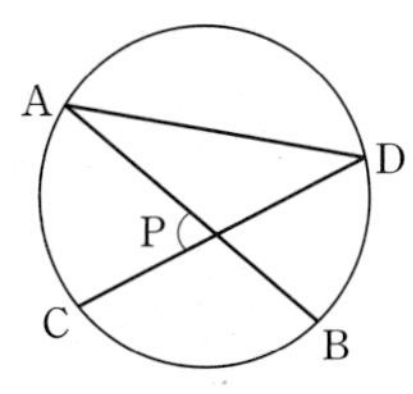

24 오른쪽 그림에서 $\overline{TT'}$이 두 원의 공통인 접선이고 접점 P를 지나는 두 직선이 두 원과 각각 점 A, B, C, D에서 만난다. $\angle CAP=44°$, $\angle BDP=60°$일 때, $\angle y-\angle x$의 크기를 구하여라. [8점]

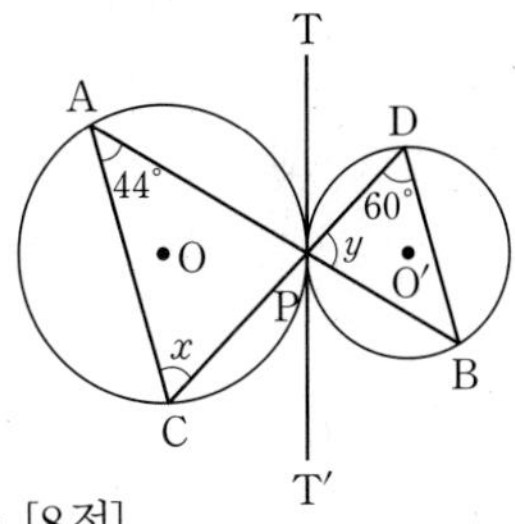

25 오른쪽 그림은 주혁이네 반 학생 20명의 수학과 과학 시험 성적을 조사하여 나타낸 산점도이다. 두 과목의 성적의 합이 가장 큰 학생이 1등일 때, 18등인 학생의 두 과목의 성적의 합은 a점, 6등인 학생들의 두 과목의 평균 점수는 b점이라고 한다. 이때 $a+b$의 값을 구하여라. [8점]

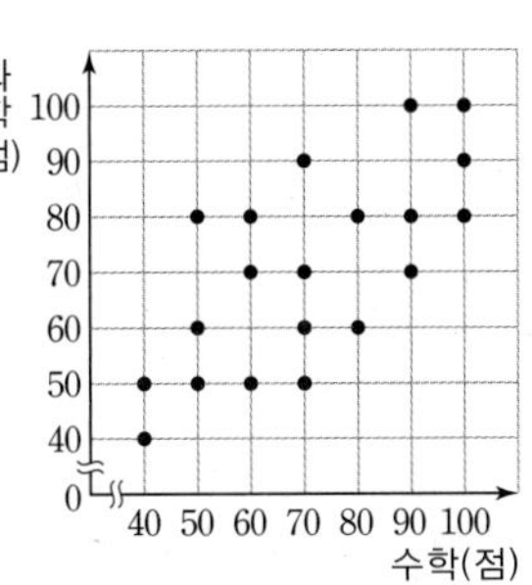

01 오른쪽 그림의 원 O에서 △ABC가 원에 내접하는 삼각형이고 ∠ACB=48°일 때, ∠OAB의 크기는?

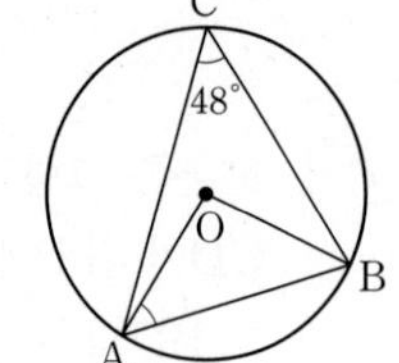

① 32° ② 38°
③ 42° ④ 48°
⑤ 52°

02 오른쪽 그림의 원 O에서 ∠PBQ=70°, ∠PCQ=97°일 때, $\angle x+\angle y$의 크기는?

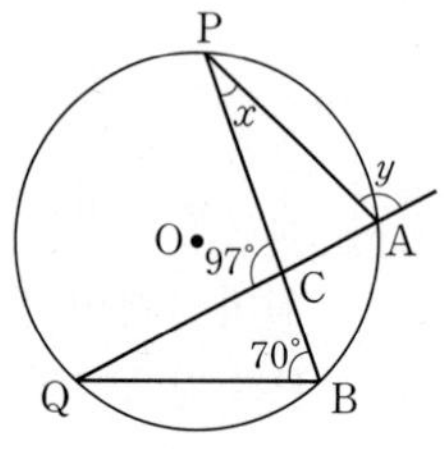

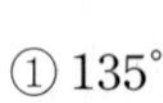

① 135° ② 137°
③ 139° ④ 141°
⑤ 143°

03 오른쪽 그림의 원 O에서 $\overline{AC}$는 지름이다. ∠BDC=47°일 때, ∠ACB의 크기는?

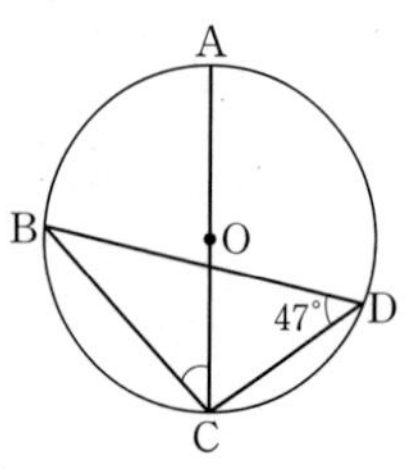

① 42° ② 43°
③ 47° ④ 53°
⑤ 57°

04 오른쪽 그림에서 $\overline{AB}$는 원 O의 지름이고, ∠COD=56°일 때, ∠CPD의 크기를 구하여라.

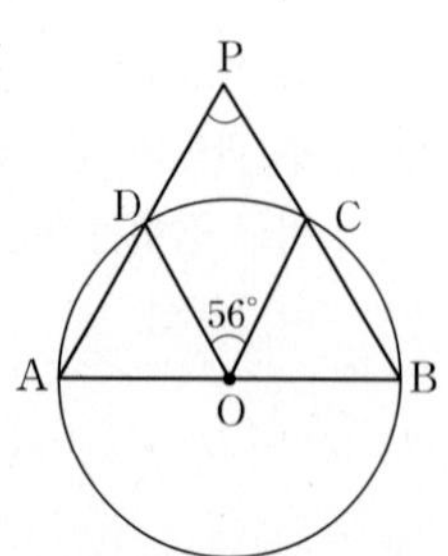

05 오른쪽 그림에서 $\widehat{AC}=\widehat{BD}$이고 ∠DCB=30°일 때 ∠APC의 크기는?

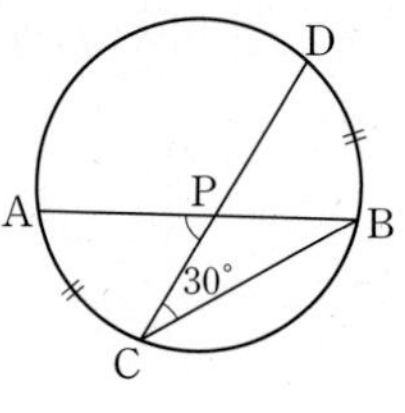

① 50° ② 55°
③ 60° ④ 65°
⑤ 70°

06 오른쪽 그림에서 □ABCD가 원에 내접한다. ∠ABC=104°, ∠APB=26°일 때, $\angle y-\angle x$의 크기는?

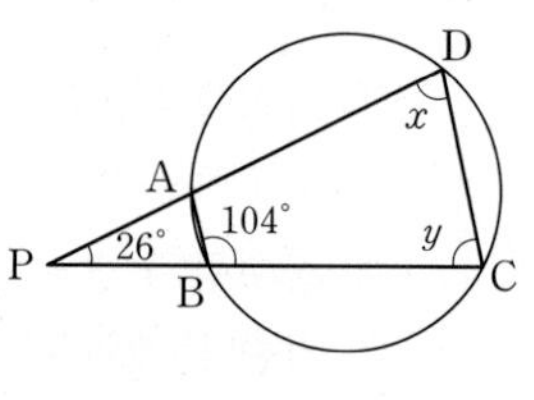

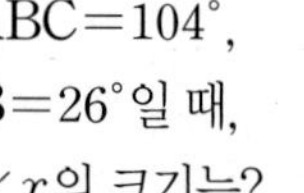

① 2° ② 3° ③ 5°
④ 8° ⑤ 10°

07 다음 사각형 중에서 원에 내접하는 것을 모두 고르면? (정답 2개)

① 평행사변형 ② 사다리꼴
③ 직사각형 ④ 마름모
⑤ 등변사다리꼴

08 다음 사각형 ABCD 중에서 항상 원에 내접하는 것을 모두 고르면? (정답 3개)

①
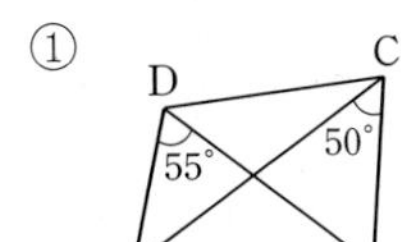

②
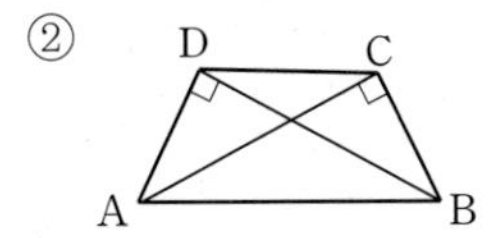

③
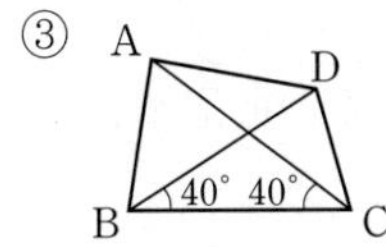

④
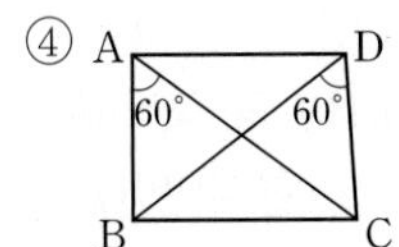

⑤
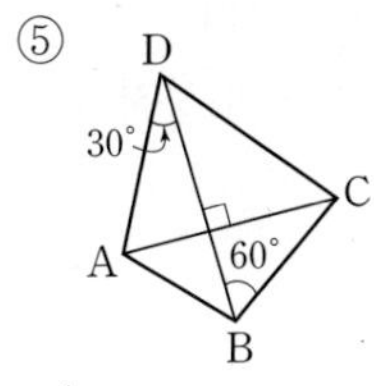

09 오른쪽 사각형 ABCD에서 $\angle BAC = \angle BDC = 57°$, $\angle ADB = 40°$일 때, $\angle ABC$의 크기는?

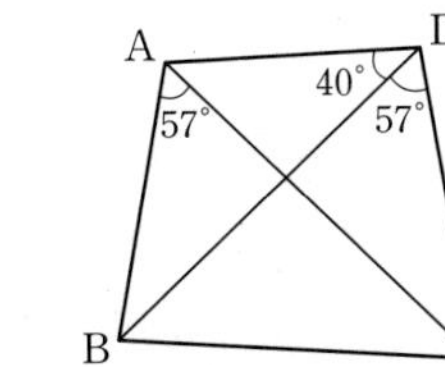

① 77° ② 79°
③ 81° ④ 83°
⑤ 87°

10 오른쪽 그림에서 □ABCD는 원에 내접하고, 직선 TT′은 원의 접선이다. 이때 $\angle x + \angle y$의 크기는?

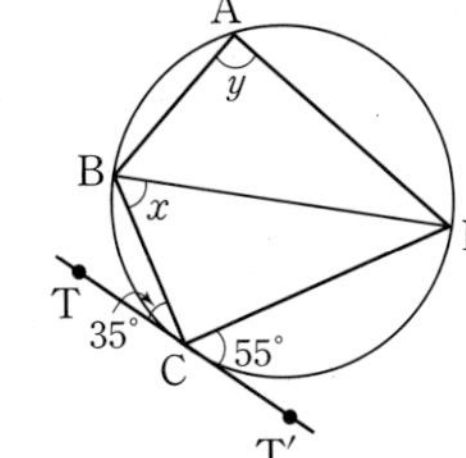

① 100° ② 115°
③ 125° ④ 130°
⑤ 145°

11 오른쪽 그림에서 $\overleftrightarrow{PQ}$는 두 원의 공통인 접선이고, 점 T는 접점이다. $\angle DCT = 70°$일 때, $\angle x + \angle y$의 크기는?

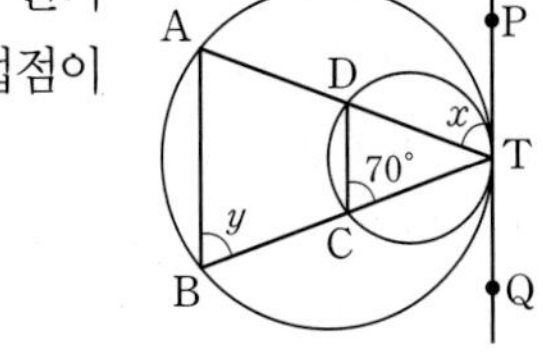

① 100° ② 110°
③ 130° ④ 140°
⑤ 160°

12 A, B 두 동아리의 회원 수는 각각 12명, 8명이고, 몸무게의 평균은 각각 62 kg, 67 kg이다. 이때 A, B 두 동아리 전체 회원의 몸무게의 평균은?

① 64 kg ② 64.5 kg ③ 65 kg
④ 65.5 kg ⑤ 66 kg

13 다음은 10개의 자료를 크기순으로 나열한 것이다. 이 자료의 중앙값이 10일 때, 상수 x의 값은?

6	7	8	8	9
x	13	15	15	15

① 8 ② 9 ③ 10
④ 11 ⑤ 15

14 오른쪽 줄기와 잎 그림에서 자료의 중앙값을 a, 최빈값을 b라 할 때, $a+b$의 값은?

(1|4는 14)

줄기	잎
1	4 7 8
2	0 2 2 5 9 9
3	0 3 6 6 6
4	1 7 9 9

① 15 ② 15.5
③ 35 ④ 65.5
⑤ 66

15 다음 중 옳지 않은 것은?

① 평균보다 작은 변량의 편차는 음수이다.
② 편차의 절댓값이 작은 변량일수록 평균에 가깝다.
③ 편차의 제곱의 평균을 분산이라 한다.
④ 분산이 작을수록 변량들은 평균 주위에 많이 모여 있다.
⑤ 평균이 클수록 산포도가 작아진다.

16 수학 시험을 치른 결과 남학생 6명과 여학생 4명의 평균은 70점으로 같고 분산은 각각 8, 5라 한다. 전체 10명의 수학 점수의 표준편차는?

① $\sqrt{6}$ 점 ② $\sqrt{6.5}$ 점 ③ $\sqrt{6.8}$ 점
④ 6.5 점 ⑤ 6.8 점

17 오른쪽 표는 학생 수가 같은 A, B 두 반의 국어 성적의 평균과 표준편차를 나타낸 것이다. 다음 설명 중 옳은 것을 모두 고르면? (정답 2개)

반	평균(점)	표준편차(점)
A	72	8.7
B	75	10.1

① A반의 성적이 B반의 성적보다 전체적으로 높다고 할 수 있다.
② B반의 성적이 A반의 성적보다 전체적으로 높다고 할 수 있다.
③ A반이 B반보다 성적이 더 고르다.
④ B반이 A반보다 성적이 더 고르다.
⑤ 위의 자료만으로는 A, B 두 반의 성적의 산포도를 비교할 수 없다.

18 오른쪽 그림은 학생 15명에 대한 하루 평균 공부 시간과 성적에 대한 산점도이다. 하루 평균 공부 시간은 3시간 초과이면서 성적은 70점 이상인 학생은 전체의 몇 %인가?

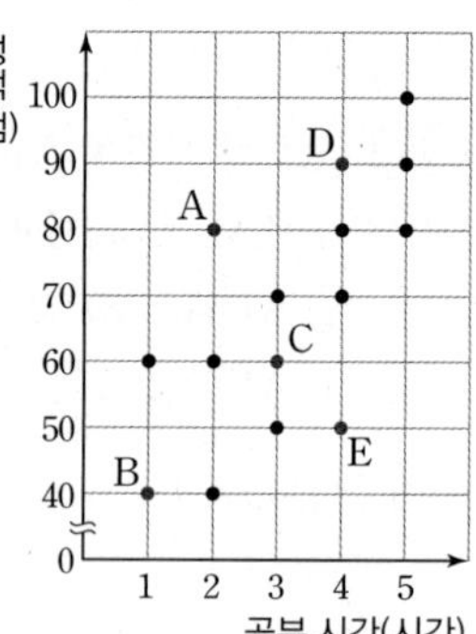

① 25 % ② 30 %
③ 35 % ④ 40 %
⑤ 45 %

19 위 18의 산점도에서 학생 A～E의 성적의 평균을 구하면?

① 60점 ② 62점 ③ 64점
④ 66점 ⑤ 68점

20 오른쪽 그림은 사격 선수들이 두 차례에 걸쳐서 총을 쏘아 얻은 점수를 조사하여 나타낸 것이다. 중복되는 점이 없다고 할 때, 다음 보기 에서 옳지 않은 것을 모두 고른 것은?

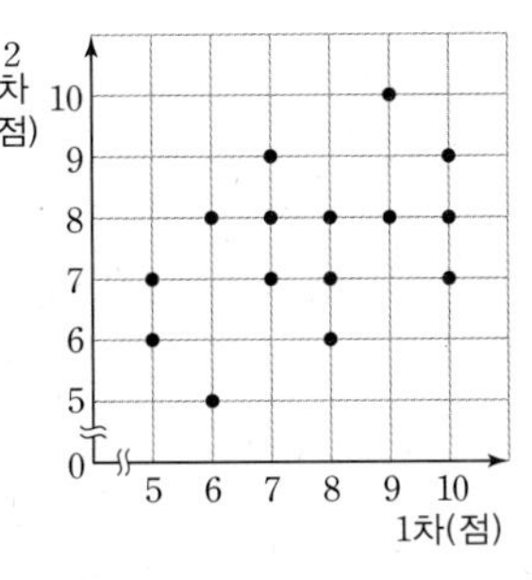

보기

ㄱ. 조사 대상자의 수는 15명이다.
ㄴ. 1차와 2차에서 같은 점수를 얻은 선수는 2명이다.
ㄷ. 1차와 2차 점수 중 적어도 하나가 9점 이상인 선수는 전체의 20 %이다.
ㄹ. 1차와 2차의 점수 차가 2점 이상인 선수는 7명이다.

① ㄱ, ㄴ ② ㄱ, ㄹ ③ ㄴ, ㄷ
④ ㄴ, ㄹ ⑤ ㄷ, ㄹ

21 오른쪽 그림과 같은 산점도를 나타낼 수 있는 두 변량으로 가장 적당한 것은?

① 지능 지수와 손의 크기
② 나이와 시력
③ 팔굽혀펴기 횟수와 머리 둘레
④ 도시 인구 수와 하루 평균 음식물 쓰레기양
⑤ 자동차의 속력과 이동거리

22 오른쪽 그림은 민혁이네 학교 학생들의 팔굽혀펴기 횟수와 윗몸일으키기 횟수를 조사하여 나타낸 산점도이다. A, B, C, D, E 5명의 학생 중 두 기록의 차가 가장 큰 학생을 말하여라.

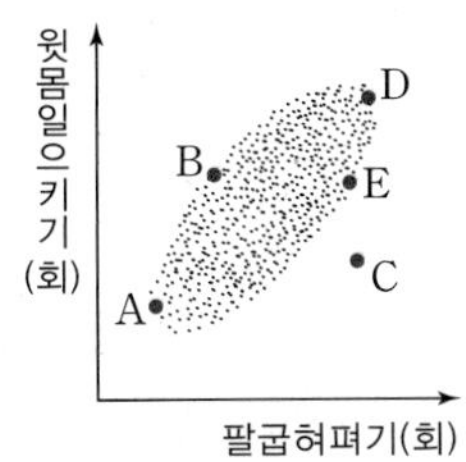

서술형 문제

23 오른쪽 그림에서 $\angle BFC=85^\circ$, $\angle AEF=34^\circ$ 일 때, $\angle CDE$의 크기를 구하여라. [7점]

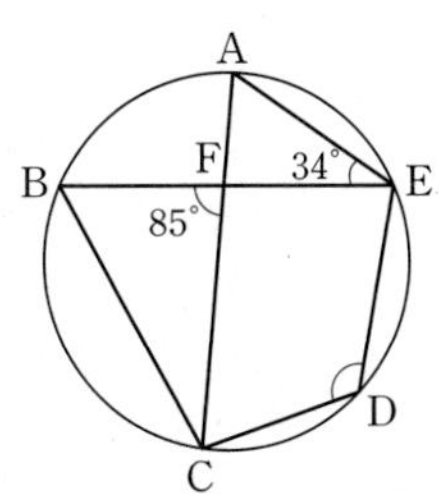

24 다음 그림에서 점 E, F는 두 원 O_1, O_2의 교점이고 점 G, H는 두 원 O_2, O_3의 교점이다. $\angle ABF=78^\circ$, $\angle BAE=84^\circ$일 때, $\angle CDG$의 크기를 구하여라. [8점]

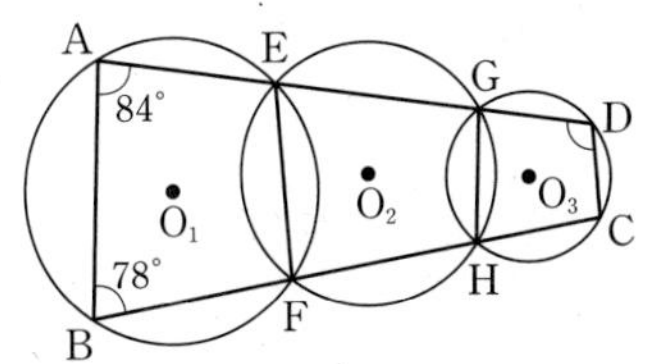

25 다음 표는 학생 10명의 수행평가 점수를 조사하여 나타낸 도수분포표이다. 평균이 10점일 때, 분산을 구하여라. [8점]

점수(점)	6	8	10	12	14	평균
학생 수(명)	1	2	x	2	y	10

01 오른쪽 그림과 같이 원 O의 두 현 AB, CD가 만나는 점을 P라 하자. $\widehat{AC}$에 대한 중심각의 크기가 80°, $\widehat{BD}$에 대한 원주각의 크기가 35°일 때, ∠APC의 크기는?

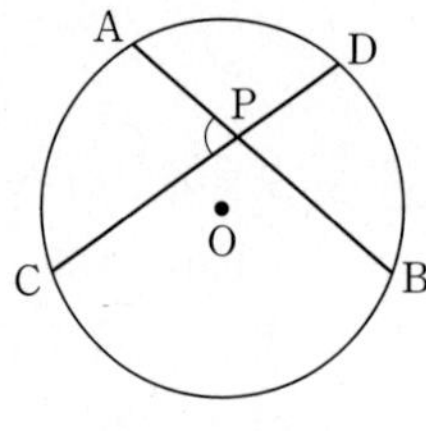

① 60°　② 65°　③ 70°　④ 75°　⑤ 80°

02 오른쪽 그림에서 ∠ADE=23°, ∠BCE=40°일 때, ∠AOB의 크기를 구하여라.

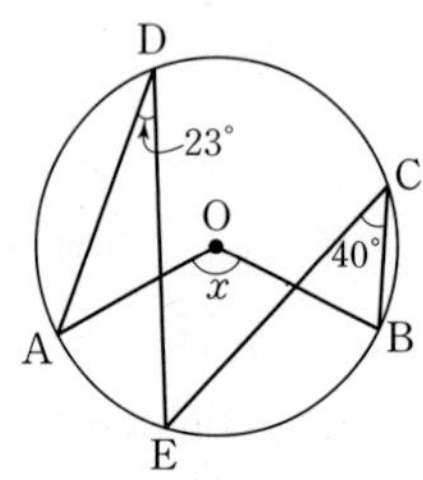

03 오른쪽 그림에서 $\overline{AB}$는 원 O의 지름이다. ∠BAC=41°일 때, ∠ADC의 크기를 구하여라.

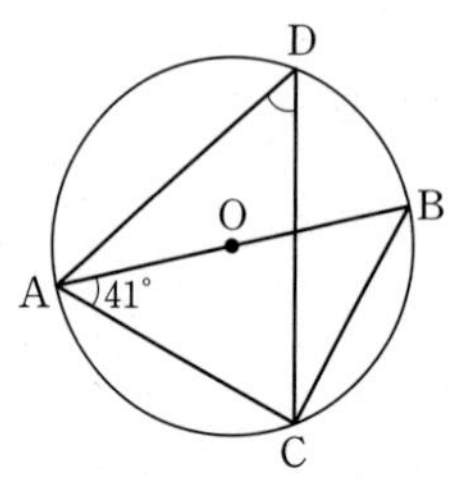

04 오른쪽 그림과 같이 원 모양의 종이를 $\overline{AB}$를 접는 선으로 하여 접었더니 접혀진 부분의 호가 원 O의 중심을 지나게 되었다. 원 위의 한 점을 P라 할 때, ∠APB의 크기를 구하여라.

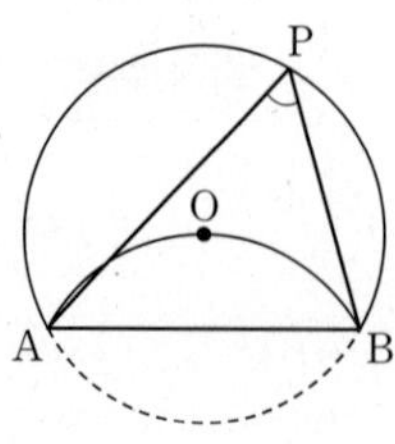

05 오른쪽 그림과 같이 ∠APB=22°, $\widehat{AB}$=4 cm, $\widehat{BC}$=8 cm 일 때, ∠x의 크기는?

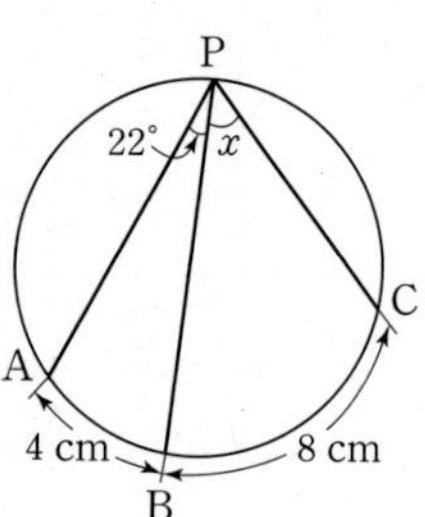

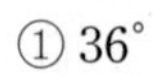

① 36°　② 38°　③ 40°　④ 42°　⑤ 44°

06 오른쪽 그림에서 □ABCD는 원에 내접하고, ∠ABD=30°, ∠ADB=58°일 때, ∠DCE의 크기는?

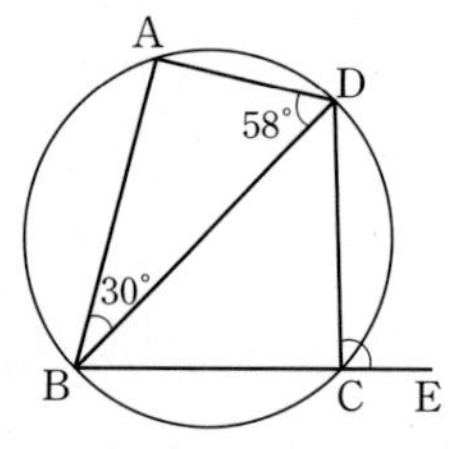

① 89°　② 90°　③ 91°　④ 92°　⑤ 93°

07 오른쪽 그림과 같이 △ABC와 두 원이 만난다. ∠BFG=83°일 때, ∠GEC의 크기는?

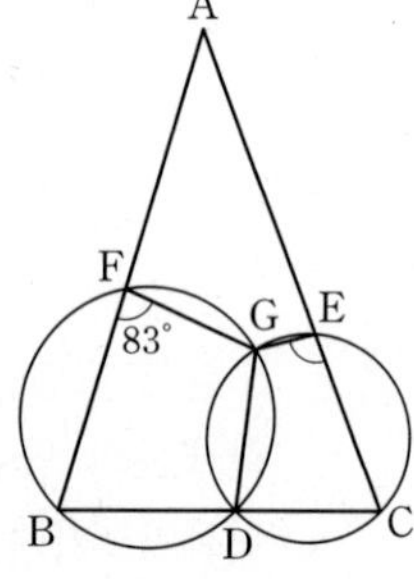

① 98°　② 97°　③ 96°　④ 95°　⑤ 94°

08 오른쪽 그림과 같이 원 O에 내접하는 오각형 ABCDE에서 $\angle ABC=116^\circ$, $\angle COD=72^\circ$일 때, $\angle x$의 크기는?

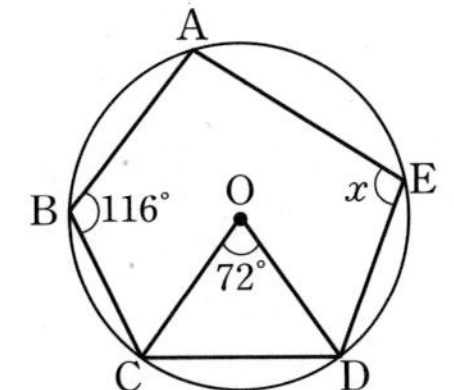

① 84°　② 90°
③ 94°　④ 100°
⑤ 116°

09 다음 □ABCD 중 원에 내접하지 않는 것을 모두 고르면? (정답 2개)

①
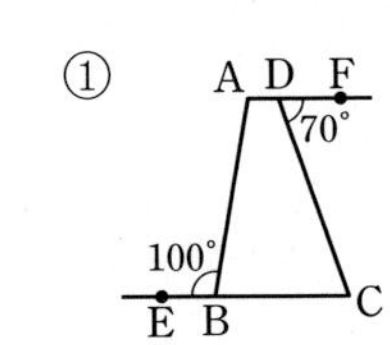

②
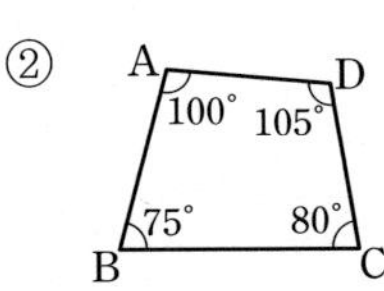

③
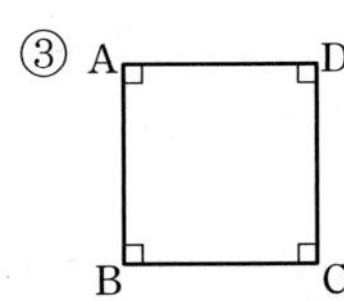

④
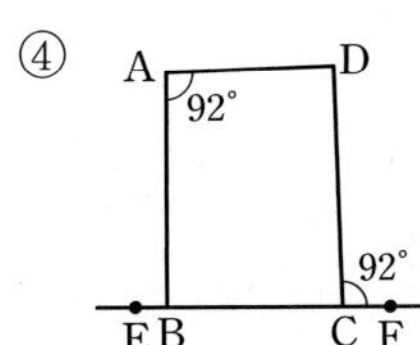

⑤
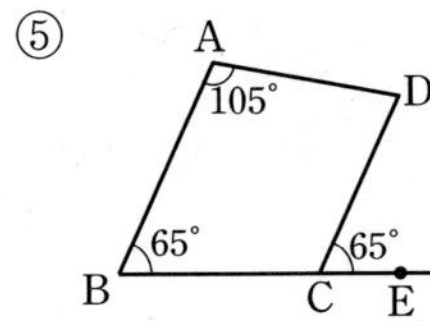

10 오른쪽 그림과 같은 사각형 ABCD에서 $\angle A=76^\circ$일 때, 이 사각형이 원에 내접하기 위한 조건으로 옳은 것을 모두 골라라.

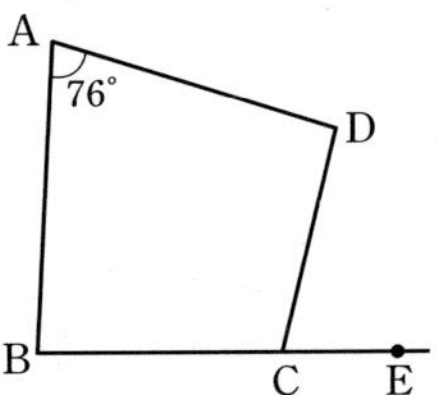

㉠ $\angle B=90^\circ$	㉡ $\angle D=88^\circ$
㉢ $\angle DCB=104^\circ$	㉣ $\angle DCE=76^\circ$
㉤ $\angle A+\angle D=180^\circ$	

11 오른쪽 그림에서 두 반직선 PA, PB는 점 A, B를 각각 접점으로 하는 원 O의 접선이다. $\angle APB=54^\circ$일 때, $\angle x$의 크기를 구하여라.

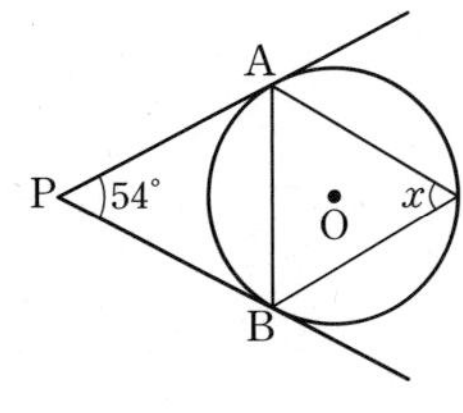

12 오른쪽 그림에서 $\overleftrightarrow{PT}$가 작은 원의 접선일 때, $\angle BPT$의 크기를 구하여라.

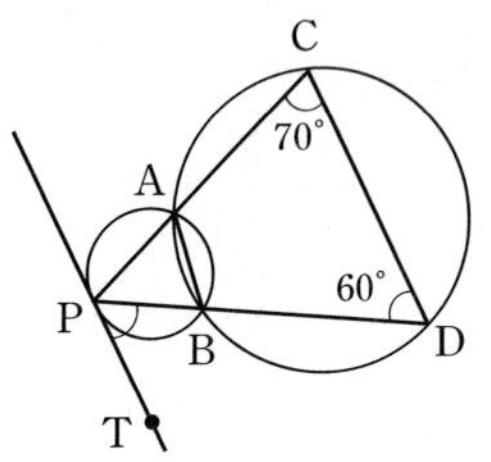

13 아래의 자료에 대한 다음 설명 중 옳지 않은 것을 모두 고르면? (정답 2개)

7	5	9	9	10	8

① 평균은 8이다.　② 중앙값은 9이다.
③ 최빈값은 9이다.　④ 편차의 총합은 0이다.
⑤ 분산은 16이다.

14 5개의 변량 a, b, c, d, e의 평균이 7일 때, $\frac{a-1}{2}$, $\frac{b-1}{2}$, $\frac{c-1}{2}$, $\frac{d-1}{2}$, $\frac{e-1}{2}$의 평균은?

① 2　② 3　③ 4　④ 13　⑤ 15

15 5개의 변량 1, x, 4, $8-x$, 7의 분산이 4일 때, x의 값으로 가능한 것을 모두 고르면? (정답 2개)

① 2　② 3　③ 4　④ 5　⑤ 6

16 다음 표는 학생 5명의 영어 성적의 편차를 나타낸 것이다. 평균이 73점일 때, 다음 설명 중 옳지 않은 것을 모두 고르면? (정답 2개)

학생	A	B	C	D	E
편차(점)	3	x	-2	0	6

① x의 값은 -7이다.
② C의 영어 성적은 71점이다.
③ A와 C의 점수 차는 1점이다.
④ 성적이 가장 낮은 학생은 D이다.
⑤ 분산은 19.6이다.

17 다음은 A, B 두 사람의 5회에 걸친 수학 쪽지 시험 결과이다. 물음에 답하여라.

(단위 : 점)

	1회	2회	3회	4회	5회
A	6	8	8	10	8
B	4	7	9	10	10

(1) A, B 두 사람의 수학 쪽지 시험 점수의 평균을 각각 구하여라.
(2) A, B 두 사람의 수학 쪽지 시험 점수의 분산을 각각 구하여라.
(3) A, B 두 사람 중 점수가 더 고른 사람은 누구인지 말하여라.

18 오른쪽 그림은 찬호네 중학교 야구부 선수 20명의 5월과 6월에 기록한 안타 개수를 조사하여 나타낸 산점도이다. 5월과 6월의 안타 개수의 평균이 14개 이상인 선수는 몇 명인가?

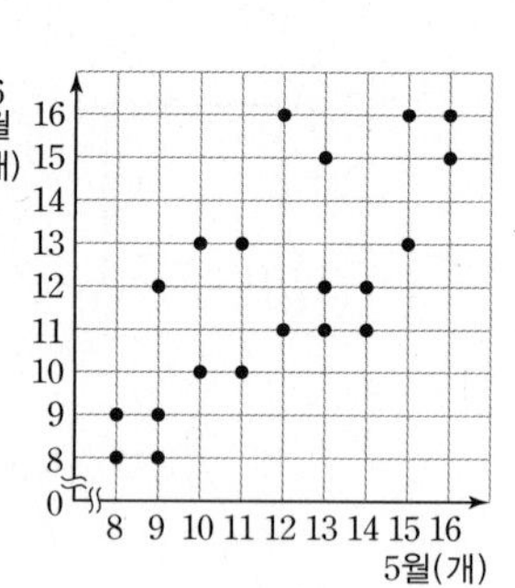

① 4명　② 5명　③ 6명　④ 7명　⑤ 8명

19 위 18의 산점도에서 5월과 6월의 안타 개수의 차가 가장 큰 선수의 6월의 안타 개수는 a개이고, 5월과 6월의 안타 개수의 변화가 없는 선수는 전체의 b %이다. 이때 $a+b$의 값을 구하여라.

20 오른쪽 산점도는 민규네 반 학생들의 수면 시간과 독서 시간을 조사하여 나타낸 것이다. 중복되는 점이 없다고 했을 때, 다음 중 옳은 것을 모두 고른 것은? (정답 2개)

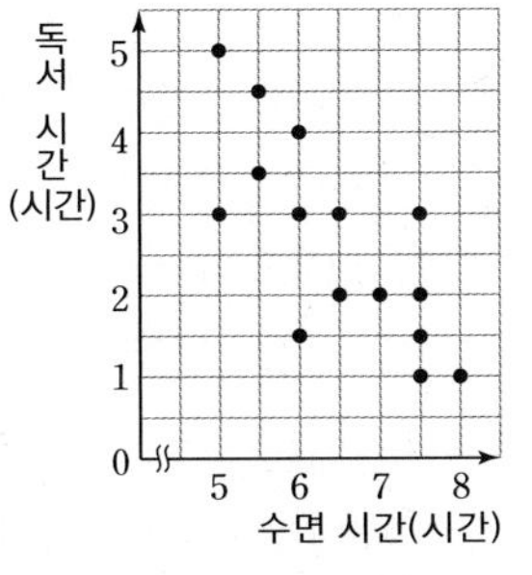

① 수면 시간이 6시간 미만인 학생 수는 3명이다.
② 독서 시간이 3시간 미만인 학생은 4시간 이상인 학생 수보다 6명 더 많다.
③ 수면 시간이 긴 학생은 대체로 독서 시간이 짧은 편이다.
④ 수면 시간이 6시간 초과 7시간 이하인 학생 수는 전체의 20 %이다.
⑤ 독서 시간이 2시간인 학생들의 평균 수면 시간은 7.5시간이다.

21 다음 중 두 변량에 대한 산점도를 그렸을 때, 오른쪽 그림과 같은 모양으로 적절하지 <u>않은</u> 것을 모두 고르면? (정답 2개)

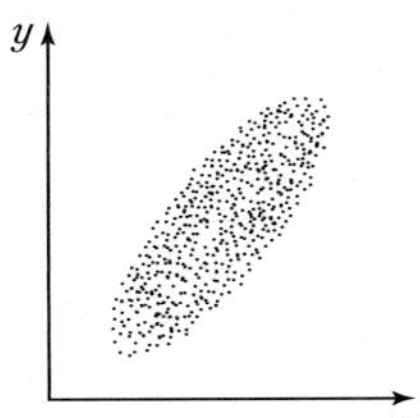

① 통학시간과 통학 거리
② 흡연량과 수명
③ 관객 수와 입장료의 총액
④ 온도와 설탕의 녹는 양
⑤ 과자의 가격과 판매량

22 오른쪽 그림은 재석이네 반 학생들의 과학 성적과 수학 성적에 대한 산점도이다. 다음 중 옳은 것은?

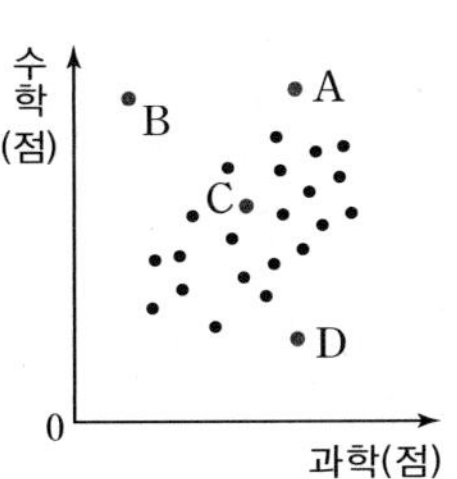

① A, B, C, D 중 수학 성적이 가장 좋은 학생은 D이다.
② B는 과학에 비해 수학을 잘하는 편이다.
③ C는 수학과 과학을 모두 못하는 편이다.
④ D는 수학 성적보다 과학 성적이 더 낮다.
⑤ 과학 성적과 수학 성적은 아무런 상관관계가 없다.

서술형 문제

23 오른쪽 그림에서 $\overline{PA}$는 원 O의 접선이고, $\angle APQ=\angle BPQ$, $\angle B=30°$일 때, $\angle x$의 크기를 구하여라. [8점]

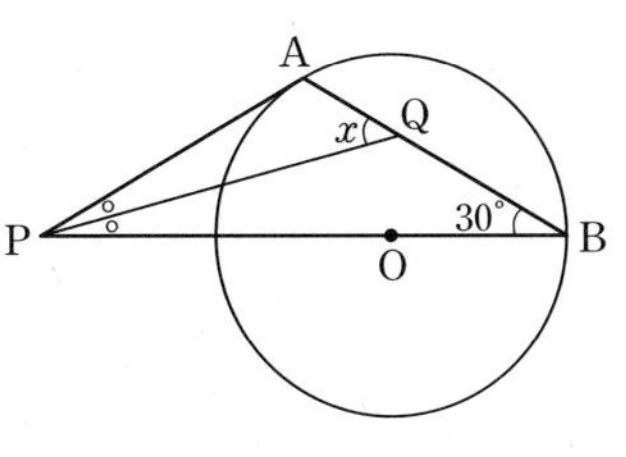

24 오른쪽 그림에서 원 O는 $\triangle ABC$의 외접원이고, $\overleftrightarrow{BT}$는 원 O의 접선이다. $\overline{BC}=4$, $\angle CBT=45°$일 때, 원 O의 반지름의 길이를 구하여라. [8점]

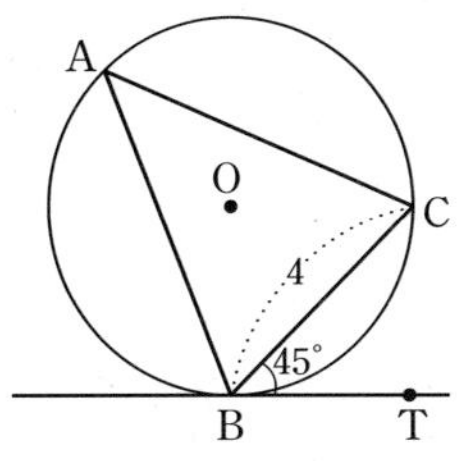

25 다음 두 조건을 모두 만족하는 두 자연수 a, b에 대하여 $a+b$의 값을 구하여라. (단, $a<b$) [7점]

ㄱ. 5개의 변량 1, a, 6, 8, b의 중앙값은 5이다.
ㄴ. 4개의 변량 a, b, 2, 9의 중앙값은 4이다.

01 오른쪽 그림에서 $\angle ACB=35°$, $\angle CAD=38°$일 때, $\angle x$, $\angle y$의 크기를 각각 구하여라.

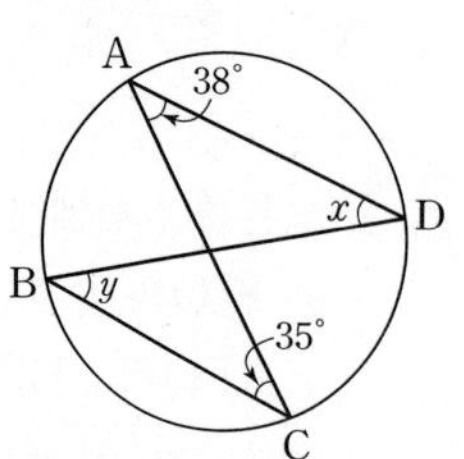

02 오른쪽 그림의 원 O에서 $\angle x$의 크기를 구하여라.

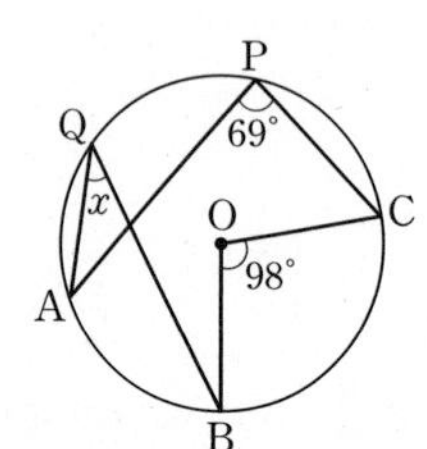

03 오른쪽 그림과 같은 반원 O에서 색칠한 부분의 넓이를 구하여라.

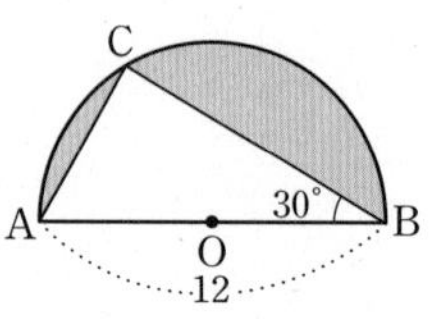

04 원 O 위에 서로 다른 세 점 A, B, C가 있고 $\overset{\frown}{AB} : \overset{\frown}{BC} : \overset{\frown}{CA}=4:3:2$일 때, $\angle ABC$의 크기는?

① 40° ② 50° ③ 60° ④ 70° ⑤ 80°

05 오른쪽 그림의 사각형 ABCD는 원 O에 내접하고, $\angle BOD=148°$이다. $\angle A$의 크기를 구하면?

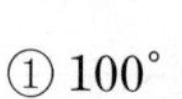
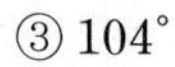
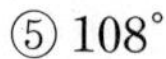

① 100° ② 102° ③ 104° ④ 106° ⑤ 108°

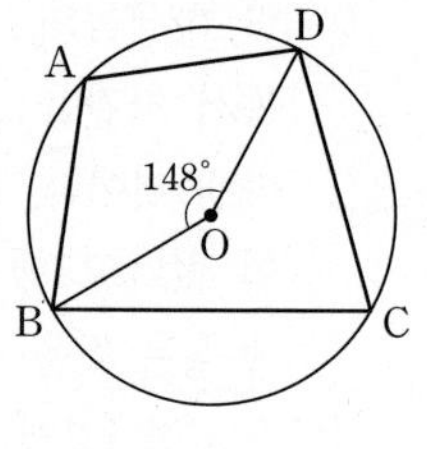

06 오른쪽 그림에서 $\angle BPD=34°$, $\angle BQD=22°$일 때, $\angle x$의 크기는?

① 53° ② 57° ③ 61° ④ 62° ⑤ 63°

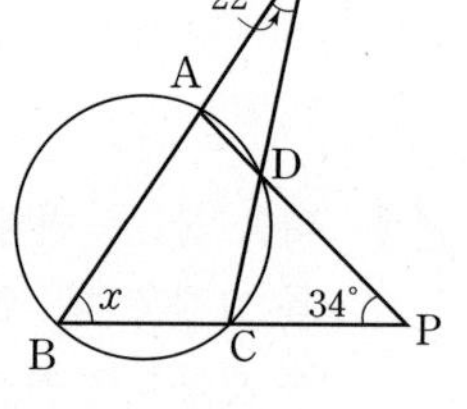

07 오른쪽 그림의 □ABCD가 원 O에 내접하고, $\overline{AC}$는 원 O의 지름이다. $\angle BAC=48°$, $\angle DCE=79°$일 때, $\angle x$의 크기는?

① 55° ② 57° ③ 59° ④ 61° ⑤ 63°

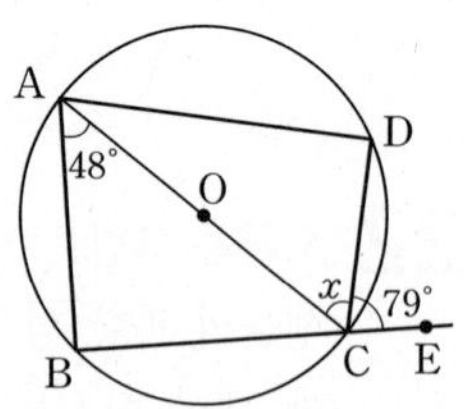

08 오른쪽 그림의 사각형 ABCD에서 $\angle ADC=79^\circ$, $\angle DBC=66^\circ$이다. 이 사각형이 원에 내접할 때, $\angle ACD$의 크기는?

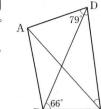

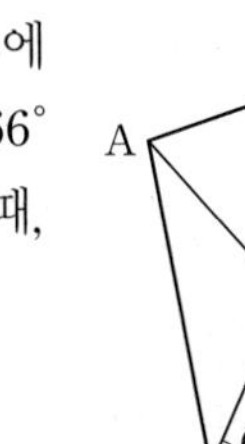

① 30° ② 35°
③ 38° ④ 40°
⑤ 42°

09 오른쪽 그림에서 $\overline{BE}$는 지름이고 □ABCE와 □ABDE가 원 O에 내접할 때, $\angle ABD+\angle AEC+\angle BFE$의 크기는?

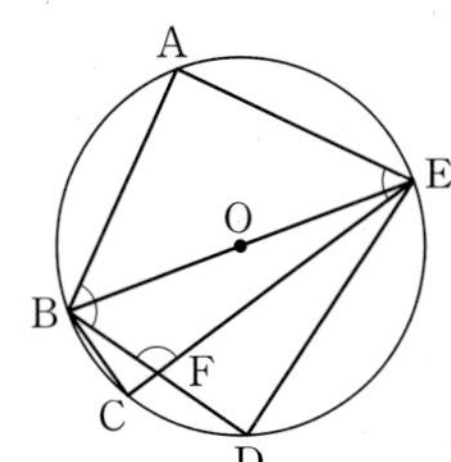

① 190° ② 210°
③ 230° ④ 250°
⑤ 270°

10 오른쪽 그림과 같이 두 원 O, O′이 두 점 P, Q에서 만난다. 점 P를 지나는 직선과 점 Q를 지나는 직선이 두 원과 만나는 점을 각각 A, B, C, D라 할 때, 다음 중 옳지 <u>않은</u> 것은? (정답 2개)

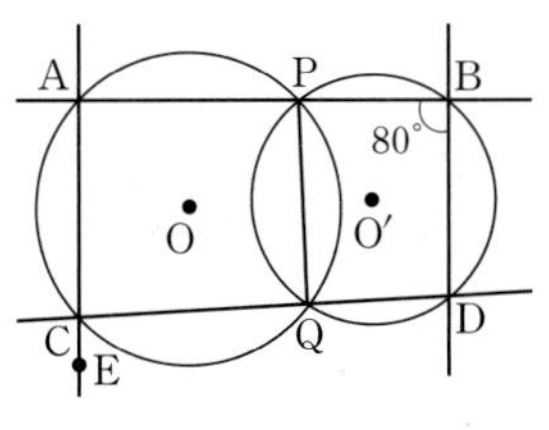

① $\overline{AC} /\!/ \overline{BD}$ ② $\overline{PQ} /\!/ \overline{BD}$
③ $\angle ACQ=80^\circ$ ④ $\angle BDQ=\angle QCE$
⑤ $\angle ACQ+\angle BDQ=180^\circ$

11 오른쪽 그림에서 $\overleftrightarrow{TT'}$은 원의 접선이고 점 T는 접점이다. $\angle ATB=90^\circ$, $\angle BTT'=60^\circ$일 때, $\angle ACT$의 크기를 구하여라.

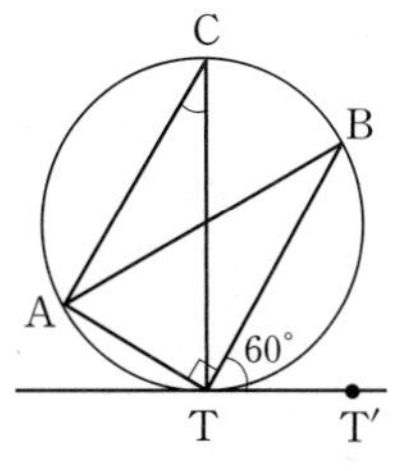

12 오른쪽 그림과 같이 $\overline{BC}=6$인 예각삼각형 ABC에 외접하는 원 O의 반지름의 길이가 4일 때, $\cos A$의 값을 구하여라.

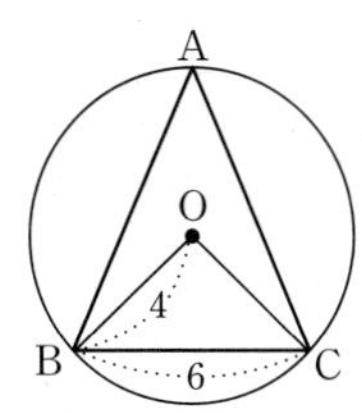

13 어느 학교 농구 팀 13명의 키의 평균은 184.2 cm이었다. 그런데 한 선수가 전학을 가고 난 후 이 농구 팀의 키의 평균은 184 cm가 되었다. 전학 간 선수의 키는?

① 185.6 cm ② 185.8 cm ③ 186.2 cm
④ 186.6 cm ⑤ 186.8 cm

14 오른쪽 표는 학생 5명의 턱걸이 횟수에 대한 편차를 나타낸 것이다. 5명의 학생의 턱걸이 횟수의 평균이 11회일 때, 학생 C의 턱걸이 횟수는?

학생	A	B	C	D	E
편차(회)	4	-6	x	3	1

① 8회 ② 9회 ③ 10회
④ 12회 ⑤ 13회

15 네 수 a, b, c, d의 평균이 6이고 분산이 4일 때, 네 수 a^2, b^2, c^2, d^2의 평균을 구하여라.

16 세 수 $4-a$, 4, $4+a$의 표준편차가 $\sqrt{6}$일 때, 양수 a의 값은?

① 1 ② 1.5 ③ 2
④ 2.5 ⑤ 3

17 아래의 표는 5개 반의 학생들의 영어 성적의 평균과 표준편차를 나타낸 것이다. 다음 설명 중 옳은 것을 모두 고르면? (정답 2개)

반	1반	2반	3반	4반	5반
평균(점)	74	75	73	72	76
표준편차(점)	5.7	3.1	7.9	8.4	6.5

① 산포도가 가장 큰 반은 5반이다.
② 1반에 90점 이상인 학생은 없다.
③ 영어 성적이 가장 높은 학생은 5반에 있다.
④ 2반 학생들의 영어 성적이 가장 고르다.
⑤ 위의 자료만으로는 최저 득점자가 어느 반에 있는지 알 수 없다.

18 오른쪽 그림은 음악부 학생 15명의 음악 가창 점수와 연주 점수를 조사하여 나타낸 산점도이다. 학생 A보다 가창 점수는 높고, 연주 점수는 낮은 학생은 몇 명인가?

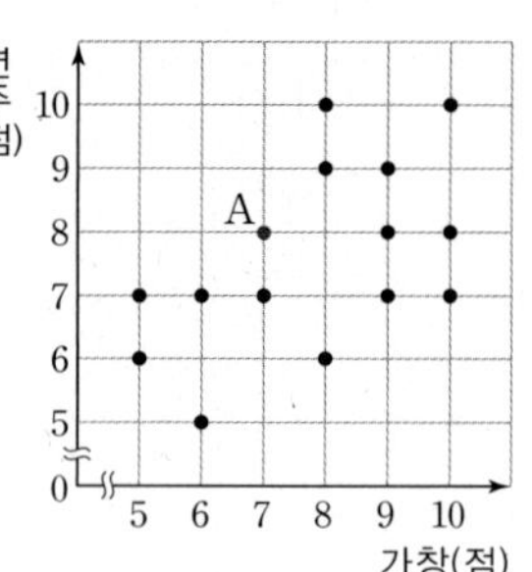

① 6명 ② 5명 ③ 4명
④ 3명 ⑤ 2명

19 위 18의 산점도에서 가창 점수와 연주 점수가 같은 학생은 전체의 a %이고 가창 점수와 연주 점수의 차가 가장 큰 학생의 두 점수의 평균은 b점이라고 한다. 이때 ab의 값을 구하여라.

20 오른쪽 그림은 승관이네 반 학생 21명의 국어 성적과 사회 성적을 조사하여 나타낸 산점도이다. 두 과목의 평균이 60점 미만인 학생들의 국어 성적의 평균을 구하여라.

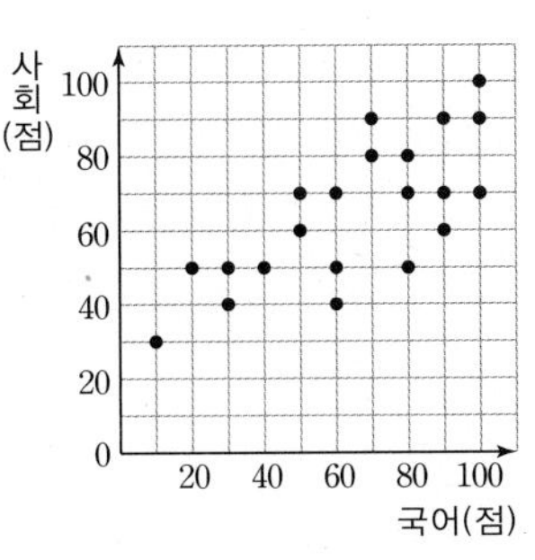

21 다음 ≪보기≫ 에서 두 변량 사이의 관계와 산점도를 가장 알맞게 짝지은 것은?

≪보기≫

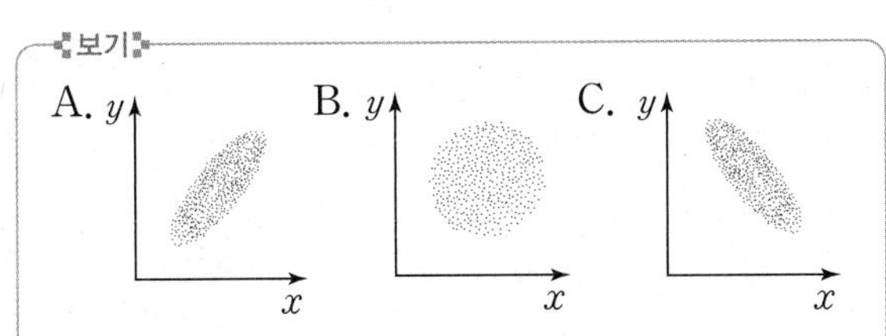

(가) 키와 지능지수
(나) 월별 관람객 수와 입장료 총액
(다) 하루 동안의 근무 시간과 휴식 시간
(라) 겨울철 기온과 난방비

	A	B	C
①	(가)	(나)	(다), (라)
②	(가), (나)	(라)	(다)
③	(나)	(가)	(다), (라)
④	(나), (라)	(다)	(가)
⑤	(라)	(나), (다)	(가)

22 오른쪽 그림은 학생 26명의 수면 시간과 스마트폰 사용 시간의 산점도이다. 다음 설명 중 옳은 것은?

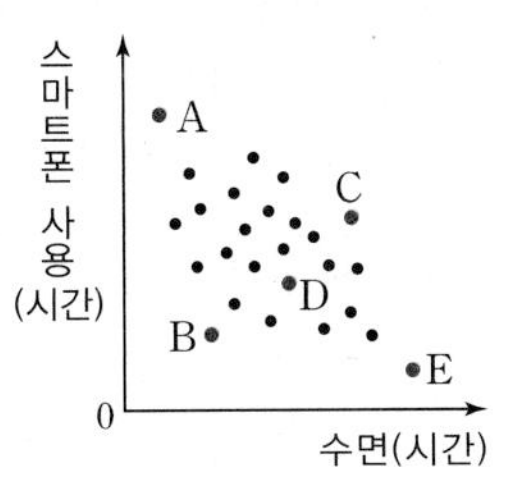

① 학생 B는 D보다 잠을 많이 자는 편이다.
② 학생 A는 수면 시간과 스마트폰 이용 시간이 모두 짧은 편이다.
③ 학생 E는 C보다 스마트폰 이용 시간이 더 길다.
④ 수면 시간이 긴 학생은 대체로 스마트폰 사용 시간이 짧은 편이다.
⑤ 스마트폰 사용 시간과 수면 시간 사이에는 양의 상관관계가 있다.

서술형 문제

23 오른쪽 그림에서 $\overline{AB}$는 원 O의 지름이고, $\overset{\frown}{AC} : \overset{\frown}{CB} = 3 : 2$, $\overset{\frown}{AD} = \overset{\frown}{DE} = \overset{\frown}{EB}$일 때, $\angle APE$의 크기를 구하여라. [8점]

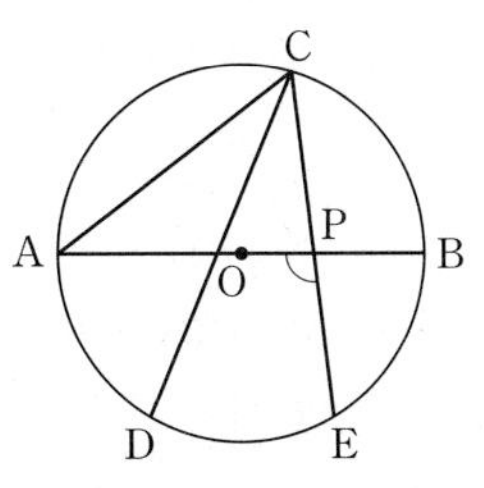

24 오른쪽 그림과 같이 원 O와 O′이 두 점 A, B에서 만나고, 점 A와 B를 각각 지나는 직선이 두 원과 점 C, D, E, F에서 만난다고 한다. $\angle BFE = 62°$일 때, $\angle BCD$의 크기를 구하여라. [7점]

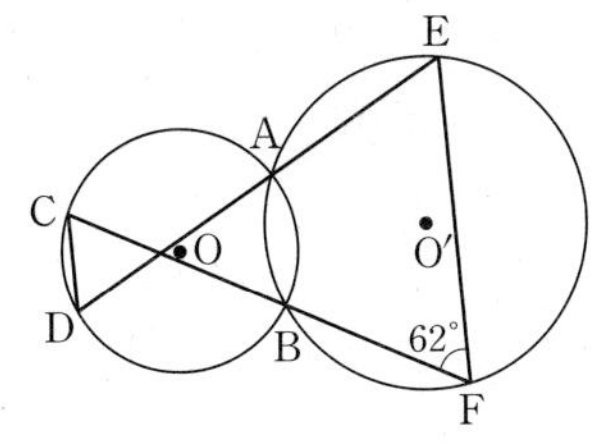

25 오른쪽은 태환이네 반 학생들의 휴대폰에 있는 사진의 개수를 조사하여 나타낸 줄기와 잎 그래프이다. 사진의 개수의 평균을 a개, 중앙값을 b개, 최빈값을 c개라고 할 때, $a+b-c$의 값을 구하여라. [8점]

(3|2는 32개)

줄기	잎
3	2
4	0 2 6
5	2 4 4 7
6	0 3

01 오른쪽 그림에서 세 점 A, B, C는 원 O 위의 점이다. $\angle AOB = 140°$일 때, $\angle ACB$의 크기는?

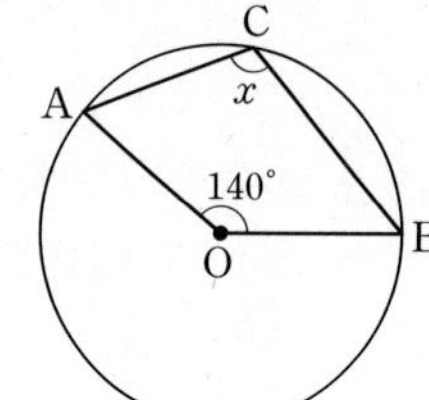

① 115° ② 114° ③ 112° ④ 110° ⑤ 108°

02 오른쪽 그림의 원 O에서 $\angle OBC = 35°$일 때, $\angle BAC$의 크기는?

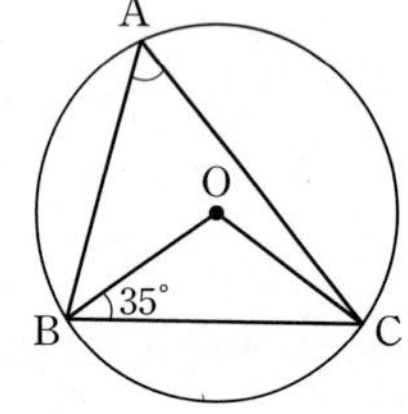

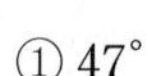

① 47° ② 49° ③ 51° ④ 53° ⑤ 55°

03 오른쪽 그림에서 $\overline{AD}$와 $\overline{BC}$의 연장선의 교점이 점 P이고 $\angle APB = 32°$, $\angle DQC = 74°$일 때, $\angle x$의 크기는?

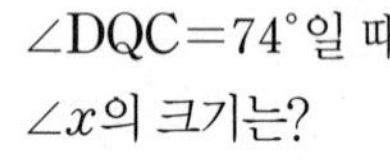

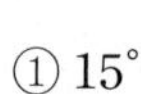

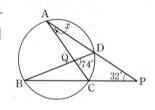

① 15° ② 17° ③ 19° ④ 21° ⑤ 23°

04 오른쪽 그림의 반원 O에서 $\angle APB = 68°$일 때, $\angle x$의 크기는?

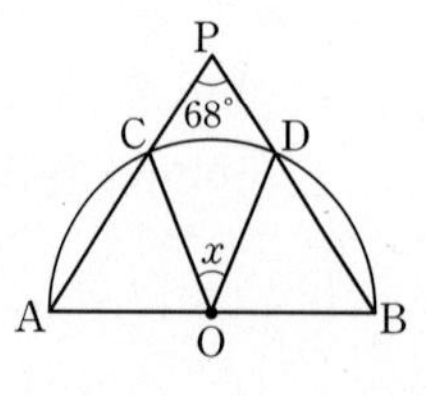

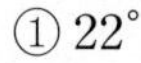

① 22° ② 24° ③ 28° ④ 32° ⑤ 44°

05 오른쪽 그림과 같이 원 O에서 평행한 두 현 AB, CD가 있다. $\overset{\frown}{AC} = 4$일 때, $\overset{\frown}{BD}$의 길이를 구하여라.

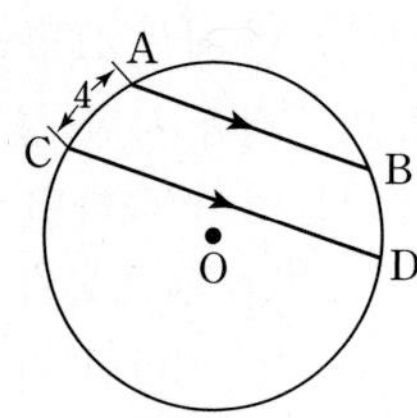

06 오른쪽 그림에서 $\overline{AD}$, $\overline{BE}$는 원 O의 지름이고, $2\overset{\frown}{BC} = \overset{\frown}{CD}$, $\angle BEC = 25°$일 때, $\angle AFO$의 크기는?

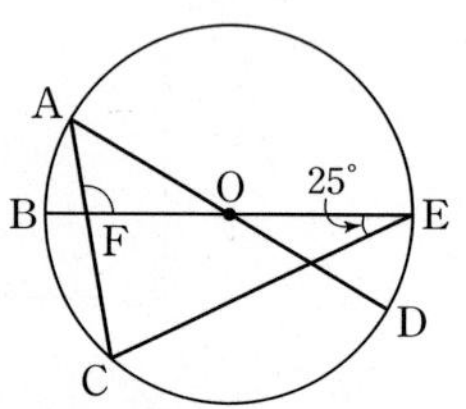

① 95° ② 100° ③ 105° ④ 110° ⑤ 115°

07 오른쪽 그림에서 사각형 ABCD는 원 O에 내접하고, $\angle ACD = 33°$, $CAD = 37°$일 때, $\angle ABE$의 크기는?

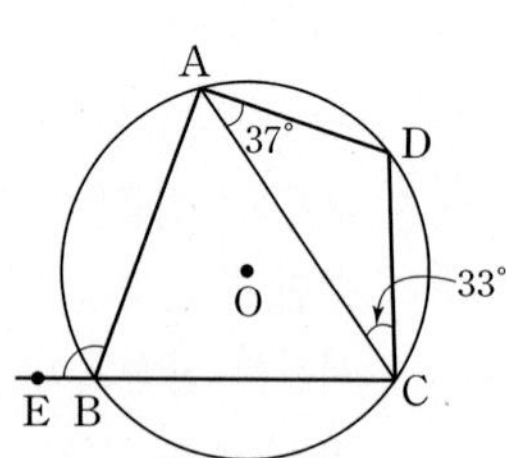

① 110° ② 111° ③ 112° ④ 113° ⑤ 115°

08 오른쪽 그림과 같이 □ABCD 가 원 O에 내접하고, $\angle BAD=78^\circ$일 때, $\angle x+\angle y$의 크기는?

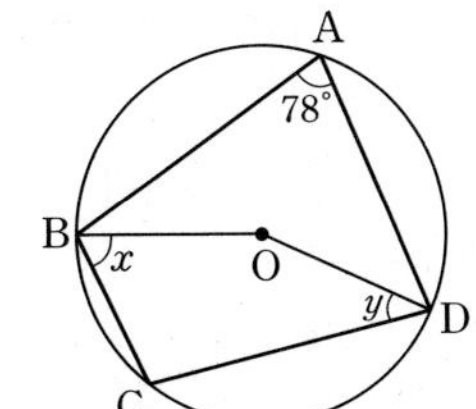

① 96°　② 98°
③ 100°　④ 102°
⑤ 104°

09 오른쪽 그림의 오각형 AEBCD에서 $\overline{AB}=\overline{BC}$이고, $\angle BCD=106^\circ$일 때, $\angle AEB$의 크기는?

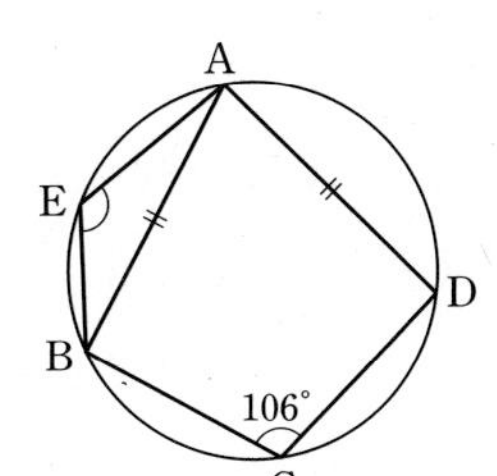

① 121°　② 123°
③ 127°　④ 129°
⑤ 131°

10 오른쪽 그림에서 $\overleftrightarrow{TT'}$은 두 원의 공통인 접선이고, 점 T는 그 접점이다. $\angle CDT=55^\circ$일 때, $2\angle x+\angle y$의 크기는?

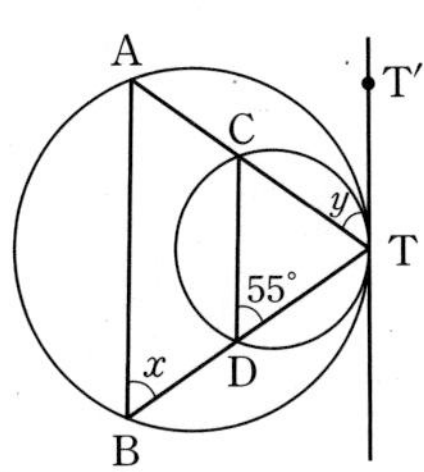

① 150°　② 155°
③ 155°　④ 160°
⑤ 165°

11 오른쪽 그림에서 $\overline{BC}$는 원 O의 지름이고 점 A는 $\overleftrightarrow{AT}$와의 접점이다. $\angle CBA=40^\circ$일 때, $\angle BAT$의 크기는?

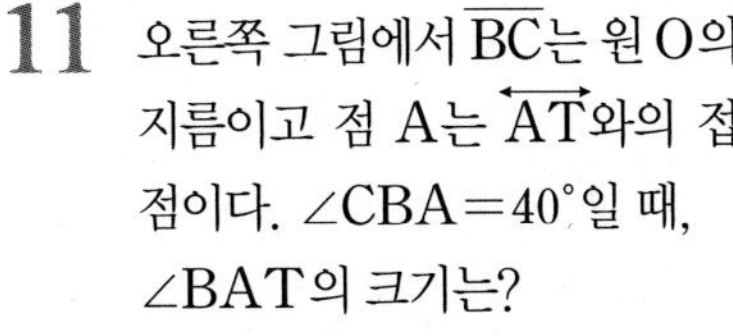

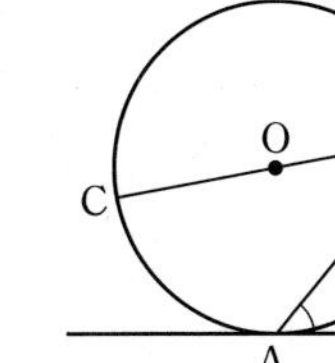

① 50°　② 55°
③ 60°　④ 65°
⑤ 70°

12 오른쪽 그림에서 $\overrightarrow{PA}$, $\overrightarrow{PB}$는 원 O의 접선이고, $\angle CBE=60^\circ$일 때, $\angle x+\angle y$의 크기는?

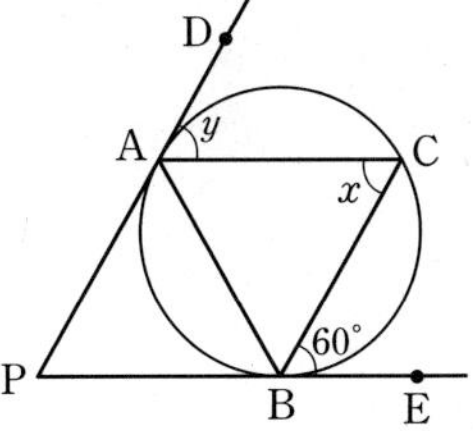

① 110°　② 115°
③ 120°　④ 125°
⑤ 130°

13 진규네 반 학생 30명의 키를 작은 값부터 크기순으로 나열할 때, 15번째 학생의 키는 157.2 cm이고 중앙값은 158 cm이라 한다. 진규네 반에 키가 159 cm인 학생이 전학을 왔을 때, 진규네 반 학생들의 키의 중앙값은?

① 158.2 cm　② 158.4 cm　③ 158.6 cm
④ 158.8 cm　⑤ 159 cm

14 다음 <보기> 중에서 옳은 것을 모두 고른 것은?

<보기>
ㄱ. 각 변량의 편차의 총합은 항상 0이다.
ㄴ. 평균보다 작은 변량의 편차는 양수이다.
ㄷ. 변량들이 고르게 있을수록 표준편차는 커진다.
ㄹ. 분산은 편차의 제곱의 평균이다.

① ㄱ, ㄴ ② ㄱ, ㄷ ③ ㄱ, ㄹ
④ ㄴ, ㄷ ⑤ ㄷ, ㄹ

15 네 수 a, b, c, d의 평균이 5이고 표준편차가 3일 때, 네 수 a^2, b^2, c^2, d^2의 평균을 구하여라.

16 다음 그래프는 세희와 지웅이가 양궁 과녁을 맞춰서 얻은 점수이다. 두 학생의 양궁 점수의 분산을 각각 구하고 점수의 분포가 더 고른 학생을 말하여라.

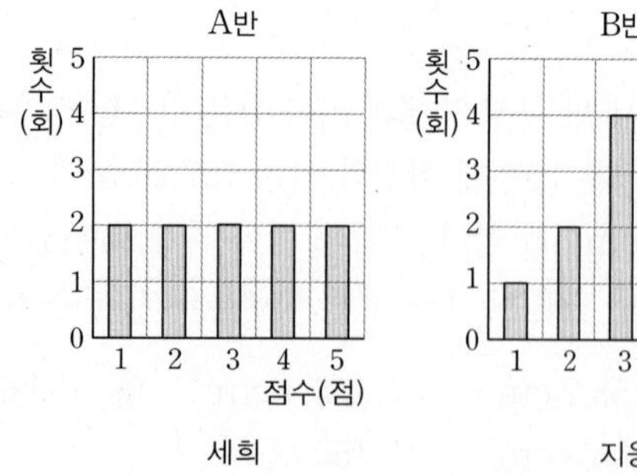

17 아래의 왼쪽 그림은 학생 15명이 한 달 동안 읽은 인문학과 과학 관련 책의 수를 조사하여 나타낸 산점도이다. 산점도를 보고 오른쪽 표를 완성하였을 때, $a+b+c$의 값을 구하여라.

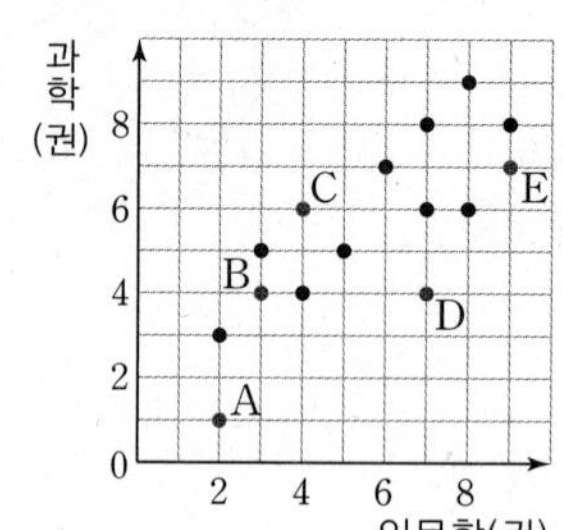

학생	인문학(권)	과학(권)
A	2	1
B	3	a
C	4	6
D	b	4
E	9	c

18 위 17의 산점도에서 학생 C보다 인문학과 과학 관련된 책을 모두 많이 읽은 학생 수의 전체에 대한 비율은?

① $\frac{1}{3}$ ② $\frac{1}{2}$ ③ $\frac{2}{3}$
④ $\frac{3}{4}$ ⑤ $\frac{3}{5}$

19 위 17의 산점도에서 읽은 책의 수의 합이 5번째로 큰 학생은 인문학 관련 책을 몇 권 읽었는가?

① 9권 ② 8권 ③ 7권
④ 6권 ⑤ 5권

20 다음은 다섯 개의 집단의 도시 인구 수(x)와 자동차 등록 대수(y)에 대한 산점도이다. 도시 인구 수가 많을수록 자동차 등록 대수도 많아지는 경향이 가장 뚜렷한 도시의 산점도를 고르면?

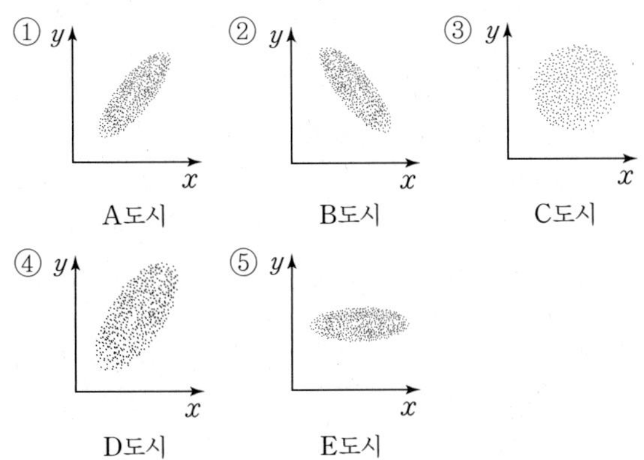

21 다음 중 두 변량 사이의 상관관계가 나머지 넷과 다른 하나는?

① 산의 높이와 기온
② 넓이가 일정한 삼각형의 밑변과 높이의 길이
③ 겨울철 기온과 난방비
④ 올해 쌀 생산량과 쌀의 가격
⑤ 물에 녹인 소금의 양과 소금물의 농도

22 오른쪽 그림은 어느 아파트 단지 가구들을 대상으로 가계 소득액과 가계 지출액을 조사하여 나타낸 산점도이다. 다음 설명 중 옳지 <u>않은</u> 것은?

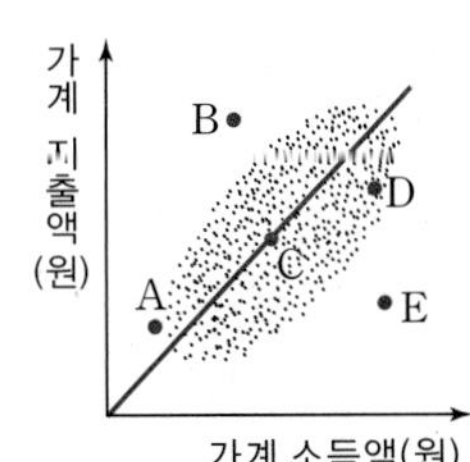

① C 가구는 A 가구보다 소득이 많다.
② A, B, C, D, E 가구 중 가계 지출액이 가장 많은 가구는 B이다.
③ A, B, C, D, E 중 소득액이 가장 적은 가구는 A이다.
④ E 가구는 C 가구보다 소득에 대한 지출의 비율이 높다.
⑤ 가계 소득액이 증가함에 따라 가계 지출액은 대체로 증가하는 편이다.

서술형 문제

23 오른쪽 그림에서 $\overline{CD}$는 원 O의 지름이고, $\angle APC=60^\circ$, $\widehat{AC}+\widehat{BD}=4\pi$일 때, 원 O의 반지름의 길이를 구하여라. [8점]

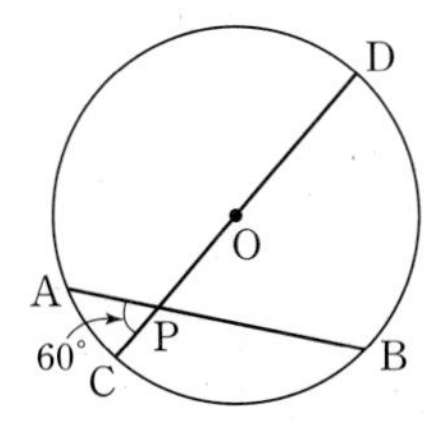

24 오른쪽 그림에서 점 A, B, C, D는 한 원 위에 있고, $\overline{EF}/\!/\overline{CD}$, $\angle ACB=58^\circ$, $\angle DEF=96^\circ$, $\angle CBD=42^\circ$일 때, $\angle BAD$의 크기를 구하여라. [8점]

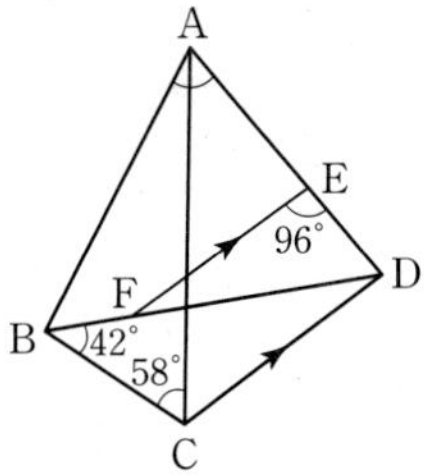

25 다음 표는 어떤 자료에 대한 편차와 도수를 나타낸 것이다. 이 자료의 표준편차를 구하여라. [7점]

편차	-4	-2	0	2	4	6
도수	3	x	5	4	2	1

01 오른쪽 그림에서
$\angle CAD=56^\circ$, $\angle CEB=66^\circ$
일 때, $\angle x$의 크기는?

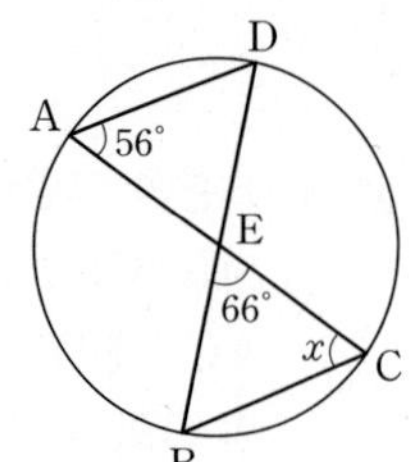

① 58° ② 59°
③ 60° ④ 61°
⑤ 62°

02 오른쪽 그림의 원 O에서
$\angle ADB=40^\circ$, $\angle DAC=28^\circ$
일 때, $\angle x$, $\angle y$의 크기를 각각
구하여라.

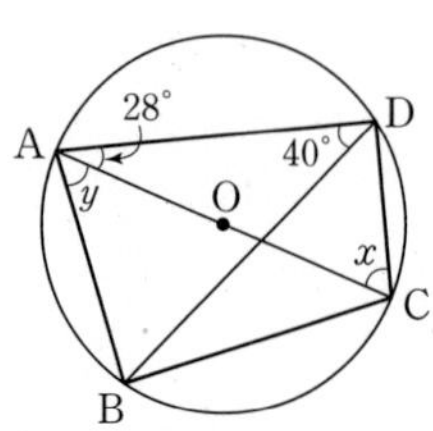

03 오른쪽 그림에서 $\overrightarrow{PC}$는 원 O
의 접선이고 $\overline{BP}$는 원의 중심
을 지나는 할선일 때, $\angle BAC$
의 크기는?

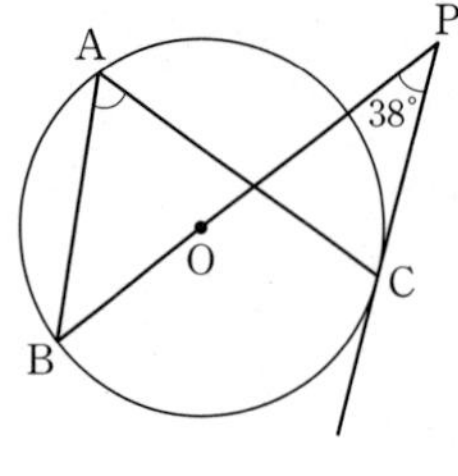

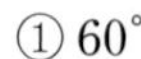
① 60° ② 62°
③ 64° ④ 66°
⑤ 68°

04 오른쪽 그림의 원 O에서
$\angle BCD=58^\circ$, $\angle ABO=60^\circ$
일 때, $\angle x$의 크기는?

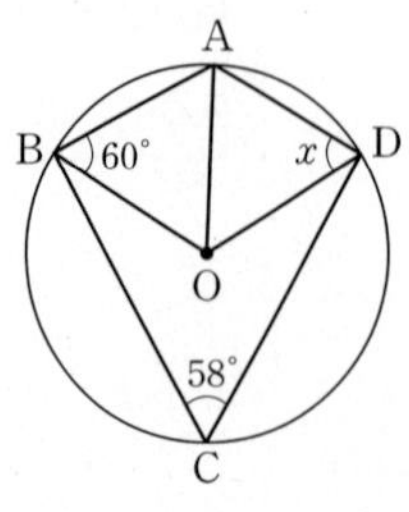

① 61° ② 62°
③ 63° ④ 64°
⑤ 65°

05 오른쪽 그림의 원 O에서
$\angle COD=60^\circ$,
$\widehat{AB}=8$ cm, $\overline{CD}=12$ cm
일 때, x의 값은?

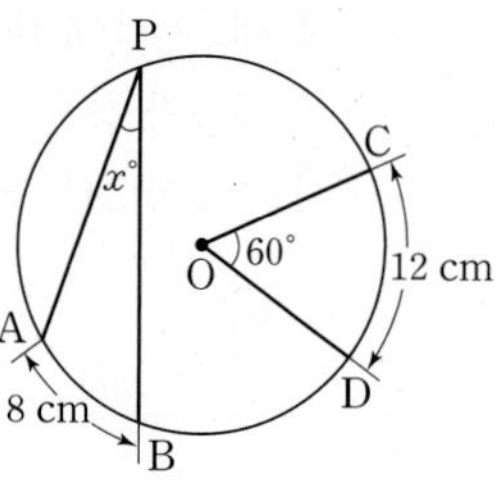

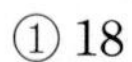
① 18 ② 20
③ 25 ④ 27
⑤ 30

06 오른쪽 그림의 원 O에서
$\angle ABE$의 크기를 구하면?

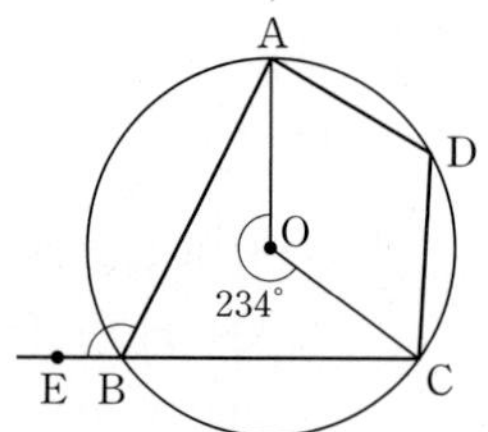

① 113° ② 114°
③ 115° ④ 116°
⑤ 117°

07 오른쪽 그림에서
$\angle AEC=35^\circ$,
$\angle AFD=36^\circ$일 때,
$\angle x$의 크기는?

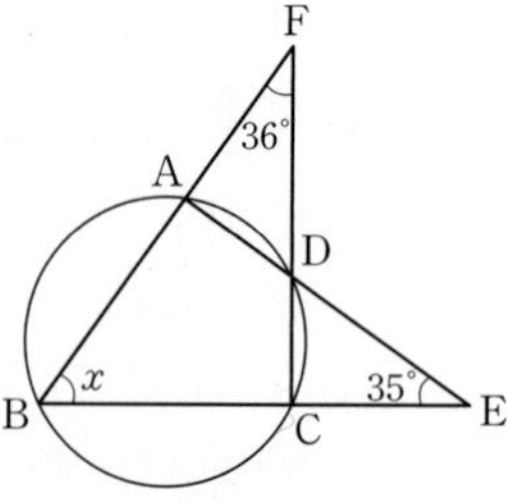

① 51° ② 52.5°
③ 53° ④ 54.5°
⑤ 55°

08 오른쪽 그림에서 □ABCD는 원 O에 내접하고, $\overleftrightarrow{BT}$는 원 O의 접선이다. $\angle ADC=106°$, $\angle ABT=76°$일 때, $\angle x$의 크기는?

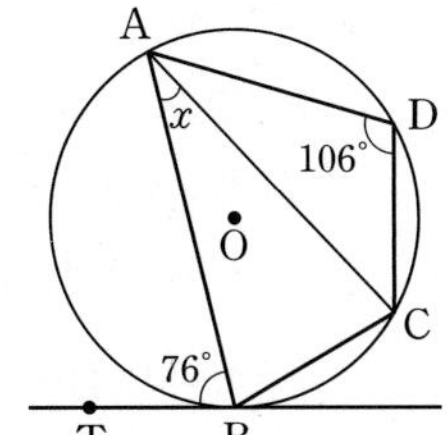

① 30°　② 31°　③ 33°　④ 34°　⑤ 35°

09 오른쪽 그림에서 $\overline{AD}/\!/\overline{BC}$이고 $\angle ECF=18°$, $\angle DFE=120°$일 때, $\angle BCD$의 크기는?

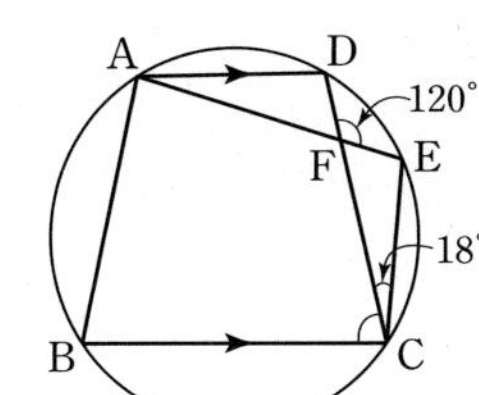

① 70°　② 72°　③ 74°　④ 76°　⑤ 78°

10 오른쪽 그림에서 $\overleftrightarrow{FG}$는 점 A에서 작은 원과 접한다. $\angle ADE=55°$, $\angle GAE=60°$일 때, $\angle DAE$의 크기는?

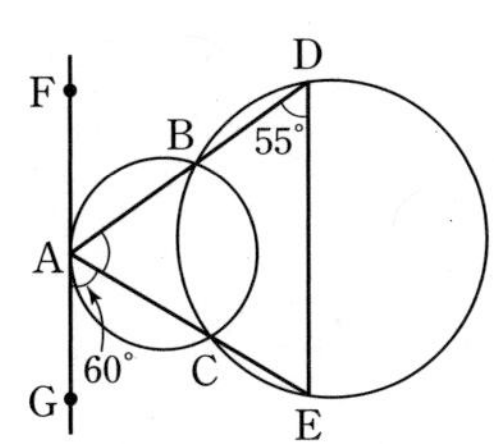

① 63°　② 65°　③ 67°　④ 69°　⑤ 71°

11 오른쪽 그림에서 $\overleftrightarrow{AT}$는 원 O의 접선이고, $\angle BAT=\angle BAC$이다. $\angle ABC=110°$일 때, $\angle BAC$의 크기는?

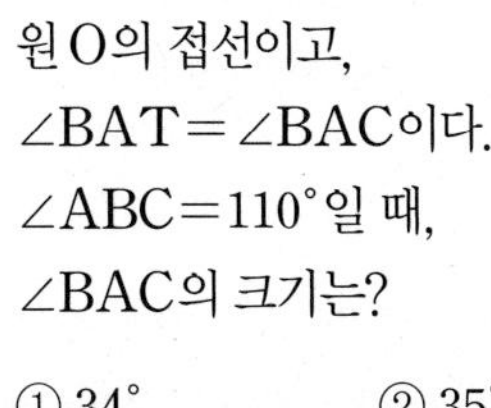

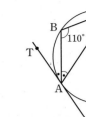

① 34°　② 35°　③ 36°　④ 37°　⑤ 38°

12 오른쪽 그림과 같이 평면 위에 점 A를 공유하고 점 B와 B′을 대응점으로 하는 합동인 두 삼각형 ABC와 AB′C′이 놓여 있다. $\angle BAB'=56°$이고, 네 점 A, B, B′, C′이 한 원 위에 있을 때, $\angle C$의 크기를 구하여라.

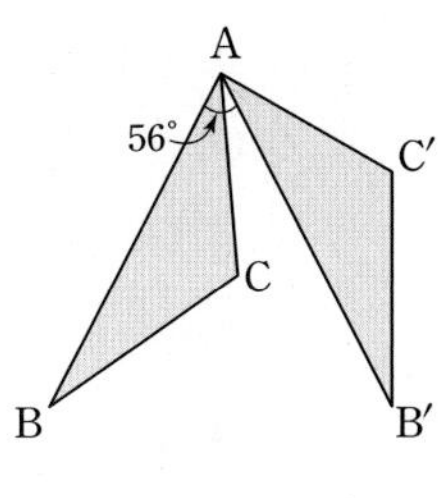

13 다음 자료의 평균, 중앙값, 최빈값을 각각 a, b, c라 할 때, a, b, c의 대소 관계는?

3	7	4	7	9	5	6	8	7	5

① $a<b<c$　② $a<c<b$　③ $b<a<c$　④ $b<c<a$　⑤ $c<b<a$

14 다음 설명 중 옳지 않은 것을 모두 고르면? (정답 2개)

① 대푯값을 중심으로 자료가 흩어져 있는 정도를 하나의 수로 나타낸 값을 산포도라 한다.
② 편차의 총합은 항상 0이다.
③ (편차)=(평균)−(변량)
④ 편차의 제곱의 평균을 표준편차라 한다.
⑤ 산포도가 크면 자료들이 대푯값으로부터 멀리 흩어져 있고, 산포도가 작으면 자료들이 대푯값 주위에 밀집되어 있다.

15 다음은 형식이네 모둠 학생들의 수학 점수에 대한 편차를 조사하여 나타낸 표이다. 8명의 학생들의 평균 점수가 80점이고, 시완이의 점수가 지현이의 점수보다 6점 더 높다고 할 때, 시완이의 수학 점수는?

학생	시완	형식	보라	다솜	동준	효린	지현	광희
편차(점)		5	0	−4	−2	−4		−5

① 80점 ② 82점 ③ 84점
④ 86점 ⑤ 88점

16 오른쪽 도수분포표는 광수네 반 학생 20명의 통학 시간을 조사하여 나타낸 것이다. 이때 통학시간의 표준편차를 구하여라.

통학 시간(분)	학생 수(명)
5	2
15	5
25	8
35	3
45	2
합계	20

17 오른쪽 표는 A, B, C 반 학생들의 국어 성적의 평균과 표준편차를 조사하여 나타낸 것이다. 다음 설명 중 옳은 것은? (단, 세 반의 학생 수는 같다.)

반	A반	B반	C반
평균(점)	76	68	71
표준편차(점)	15	10.5	20

① A반은 B반보다 국어 성적이 고르다.
② B반이 C반보다 국어 성적이 고르다.
③ 편차의 총합은 A반이 가장 크다.
④ C반이 A반보다 대체로 국어를 잘하는 편이다.
⑤ 국어 성적이 가장 우수한 학생은 A반에 있다.

18 오른쪽 산점도는 25명의 양궁 선구들이 두 번에 걸쳐 활을 쏘아 얻은 점수를 조사하여 나타낸 것이다. 1차와 2차에서 같은 점수를 얻은 선수는 전체의 a %이고 1차보다 2차에서 낮은 점수를 얻은 선수는 b명일 때, $a-b$의 값을 구하여라.

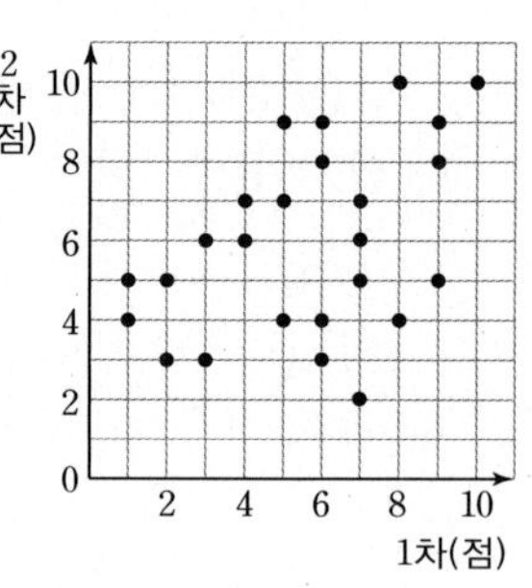

19 위 18의 산점도에서 두 차례 모두 5점 이하의 점수를 얻은 선수 수는 c명, 적어도 한 차례의 점수가 8점 초과인 선수 수는 d명이라 할 때, $c+d$의 값을 구하여라.

20 오른쪽 그림과 같은 산점도를 나타낼 수 있는 두 변량으로 적당하지 않은 것은?

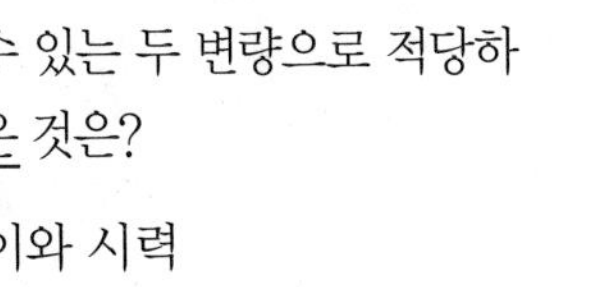

① 나이와 시력
② 통화 시간과 전화 요금
③ 물건의 공급량과 가격
④ 산의 높이와 그 높이에서의 기온
⑤ 자동차가 움직인 거리와 남은 연료의 양

21 은행 50곳의 평균 예금액과 평균 이자액을 조사하였더니 예금액이 많아질수록 이자액이 늘어나는 경향을 보였다고 한다. 다음 중 평균 예금액과 평균 이자액 사이의 상관관계와 유사한 상관관계를 갖는 두 변량을 고른 것은?

① 키와 머리카락의 길이
② 나무의 높이와 나이테의 개수
③ 자동차의 이동 거리와 남은 연료의 양
④ 시력과 윗몸일으키기 횟수
⑤ 하루 평균 운동량과 비만도

22 오른쪽 그림은 한나네 반 학생들의 오른쪽 눈과 왼쪽 눈의 시력에 대한 산점도이다. 한나, 도윤, 세희, 서진, 다솜에 대한 설명으로 옳지 않은 것은?

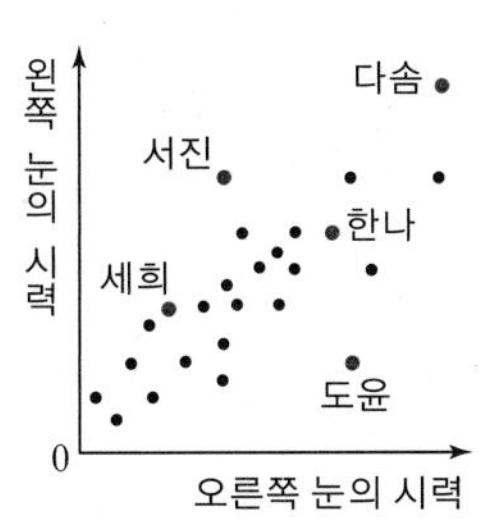

① 두 눈의 시력이 가장 좋은 학생은 다솜이다.
② 한나는 세희보다 시력이 모두 좋은 편이다.
③ 세희는 도윤이보다 왼쪽 눈의 시력이 좋은 편이다.
④ 한나네 반 학생들은 오른쪽 시력이 좋으면 왼쪽 시력도 대체로 좋은 편이다.
⑤ 오른쪽 눈의 시력에 비해 왼쪽 눈의 시력이 가장 나쁜 학생은 서진이다.

서술형 문제

23 오른쪽 그림의 원 O에서 $\widehat{AB} : \widehat{BC} : \widehat{CA} = 5 : 3 : 4$일 때, $\angle x + \angle y$의 크기를 구하여라. [7점]

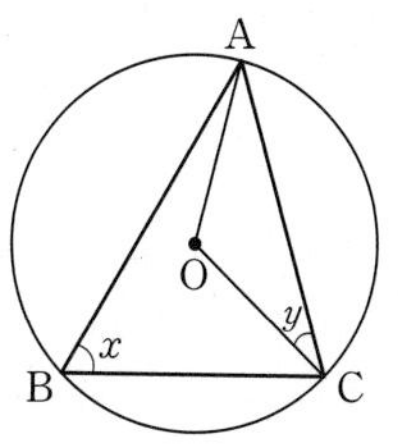

24 오른쪽 그림과 같이 두 원 O와 O′이 두 점 A, B에서 만나고, 점 A와 B를 각각 지나는 두 직선이 두 원과 점 C, D, E, F에서 만난다고 한다. $\angle BOC = 166^\circ$일 때, $\angle y - \angle x$의 크기를 구하여라. [8점]

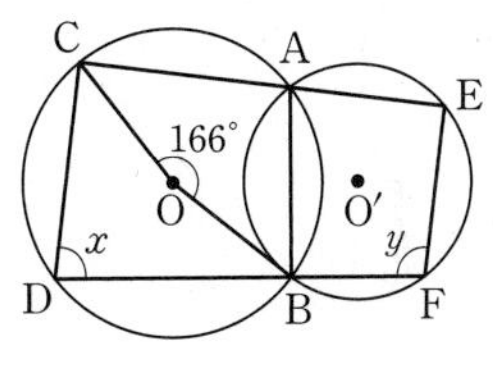

25 오른쪽 그림은 학생 20명의 음악 필기 점수와 실기 점수를 조사하여 나타낸 산점도이다. 다음 두 조건을 모두 만족하는 학생들의 실기 점수의 평균을 구하여라. [8점]

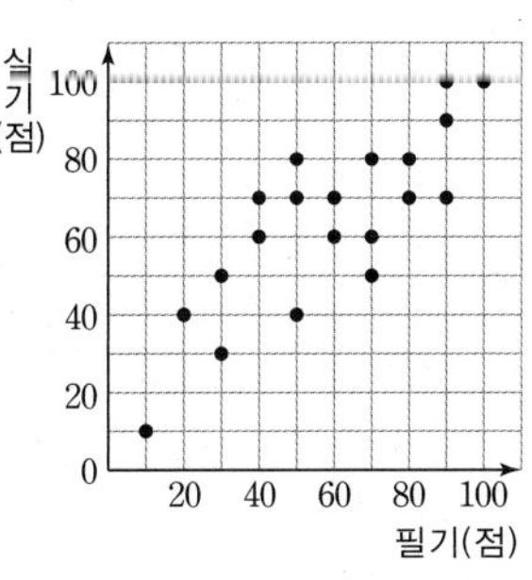

(조건 1) 두 과목 점수의 합이 150점 초과이다.
(조건 2) 두 과목 점수의 차가 10점 이하이다.

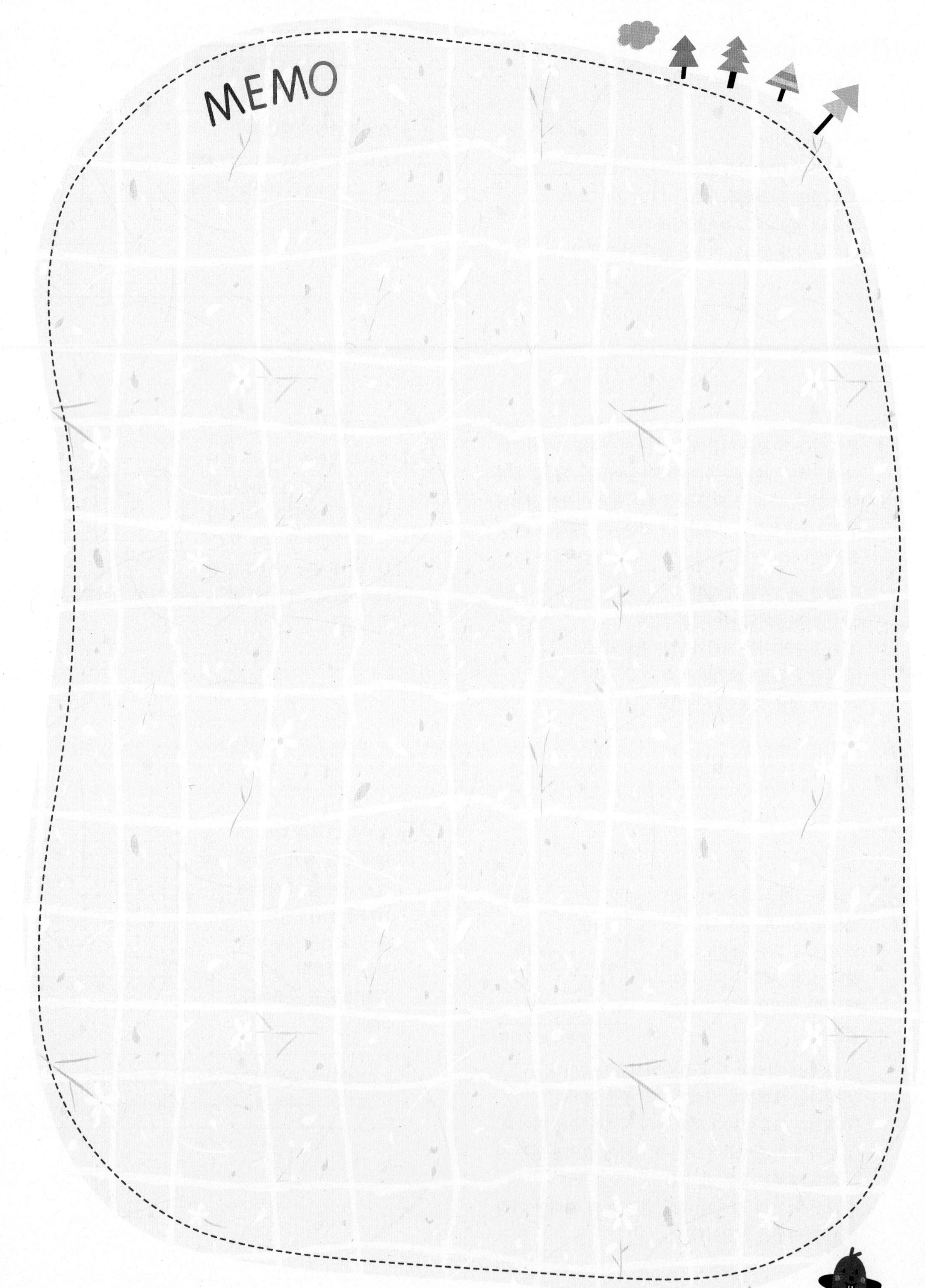
MEMO

실전에 강한 절대 공부 감각
절대
공감
공부
감각

기말고사대비

절대공부감각 내신업

www.왕수학.com

새로운 개정 교육과정 반영

중학 수학 3·2

기말고사 정답 및 해설

정답 & 해설

4. 원주각의 성질

시험에 나오는 핵심개념 6쪽~7쪽

예제 1 답 $60°$

$\angle x=\frac{1}{2}\angle AOB$

$=\frac{1}{2}\times 120°$

$=60°$

예제 2 답 (1) $48°$ (2) $30°$

(2) $\angle APB=90°$이므로

$\angle x=180°-(60°+90°)=30°$

예제 3 답 40

$3:6=20:x$

$1:2=20:x$

$\therefore x=40$

예제 4 답 $45°$

예제 5 답 $\angle x=86°$, $\angle y=105°$

$\angle x=180°-94°=86°$, $\angle y=\angle A=105°$

예제 6 답 $110°$

예제 7 답 $52°$

직선 AT가 원 O의 접선이므로

$\angle x=\angle BCA=52°$

유형 격파 + 기출 문제 8쪽~33쪽

01 ③	02 ④	03 ⑤	04 ⑤	05 ③	06 ②
07 ⑤	08 ②	09 ⑤	10 $60°$	11 ③	12 ③
13 ①	14 ④	15 ③	16 ②		
17 $\angle x=35°$, $\angle y=45°$			18 ②	19 ②	20 ③
21 ④	22 ②	23 ④	24 ⑤	25 ②	26 ③
27 ④	28 ④	29 ②	30 ①	31 ③	32 $112°$
33 ⑤	34 ④	35 ①	36 ②	37 ③	38 ①
39 ①	40 $60°$	41 ③	42 ③	43 ①	44 ②
45 ①	46 ①	47 ②	48 ④		
49 $\angle A=60°$, $\angle B=75°$, $\angle C=45°$				50 ⑤	51 ②
52 $\frac{1}{3}$배	53 π cm	54 ②	55 $36°$	56 $80°$	57 $100°$
58 $28°$, $62°$, $\angle BDC$		59 ④	60 ②	61 ③	62 $60°$
63 ②	64 $95°$	65 ①	66 ③	67 ②	68 ④
69 ③	70 ③	71 ②	72 ④	73 ③	74 ③
75 ②	76 ⑤	77 ①	78 ②	79 ③	80 $40°$
81 ③	82 $119°$	83 ④	84 ⑤	85 ⑤	86 ④
87 ④	88 ③	89 ③	90 ⑤	91 ②, ③	92 ④
93 ③	94 ㉢, ㉤	95 ③	96 6개		
97 $\angle x=33°$, $\angle y=102°$			98 ⑤	99 ①	100 ④
101 ④	102 ⑤	103 ①	104 ②	105 ②, ⑤	106 ④
107 ②	108 ②	109 5	110 $23°$	111 ③	112 ③
113 ①	114 ⑤	115 $30°$	116 ④	117 ③	118 ②
119 ①	120 ③	121 ③	122 ②	123 $130°$	124 ④
125 ④	126 ②	127 ⑤	128 ④	129 ③	130 ③
131 $84°$	132 ④	133 ④	134 ③	135 ③	136 ②
137 ④	138 $\frac{3}{4}$	139 ④	140 ③	141 ④	142 ②
143 ②	144 ③	145 ⑤	146 ③	147 ②	148 ①
149 ⑤	150 ②	151 ⑤	152 ①	153 $4\sqrt{3}-6$	
154 ③	155 $\frac{25\sqrt{3}}{2}$ cm^2		156 ④	157 $100°$	158 $98°$
159 ①	160 ④	161 ⑤			

01 $\angle AOB=2\angle APB=2\times 40°=80°$

02 $\angle AOB=2\angle ACB=2\times 50°=100°$

따라서 $\triangle OAB$에서 $\overline{OA}=\overline{OB}$이므로

$\angle OAB=\frac{1}{2}\times(180°-100°)=40°$

03 $\angle AOC=2\angle x$이고

$\triangle AOC$에서 $\overline{OA}=\overline{OC}$이므로 $\angle OCA=\angle OAC=30°$

$2\angle x+30°+30°=180°$, $2\angle x=120°$

$\therefore \angle x=60°$

04 $\angle QPR=\frac{1}{2}\times(360°-130°)=115°$

따라서 □PQOR에서 $\angle ORP=360°-(115°+50°+130°)=65°$

05 $\overline{BC}$를 그으면

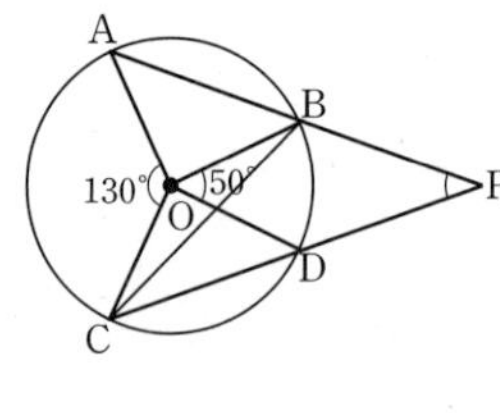

$\angle ABC=\frac{1}{2}\times 130°=65°$

$\angle BCD=\frac{1}{2}\times 50°=25°$

따라서 $\triangle BCP$에서

$\angle P=65°-25°=40°$

06 $\angle BOC=\angle x$라고 하면 $\angle BAC=\frac{1}{2}\angle x$

$\triangle OBD$와 $\triangle ACD$에서

$\angle x+20°=\frac{1}{2}\angle x+35°$

$\therefore \angle x=\angle BOC=30°$

07 $\overline{BC}$를 그으면

$\angle ABC$는 $\widehat{AC}$에 대한 원주각이므로

$\angle ABC=\frac{1}{2}\times 80°=40°$

$\angle DCB$는 $\widehat{BD}$에 대한 원주각이므로

$\angle DCB=30°$

따라서 $\triangle ECB$에서 $\angle AEC=\angle ECB+\angle EBC=30°+40°=70°$

08 원 O의 반지름의 길이를 a라 하면

$\overline{OA}=\overline{AQ}=\overline{OQ}=a$

$\triangle OAQ$는 정삼각형이므로 $\angle AOQ=60^\circ$

$\therefore \angle AOB=2\angle AOQ=120^\circ$

$\therefore \angle APB=\frac{1}{2}\angle AOB=60^\circ$

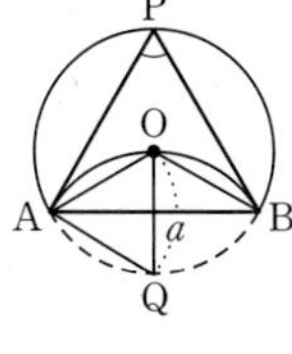

09 $\angle BOC=2\times 30^\circ=60^\circ$이고

$\overline{OB}=\overline{OC}$이므로 $\angle OBC=\angle OCB=60^\circ$

즉 $\triangle OBC$는 정삼각형이다.

$\therefore$ (색칠한 부분의 넓이)

$=$(부채꼴 OBC의 넓이)$-\triangle OBC$

$=\pi\times 6^2\times\frac{60^\circ}{360^\circ}-\frac{1}{2}\times 6\times 6\times\sin 60^\circ$

$=(6\pi-9\sqrt{3})(\text{cm}^2)$

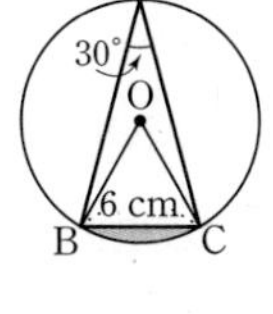

10 $\overline{OM}=\overline{ON}$이므로 $\overline{PA}=\overline{PB}$

$\overline{OP}$를 그으면

$\overline{OP}=\overline{OB}$이므로 $\angle OPB=15^\circ$

따라서 $\angle APB=2\angle OPB=30^\circ$이므로

$\angle AOB=2\angle APB=60^\circ$

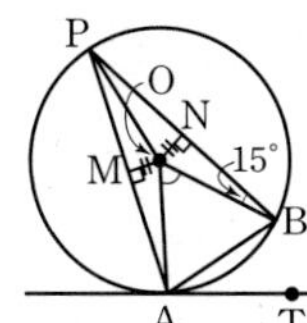

11 $\overline{OA}$, $\overline{OB}$를 그으면

$\angle PAO=90^\circ$, $\angle PBO=90^\circ$

□APBO에서

$\angle AOB=360^\circ-(90^\circ+50^\circ+90^\circ)=130^\circ$

$\therefore \angle ACB=\frac{1}{2}\times 130^\circ=65^\circ$

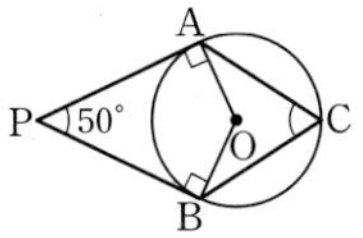

12 $\overline{OA}$, $\overline{OC}$를 그으면

$\angle AOC=2\times 80^\circ=160^\circ$

따라서 □AOCD에서

$\angle ADC=360^\circ-(90^\circ+160^\circ+90^\circ)=20^\circ$

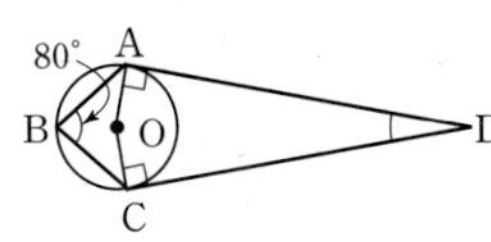

13 $\overline{OA}$, $\overline{OB}$를 그으면

$\angle AOB=360^\circ-2\times 105^\circ=150^\circ$

따라서 □APBO에서

$\angle APB=360^\circ-(90^\circ+90^\circ+150^\circ)=30^\circ$

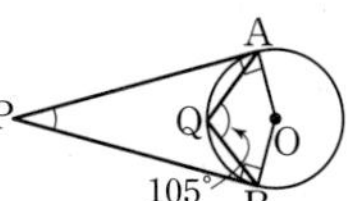

14 $\angle PAO=\angle PBO=90^\circ$

$\angle y=360^\circ-(90^\circ+90^\circ+44^\circ)=136^\circ$ $\therefore \angle y=136^\circ$

$\angle x=\frac{1}{2}(360^\circ-136^\circ)=112^\circ$

$\therefore \angle x+\angle y=112^\circ+136^\circ=248^\circ$

15 $\angle AOB=108^\circ$이므로

호 ACB의 중심각의 크기는

$360^\circ-108^\circ=252^\circ$

$\angle AOC:\angle BOC=\widehat{AC}:\widehat{BC}=5:4$이므로

$\angle AOC=252^\circ\times\frac{5}{9}=140^\circ$

$\therefore \angle ABC=\frac{1}{2}\times 140^\circ=70^\circ$

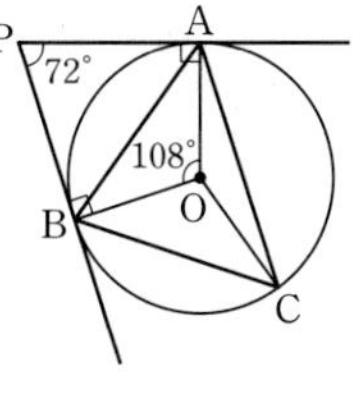

16 $\angle x=2\times 36^\circ=72^\circ$

$\angle y=\angle APB=36^\circ$

$\therefore \angle x+\angle y=72^\circ+36^\circ=108^\circ$

17 $\angle x=\angle BDC=35^\circ$

$\angle y=\angle ADB=45^\circ$

18 오른쪽 그림에서 $\angle BOC=86^\circ$

$\triangle BOC$에서 $\overline{OB}=\overline{OC}$이므로

$\angle x=\frac{1}{2}\times(180^\circ-86^\circ)=47^\circ$

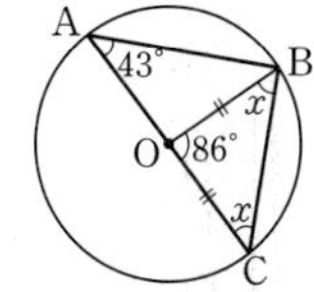

19 $\angle BDC=\angle BAC=45^\circ$

따라서 $\triangle CDE$에서

$\angle x=\angle EDC+\angle ECD=45^\circ+40^\circ=85^\circ$

20 $\overline{AE}$를 그으면

$\angle a=\angle BAE+\angle EAC$

$=\angle BDE+\angle EFC$

$=40^\circ+30^\circ=70^\circ$

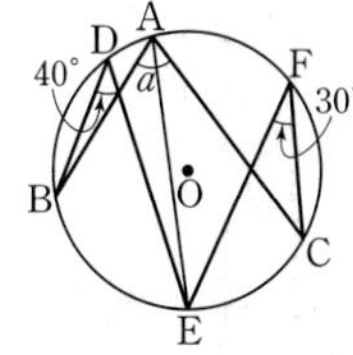

21 $\overline{OB}$를 그으면

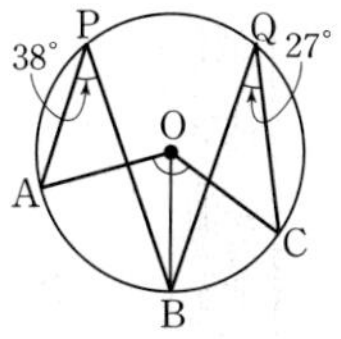

$\angle AOC=\angle AOB+\angle BOC$

$=2\angle APB+2\angle BQC$

$=2\times 38^\circ+2\times 27^\circ$

$=76^\circ+54^\circ=130^\circ$

22 점 A와 C를 선분으로 연결하면

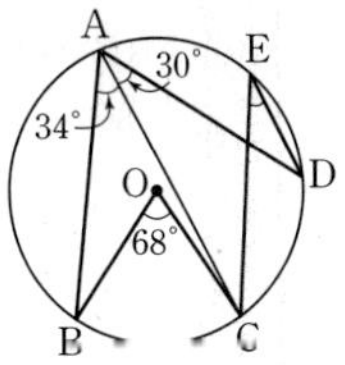

$\angle BAC=\frac{1}{2}\angle BOC=34^\circ$

$\angle CAD=64^\circ-34^\circ=30^\circ$

$\therefore \angle CED=\angle CAD=30^\circ$

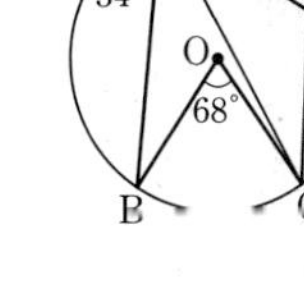

23 $\triangle BCQ$에서 $\angle ABC=29^\circ+36^\circ=65^\circ$

$\therefore \angle PDC=\angle ABC=65^\circ$

24 $\overline{AB}$가 원 O의 지름이므로 $\angle ACB=90^\circ$

$\therefore \angle ACD=90^\circ-50^\circ=40^\circ$

$\therefore \angle ABD=\angle ACD=40^\circ$

25 $\overline{BD}$를 그으면 $\angle ABD=\angle ACD=60^\circ$

$\overline{AB}$가 원 O의 지름이므로 $\angle ADB=90^\circ$

따라서 $\triangle ADB$에서

$\angle BAD=180^\circ-(90^\circ+60^\circ)=30^\circ$

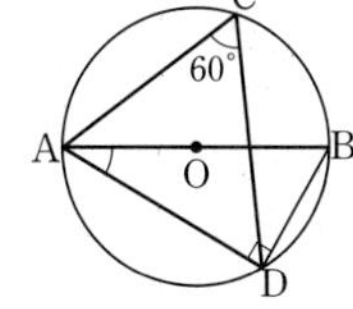

26 $\overline{AD}$를 그으면 $\angle CAD=\frac{1}{2}\times 52^\circ=26^\circ$

$\angle ADB=90^\circ$

따라서 $\triangle PAD$에서

$\angle CPD=180^\circ-90^\circ-26^\circ=64^\circ$

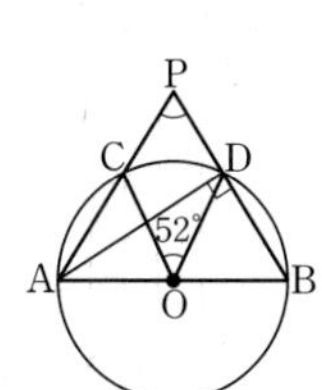

27 $\overline{BC}$를 그으면
$\angle BCD=\angle BED=42°$
$\overline{AB}$가 원 O의 지름이므로 $\angle ACB=90°$
$\therefore \angle ACD=90°-42°=48°$

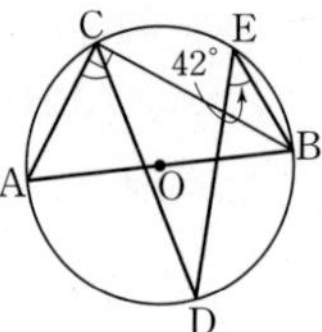

28 $\angle ABC=\angle ADC=\frac{1}{2}\times 180°=90°$
$\angle CAD=\angle DBC$이므로 $\angle x=90°-28°=62°$
$\angle y=90°-35°=55°$

29 오른쪽 그림과 같이 점 A와 원의 중심을 지나는 현이 원과 만나는 점을 Q라 하면
$\angle AQB=\angle APB=60°$
또, $\overline{AQ}$가 지름이므로 $\angle ABQ=90°$
$\triangle ABQ$에서 $\overline{AQ}=\frac{2\sqrt{3}}{\sin 60°}=2\sqrt{3}\times\frac{2}{\sqrt{3}}=4$
$\therefore \overline{AQ}=4$
따라서 원의 반지름의 길이는 2이다.

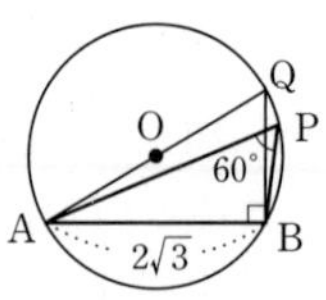

30 $\angle ACO=\frac{1}{2}\angle AOD=\frac{1}{2}\times 70°=35°$
$\angle ACB=90°$이고 $\overline{CE}$가 $\angle ACB$의 이등분선이므로
$\angle ACE=45°$
따라서 $\angle DCE=\angle ACE-\angle ACD=45°-35°=10°$

31 $\overline{O'P}$, $\overline{BQ}$를 그으면
$\angle APO'=\angle AQB=90°$
$\triangle AO'P \backsim \triangle ABQ$(AA 닮음)이므로
$\overline{AO'}:\overline{AB}=\overline{O'P}:\overline{BQ}$
즉, $9:12=3:\overline{BQ}$ $\quad\therefore \overline{BQ}=4(cm)$
따라서 $\triangle ABQ$에서
$\overline{AQ}=\sqrt{12^2-4^2}=8\sqrt{2}(cm)$

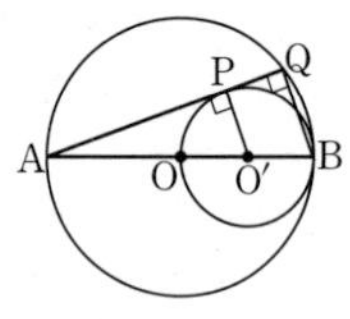

32 $\overline{OC}$를 그으면
$\angle BOC=2\times 28°=56°$
$\widehat{BC}=\widehat{CD}$이므로 $\angle BOC=\angle COD=56°$
$\therefore \angle BOD=2\times 56°=112°$

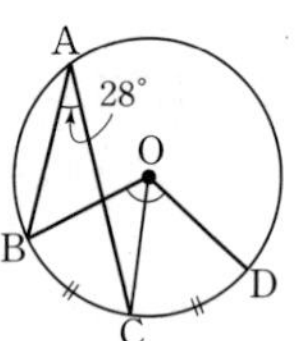

33 $\widehat{AC}=\widehat{BD}$이므로 $\angle BCD=\angle ABC=25°$
따라서 $\triangle PCB$에서 $\angle APC=25°+25°=50°$

34 $\widehat{AC}=\widehat{BD}$이므로 $\angle y=\angle ADC=55°$
$\angle x=55°+55°=110°$
$\angle x+\angle y=110°+55°=165°$

35 $\widehat{BN}=\widehat{CN}$이므로 $\angle BAN=\angle CAN=\angle a$,
$\widehat{AM}=\widehat{BM}$이므로 $\angle ACM=\angle BCM=\angle b$
로 놓으면 $\triangle ABC$에서
$2\angle a+40°+2\angle b=180°$
$\therefore \angle a+\angle b=70°$
$\therefore \angle MPN=\angle APC=180°-(\angle a+\angle b)=110°$

36 점 A와 C를 선분으로 연결하면
$\angle ABD=\angle ACB=\angle x$
$\angle BAC=90°$이므로
$\angle x+28°+\angle x=90°$
$\therefore \angle x=31°$

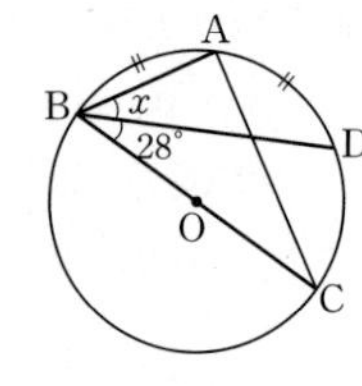

37 $\angle AOB=\frac{1}{5}\times 360°=72°$이므로
$\angle ACB=\frac{1}{2}\times 72°=36°$
$\angle COE=2\times 72°=144°$이므로
$\angle CBE=\frac{1}{2}\times 144°=72°$
$\triangle BCF$에서 $72°+36°+\angle BFC=180°$
$\therefore \angle BFC=72°$

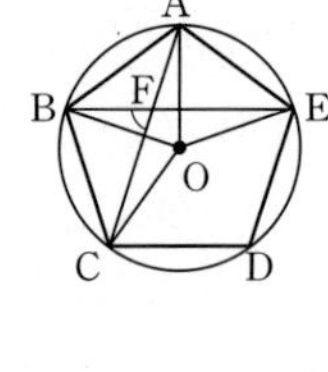

38 $\angle ACD=\angle a$, $\angle ABF=\angle b$,
$\angle BAE=\angle c$라 하면
$\triangle ABC$에서 $2(\angle a+\angle b+\angle c)=180°$
$\therefore \angle a+\angle b+\angle c=90°$ $\cdots$ ㉠
$\angle ACD=\angle AED$, $\angle ABF=\angle AEF$이므로
$\angle a+\angle b=50°$ $\cdots$ ㉡
㉠, ㉡에서 $\angle c=40°$
$\therefore \angle A=2\times 40°=80°$

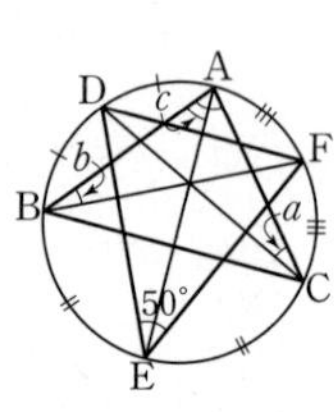

39 □APBO에서 $\angle AOB=360°-(90°+48°+90°)=132°$
따라서 $\widehat{AC}=\widehat{CD}=\widehat{DB}$이므로
$\angle BCD=\frac{1}{3}\times(360°-132°)\times\frac{1}{2}=38°$

40 $\widehat{AB}$에 대한 원주각의 크기는 $\frac{1}{2}\times 40°=20°$
$20°:\angle x=2:6$
$\therefore \angle x=60°$

41 $\angle CBE=3\angle CAD$이므로
$\widehat{CE}=3\widehat{CD}$
즉 $\widehat{CE}=4\times 3=12(cm)$
$\therefore \widehat{DE}=12-4=8(cm)$

42 $\angle y=2\angle BAC=2\times 20°=40°$
$\angle x:20°=12:4$ $\quad\therefore \angle x=60°$
$\therefore \angle x+\angle y=60°+40°=100°$

43 $\overline{AC}\,/\!/\,\overline{ED}$이므로
$\angle CAO=\angle DOB=2\times 25°=50°$
$\overline{OC}$를 그으면 $\overline{OA}=\overline{OC}$이므로
$\triangle AOC$에서
$\angle AOC=180°-2\times 50°=80°$
$\widehat{AC}:5=80°:50°$
$\therefore \widehat{AC}=8(cm)$

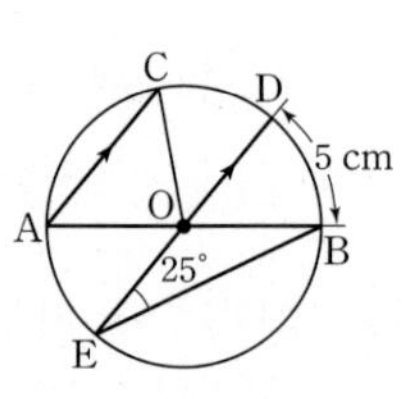

44 $\triangle ACP$에서 $\angle CAB=65°-20°=45°$
원의 둘레의 길이를 l이라 하면 $45°:180°=6:l$
$\therefore l=24(cm)$

45 $\overline{AD}$를 그으면 $\triangle PAD$에서

$\angle BAD + \angle ADC = 45°$

따라서 $\overset{\frown}{AC}$, $\overset{\frown}{BD}$의 중심각의 크기의 합은 $90°$이다.

$\therefore \overset{\frown}{AC} + \overset{\frown}{BD} = 2\pi \times 4 \times \dfrac{90°}{360°} = 2\pi$

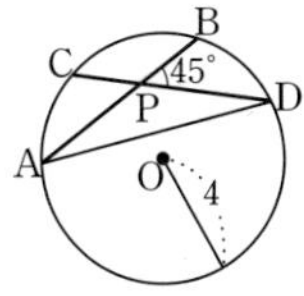

46 $\overline{AB}$를 그으면

$\triangle APB$에서 $\angle ABP = 50°$

$\overset{\frown}{AB} : \overset{\frown}{AP} = 40° : 50°$, $4\pi : \overset{\frown}{AP} = 4 : 5$

$\therefore \overset{\frown}{AP} = 5\pi$

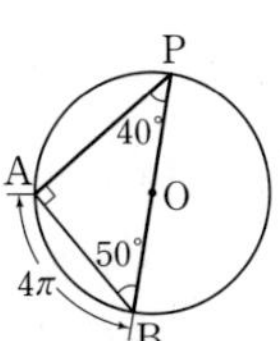

47 $\angle ADC = \angle ABC = \angle a$라 하면

$\overset{\frown}{AC} : \overset{\frown}{BD} = 1 : 3$이므로 $\angle BCD = 3\angle a$

$\triangle BPC$에서 $3\angle a = 50° + \angle a$　　$\therefore \angle a = 25°$

따라서 $\triangle QCD$에서 $\angle BQD = 3\angle a + \angle a = 100°$

48 오른쪽 그림과 같이

$\overline{OA}$, $\overline{OB}$, $\overline{OC}$, $\overline{OD}$, $\overline{AC}$를 그으면

$\triangle ACP$에서 $\angle CAB + \angle ACD = 60°$

$\therefore \angle COB + \angle AOD = 2 \times 60° = 120°$

원 O의 반지름의 길이를 r라 하면

$\overset{\frown}{AD} + \overset{\frown}{BC} = 12\pi = 2\pi \times r \times \dfrac{120°}{360°}$　　$\therefore r = 18$

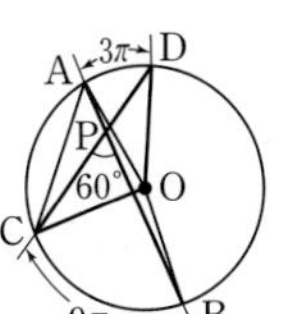

49 $\overset{\frown}{AB} : \overset{\frown}{BC} : \overset{\frown}{CA} = 3 : 4 : 5$이므로

$\angle A = \dfrac{4}{12} \times 180° = 60°$,

$\angle B = \dfrac{5}{12} \times 180° = 75°$,

$\angle C = \dfrac{3}{12} \times 180° = 45°$

50 $\overset{\frown}{AC}$는 원의 둘레의 길이의 $\dfrac{1}{5}$이므로 $\angle ABC = \dfrac{1}{5} \times 180° = 36°$

$\overset{\frown}{DB}$는 원의 둘레의 길이의 $\dfrac{1}{9}$이므로 $\angle BCD = \dfrac{1}{9} \times 180° = 20°$

따라서 $\triangle PCB$에서 $\angle x = 36° + 20° = 56°$

51 $\angle A = \dfrac{2}{6} \times 180° = 60°$,

$\angle B = \dfrac{3}{6} \times 180° = 90°$,

$\angle C = \dfrac{1}{6} \times 180° = 30°$

따라서 옳지 않은 것은 ②이다.

52 $\triangle PCB$에서 $\angle DCB = 110° - 50° = 60°$

따라서 원의 둘레의 길이를 l이라 하면

$\overset{\frown}{BD} : l = 60° : 180°$이므로 $\overset{\frown}{BD} = \dfrac{1}{3}l$

53 $\angle AEC = \angle CED = \angle BED$이므로

$\overset{\frown}{AC} = \overset{\frown}{CD} = \overset{\frown}{BD}$

$\overset{\frown}{AB} = 3\pi(\text{cm})$이므로

$\overset{\frown}{CD} = 3\pi \times \dfrac{1}{3} = \pi(\text{cm})$

54 $\overline{AD}$를 그으면 $\angle ADC$와 $\angle BAD$는

각각 $\overset{\frown}{AC}$, $\overset{\frown}{BD}$의 원주각이므로

$\overset{\frown}{AC} + \overset{\frown}{BD}$의 원주각의 크기는

$180° \times \left(\dfrac{2}{15} + \dfrac{1}{15}\right) = 36°$이다.

따라서 $\overset{\frown}{AC} + \overset{\frown}{BD}$의 중심각의 크기는 $72°$이므로

$\overset{\frown}{AC} + \overset{\frown}{BD} = 2 \times 5 \times \pi \times \dfrac{72°}{360°} = 2\pi(\text{cm})$

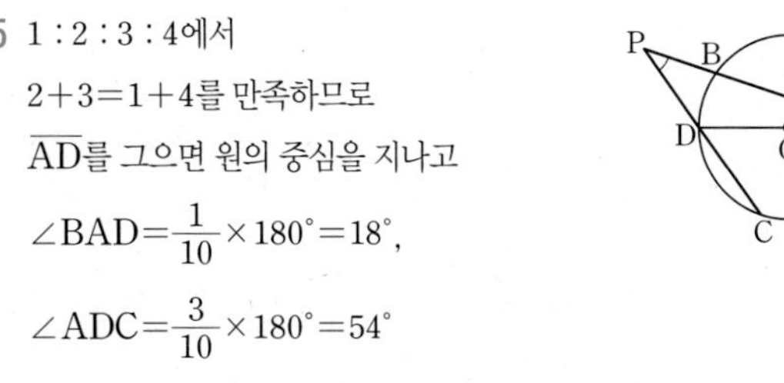

55 $1 : 2 : 3 : 4$에서

$2 + 3 = 1 + 4$를 만족하므로

$\overline{AD}$를 그으면 원의 중심을 지나고

$\angle BAD = \dfrac{1}{10} \times 180° = 18°$,

$\angle ADC = \dfrac{3}{10} \times 180° = 54°$

따라서 $\triangle PDA$에서 $\angle BPD = 54° - 18° = 36°$

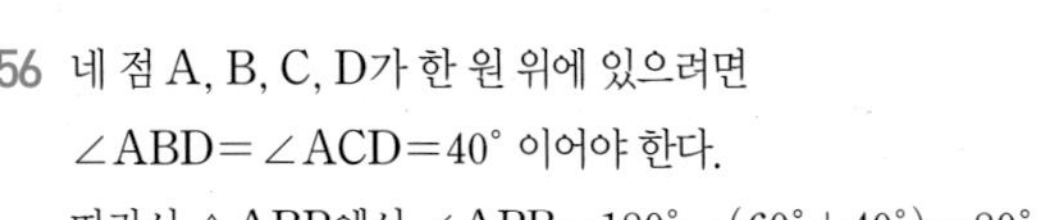

56 네 점 A, B, C, D가 한 원 위에 있으려면

$\angle ABD = \angle ACD = 40°$ 이어야 한다.

따라서 $\triangle ABP$에서 $\angle APB = 180° - (60° + 40°) = 80°$

57 네 점 A, B, C, D가 한 원 위에 있으려면

$\angle ABD = \angle ACD = 20°$이어야 한다.

따라서 $\triangle ABE$에서 $\angle BEC = 80° + 20° = 100°$

59 ① $\angle BAC = 180° - (100° + 35°) = 45° \neq \angle BDC$

② $\angle BAC \neq \angle BDC$

③ $\angle ACB = 180° - (70° + 75°) = 35° \neq \angle ADB$

④ $\angle BDC = 110° - 80° = 30° = \angle BAC$

⑤ $\angle BAC = 90° - 30° = 60° \neq \angle BDC$

60 $\angle DAC$가 $\triangle APC$의 한 외각이므로

$\angle ACP = 70° - 40° = 30°$

점 A, B, C, D가 한 원에 있으려면

$\angle ADB = \angle ACB = 30°$이어야 한다.

61 $\angle ADB = \angle ACB = 15°$이어야 한다.

$\triangle EBC$에서 $\angle DBC = 80° - 15° = 65°$

따라서 $\triangle DPB$에서 $\angle x = 65° - 15° = 50°$

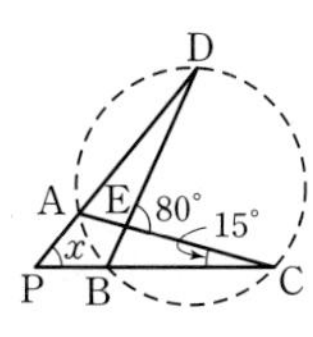

62 원에 내접하는 사각형의 한 쌍의 대각의 크기의 합은 $180°$이다.

$\therefore \angle x = 180° - 120° = 60°$

63 $\angle y = \dfrac{1}{2} \times 140° = 70°$

$\square ABCD$가 원에 내접하므로 $\angle x = 180° - 70° = 110°$

$\therefore \angle x - \angle y = 110° - 70° = 40°$

64 $\angle ADC = 180° - 64° - 31° = 85°$

$\square ABCD$는 원에 내접하므로 $\angle x = 180° - 85° = 95°$

65 $\overline{AD} = \overline{BD}$이므로 $\angle DAB = \angle DBA = \dfrac{1}{2} \times (180° - 36°) = 72°$

따라서 $\square ABCD$가 원에 내접하므로

$\angle BCD = 180° - 72° = 108°$

66 $\overline{BD}$를 그으면 $\angle DBE=\angle DCE=40°$
□ABDE에서 $\angle ABD+\angle AED=180°$
$(20°+40°)+(50°+\angle BED)=180°$
$\therefore \angle BED=70°$

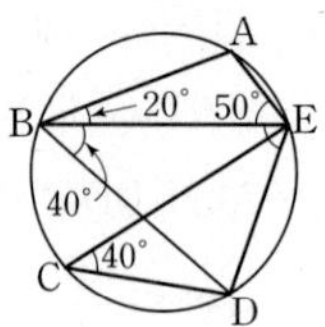

67 $\overline{AC}$가 원 O의 지름이므로
$\angle ABC=90°$ $\therefore \angle DBC=90°-60°=30°$
△PBC에서 $\angle ECB=90°-30°=60°$
따라서 □ABCE에서 $\angle BAE=180°-60°=120°$

68 $\overline{OC}$를 그으면
△OBC와 △OCD는 이등변삼각형이므로
$\angle OCB=\angle x$, $\angle OCD=\angle y$
$\therefore \angle x+\angle y=\angle BCD=180°-110°=70°$

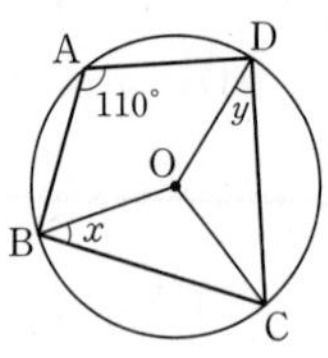

69 $\angle DAB+\angle BCD=180°$
$\angle PAD+\angle DCQ=90°$
$\widehat{PQ}=\widehat{PD}+\widehat{DQ}$에 대한 중심각의 크기가 180°이므로
$x=\widehat{PQ}=16\pi\times\frac{180°}{360°}=8\pi$

70 $\angle ACD=\angle ABD=62°$
$\overline{AC}/\!/\overline{ED}$이므로 $\angle EDF=\angle ACD=62°$
□ABDE에서 $\angle AED=180°-62°=118°$
따라서 △EDF에서 $\angle DFE=118°-62°=56°$

71 $\angle ACB=a$, $\angle BDC=b$, $\angle CED=c$,
$\angle DFE=d$, $\angle EAF=e$,
$\angle FBA=f$라 하자.
$\overline{BE}$를 그으면
$\angle AEB=\angle ACB=a$, $\angle BEC=\angle BDC=b$
$\angle DBE=\angle DFE=d$, $\angle EBF=\angle EAF=e$
□EABD는 원에 내접하므로 $\angle AED+\angle ABD=180°$
$(a+b+c)+(d+e+f)=180°$
$\therefore a+b+c+d+e+f=180°$

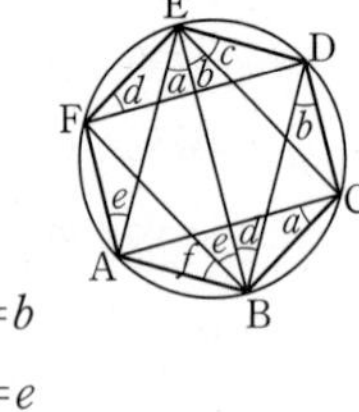

72 □ABCD가 원에 내접하므로 $\angle DCE=\angle A$
$\therefore \angle x=98°$

73 □AQBP가 원 O에 내접하므로 $\angle APB=\angle BQR=55°$
$\therefore \angle AOB=2\times55°=110°$

74 △PCD에서 $\angle PDC=180°-(30°+80°)=70°$
따라서 □ABCD가 원 O에 내접하므로
$\angle ABP=\angle ADC=70°$

75 $\angle ABC=\angle ADC=30°$($\because$ $\widehat{AC}$에 대한 원주각)
따라서 □ACDB가 원 O에 내접하므로
$\angle PCA=\angle ABD=30°+35°=65°$

76 $\angle x=\angle BAC=42°$($\because$ $\widehat{BC}$에 대한 원주각)
□ABCD는 원에 내접하므로
$\angle y=\angle ADC=65°+42°=107°$
$\therefore \angle x+\angle y=42°+107°=149°$

77 □FBDG가 원에 내접하므로 $\angle GDC=\angle BFG=80°$
따라서 □GDCE가 원에 내접하므로
$\angle GEC=180°-80°=100°$

78 $\angle ABC=\frac{2}{3}\times180°=120°$이므로 $\angle ADC=180°-120°=60°$
또, $\angle DCE=\angle BAD=\frac{3}{5}\times180°=108°$
$\therefore \angle ADC+\angle DCE=60°+108°=168°$

79 △BCE에서 $\angle DCF=55°+30°=85°$
△DCF에서 $\angle ADC=85°+\angle x$
□ABCD가 원에 내접하므로 $\angle B+\angle ADC=180°$
$55°+(85°+\angle x)=180°$ $\therefore \angle x=40°$

80 △ABF에서 $\angle CBE=\angle x+32°$
△CBE에서 $\angle DCB=(\angle x+32°)+68°=\angle x+100°$
□ABCD가 원에 내접하므로 $\angle x+(\angle x+100°)=180°$
$2\angle x=80°$ $\therefore \angle x=40°$

81 △PAD에서 $\angle PAD+28°=129°$이므로
$\angle PAD=101°$ ⋯⋯ ㉠
△QDC에서
$\angle BCD=\angle CDQ+\angle DQC$
$=(180°-129°)+50°=101°$ ⋯ ㉡
㉠, ㉡에서 $\angle PAD=\angle BCD$
따라서 한 외각의 크기와 그 내대각의 크기가 같으므로 □ABCD는 원에 내접한다.

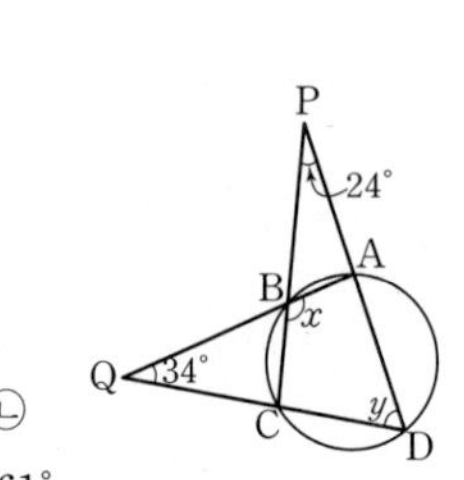

82 $\angle ADC=\angle y$라 하면
□ABCD가 원에 내접하므로
$\angle x+\angle y=180°$ ⋯⋯ ㉠
△PCD에서 $\angle PCQ=\angle y+24°$
△CBQ에서 $\angle x=34°+\angle y+24°$ ⋯⋯ ㉡
㉠, ㉡을 연립하여 풀면 $\angle x=119°$, $\angle y=61°$

83 $\angle ABC=\angle a$라 하면
△BCQ에서 $\angle DCP=\angle a+21°$
△DCP에서 $\angle ADC=(\angle a+21°)+33°=\angle a+54°$
□ABCD가 원에 내접하므로
$\angle a+(\angle a+54°)=180°$ $\therefore \angle a=63°$
$\therefore \angle AOC=2\angle ABC=2\times63°=126°$

84 □ABDE가 원 O에 내접하므로
$\angle EDB=180°-80°=100°$
$\therefore \angle BDC=140°-100°=40°$
$\therefore \angle BOC=2\times40°=80°$

85 $\overline{BD}$를 그으면
□ABDE가 원 O에 내접하므로
$\angle EDB=180°-90°=90°$
$\therefore \angle BDC=130°-90°=40°$
$\therefore \angle BOC=2\times40°=80°$

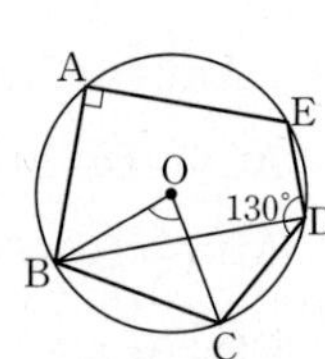

86 $\overline{BD}$를 그으면

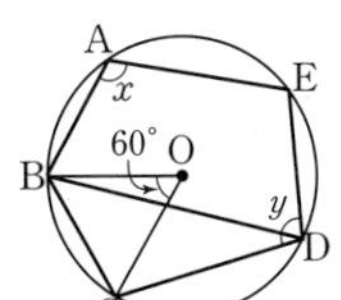

□ABDE가 원 O에 내접하므로

$\angle BAE + \angle BDE = 180°$

또, $\angle BDC = \frac{1}{2} \times 60° = 30°$

$\therefore \angle x + \angle y = \angle BAE + \angle BDE + \angle BDC$

$= 180° + 30° = 210°$

87 $\overline{BD}$를 그으면

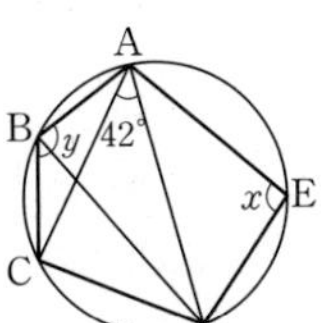

$\overset{\frown}{CD}$에 대하여 $\angle CBD = \angle CAD = 42°$

□ABDE는 원에 내접하므로

$\angle x + \angle ABD = 180°$

$\therefore \angle x + \angle y = \angle x + \angle ABD + \angle CBD$

$= 180° + 42° = 222°$

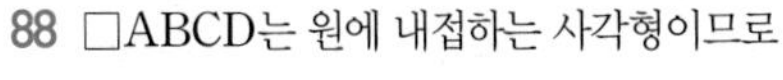

88 □ABCD는 원에 내접하는 사각형이므로

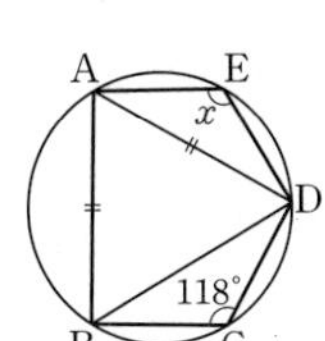

$\angle BAD = 180° - 118° = 62°$

$\overline{BD}$를 그으면 $\triangle ABD$에서

$\angle ABD = \frac{1}{2} \times (180° - 62°) = 59°$

□ABDE도 원에 내접하는 사각형이므로

$\angle ABD = 59°$이면 $\angle AED = 180° - 59° = 121°$

89 $\overline{AD}$를 그으면

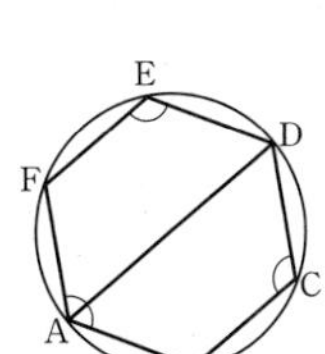

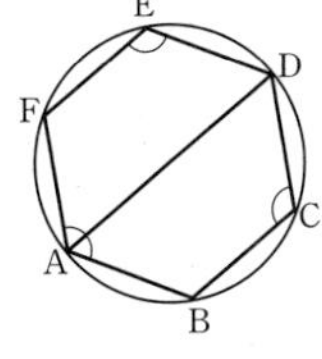

□ADEF가 원에 내접하므로

$\angle FAD + \angle E = 180°$

또, □ABCD가 원에 내접하므로

$\angle DAB + \angle C = 180°$

$\therefore \angle A + \angle C + \angle E$

$= (\angle FAD + \angle DAB) + \angle C + \angle E$

$= 180° + 180° = 360°$

90 $\overline{CF}$를 그으면

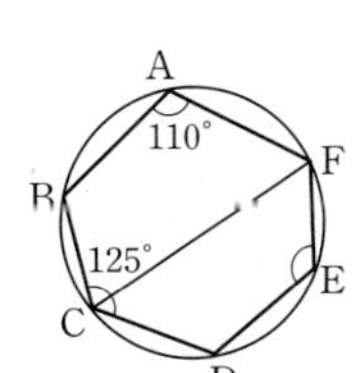

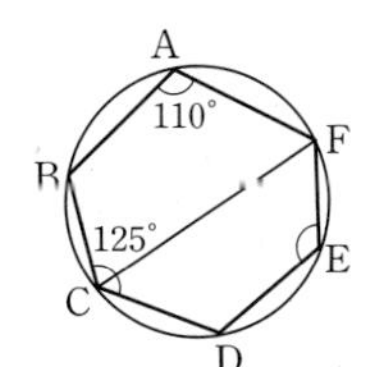
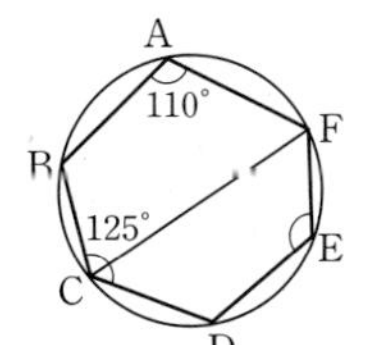

□ABCF가 원에 내접하므로

$\angle BCF = 180° - 110° = 70°$

$\therefore \angle DCF = 125° - 70° = 55°$

따라서 □CDEF가 원에 내접하므로

$\angle E = 180° - 55° = 125°$

91 ① $\angle BAD + \angle BCD = 180°$

② $\angle BAD + \angle BCD = 220° \neq 180°$

③ $\angle BAD + \angle BCD = 170° \neq 180°$

④ $\angle ABC + \angle ADC = 180°$

⑤ $\angle BAD + \angle BCD = 180°$

92 $\angle BAD + \angle BCD = 180°$이므로 □ABCD는 원에 내접한다.

$\therefore \angle ADB = \angle ACB = 45°$

94 □ABCD가 원에 내접하기 위한 조건은

$\angle A + \angle BCD = 180°$이어야 하므로

$\angle BCD = 180° - 98° = 82°$이거나 $\angle A = \angle DCE = 98°$이다.

95 $\triangle ABC$에서 $\angle A = 180° - (63° + 40°) = 77°$

□ABDC에서 $\angle A + \angle D = 180°$이어야 하므로

$\angle D = 180° - \angle A = 180° - 77° = 103°$

96 □ADHF에서 $\angle ADH + \angle AFH = 180°$

□DBEH에서 $\angle BDH + \angle BEH = 180°$

□HECF에서 $\angle HEC + \angle HFC = 180°$

□DBCF에서 $\angle BDC = \angle BFC = 90°$

□ABEF에서 $\angle AFB = \angle AEB = 90°$

□ADEC에서 $\angle ADC = \angle AEC = 90°$

97 직선 AT가 원 O의 접선이므로

$\angle x = \angle CBA = 33°$, $\angle y = \angle BCA = 102°$

98 오른쪽 그림과 같이

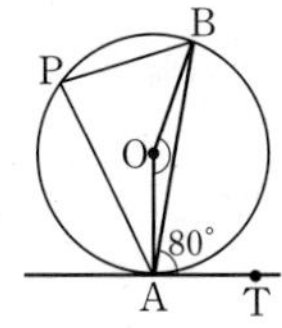

원 O 위에 한 점 P를 잡으면

직선 AT가 원 O의 접선이므로

$\angle APB = \angle BAT = 80°$

$\therefore \angle BOA = 2 \times 80° = 160°$

99 $\overleftrightarrow{AT}$가 원 O의 접선이므로 $\angle x = \angle BAT = 36°$

□ABCD가 원 O에 내접하므로

$\angle y = 180° - \angle DAB = 28° + 36° = 64°$

$\therefore \angle y - \angle x = 64° - 36° = 28°$

100 $\overline{BT} = \overline{BP}$이므로 $\angle BTP = \angle BPT = 35°$

$\overline{TP}$가 원의 접선이므로 $\angle TAB = \angle BTP = 35°$

$\triangle BTP$에서 $\angle ABT = 35° + 35° = 70°$

따라서 $\triangle ATB$에서 $\angle ATB = 180° - (35° + 70°) = 75°$

101 $\triangle OAB$에서 $\overline{OA} = \overline{OB}$($\because$ 반지름)이므로

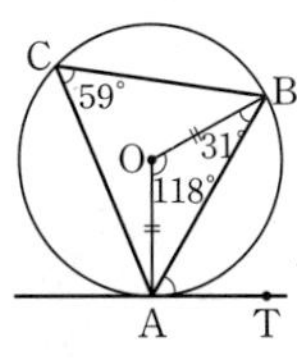

$\angle OAB = \angle OBA = 31°$

$\therefore \angle AOB = 180° - 2 \times 31° = 118°$

$\angle ACB = \frac{1}{2} \angle AOB = 59°$이고

$\angle BAT = \angle ACB = 59°$이다.

102 $\angle BAT = \angle BCA = 180° \times \frac{6}{6+5+4} = 72°$

103 □ABCD가 원에 내접하므로

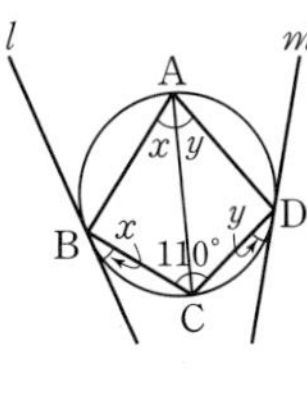

$\angle BAD = 180° - 110° = 70°$

$\overline{AC}$를 그으면 $\angle x = \angle BAC$, $\angle y = \angle CAD$

$\therefore \angle x + \angle y = \angle BAC + \angle CAD$

$= \angle BAD$

$= 70°$

104 $\overleftrightarrow{ST}$가 원 O의 접선이므로 $\angle CPT = \angle CAP = 75°$

$\overleftrightarrow{ST}$가 원 O′의 접선이므로 $\angle TPB = \angle PDB = 55°$

$\angle CPT + \angle TPB + \angle BPD = 180°$이므로

$\angle BPD = 180° - (75° + 55°) = 50°$

105 ① $\angle BAT = \angle BTQ = \angle DTP = \angle DCT$

② $\angle ABT = \angle ATP = \angle CTQ = \angle CDT$

③ ①에 의하여 엇각의 크기가 같으므로 $\overline{AB} /\!/ \overline{DC}$

④ $\triangle ABT$와 $\triangle CDT$에서

$\angle BAT = \angle DCT$(엇각), $\angle ABT = \angle CDT$(엇각)이므로

$\triangle ABT \backsim \triangle CDT$(AA 닮음)

⑤ $\triangle ABT \backsim \triangle CDT$이므로 $\overline{AT} : \overline{CT} = \overline{BT} : \overline{DT}$

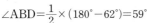

106 $\angle CTP=\angle CAT=38^\circ$

□ACTB에서 $\angle ACT+\angle B=180^\circ$이므로

$\angle ACT=180^\circ-100^\circ=80^\circ$

△ATC에서 $\angle y=180^\circ-(38^\circ+80^\circ)=62^\circ$

△CPT에서 $\angle x+\angle CTP=\angle x+38^\circ=80^\circ$, $\angle x=42^\circ$

$\therefore \angle x+\angle y=42^\circ+62^\circ=104^\circ$

107 $\overline{BT}$를 그으면

□ABTC가 원 O에 내접하므로

$\angle ABT=180^\circ-95^\circ=85^\circ$

$\overline{PT}$가 원 O의 접선이므로

$\angle PTB=\angle BAT=40^\circ$

따라서 △BPT에서 $\angle APT=85^\circ-40^\circ=45^\circ$

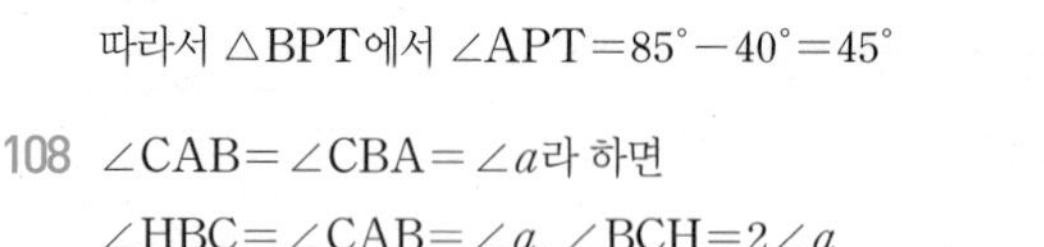

108 $\angle CAB=\angle CBA=\angle a$라 하면

$\angle HBC=\angle CAB=\angle a$, $\angle BCH=2\angle a$

△CBH에서 $2\angle a+\angle a+120^\circ=180^\circ$ $\therefore \angle a=20^\circ$

109 $\overline{BC}$를 그으면 △ABC에서

$\angle ACB=90^\circ$이므로

$\overline{BC}=10\cos 60^\circ=5$

$\angle BCD=\angle CAB=30^\circ$

$\therefore \overline{BD}=\overline{BC}=5$

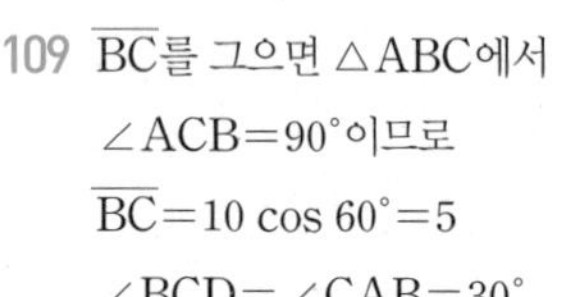

110 $\overline{AB}$, $\overline{BC}$를 그으면

$\angle CAE=\angle ABC=\angle x$

$\widehat{AC}=\widehat{CD}$이므로 $\angle ABC=\angle CBD=\angle x$

$\widehat{CD}=\widehat{DB}$이므로 $\angle BAC=2\angle x$

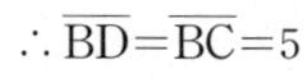

△AEB에서

$(2\angle x+\angle x)+65^\circ+(\angle x+\angle x)=180^\circ$, $5\angle x=115^\circ$

$\therefore \angle x=23^\circ$

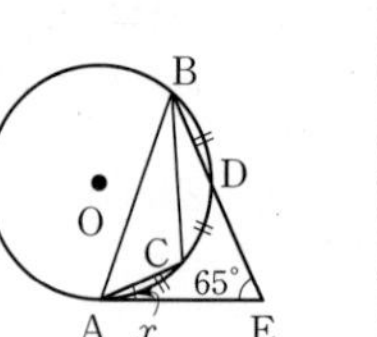

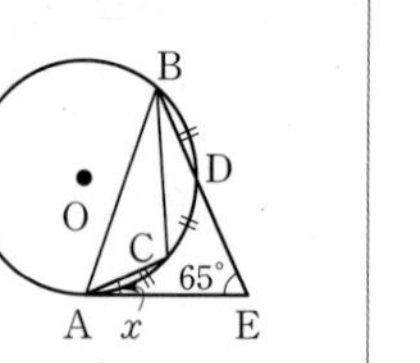

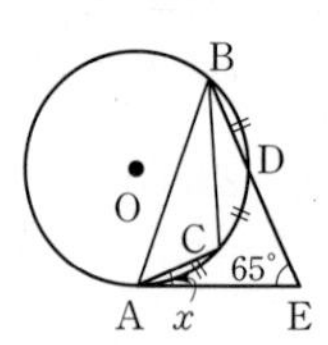

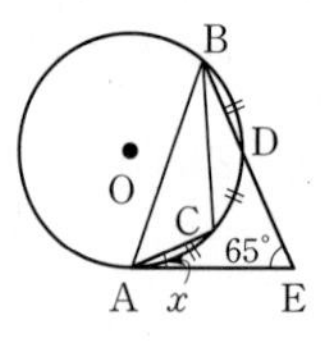

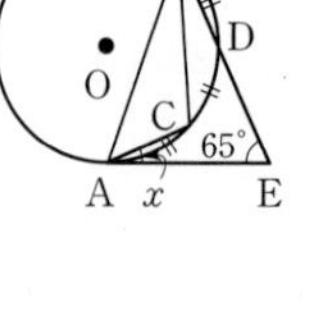

111 $\overline{BC}$를 그으면 $\angle ACB=90^\circ$이고,

$\overleftrightarrow{CT}$가 원 O의 접선이므로

$\angle ACD=\angle ABC$

$\therefore$ △ACD∽△ABC(AA 닮음)

$3:\overline{AC}=\overline{AC}:4$

$\therefore \overline{AC}=2\sqrt{3}\,(\because \overline{AC}>0)$

따라서 △ACD에서

$\cos(\angle CAD)=\dfrac{\overline{AD}}{\overline{AC}}=\dfrac{3}{2\sqrt{3}}=\dfrac{\sqrt{3}}{2}=\cos 30^\circ$이므로

$\angle CAD=30^\circ$

112 $\angle TAC=\angle a$라 하면 $\angle ABC=\angle TAC=\angle a$

$\overleftrightarrow{AT}\,/\!/\,\overline{DC}$이므로 $\angle ACD=\angle TAC=\angle a$(엇각)

△ABC와 △ACD에서 $\angle ABC=\angle ACD$, $\angle A$는 공통이므로

△ABC∽△ACD(AA 닮음)

$(x+5):6=6:x$, $x^2+5x-36=0$

$(x+9)(x-4)=0$ $\therefore x=4\,(\because x>0)$

113 $\angle ACB=\angle TAB=74^\circ$

△ACD∽△AEF(AA닮음)에서 $\angle AEF=74^\circ$

□ABGE에서 $\angle ABG=74^\circ$

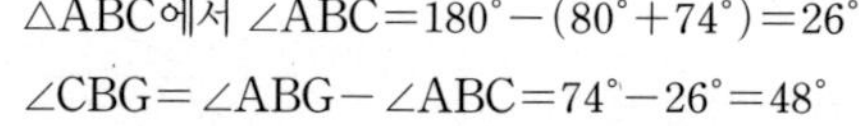

△ABC에서 $\angle ABC=180^\circ-(80^\circ+74^\circ)=26^\circ$

$\angle CBG=\angle ABG-\angle ABC=74^\circ-26^\circ=48^\circ$

114 $\overline{AC}$를 그으면 $\overline{BC}$가 원 O의 지름이므로

$\angle CAB=90^\circ$

△ABC에서 $\angle BCA=180^\circ-(90^\circ+35^\circ)$

$=55^\circ$

따라서 $\overleftrightarrow{AT}$가 원 O의 접선이므로 $\angle BAT=\angle BCA=55^\circ$

115 $\overline{AC}$를 그으면

$\angle BAC=\angle BCT=60^\circ$,

$\angle ACB=90^\circ$이므로

$\angle ABC=180^\circ-(60^\circ+90^\circ)=30^\circ$

$\angle BCT$는 △BPC의 외각이므로

$\angle x+30^\circ=60^\circ$ $\therefore \angle x=30^\circ$

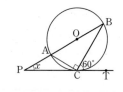

116 $\overline{BT}$를 그으면 $\overline{PT}$가 원 O의 접선이므로

$\angle BTP=\angle BAT=\angle x$

△BPT에서 $\angle ABT=\angle x+28^\circ$

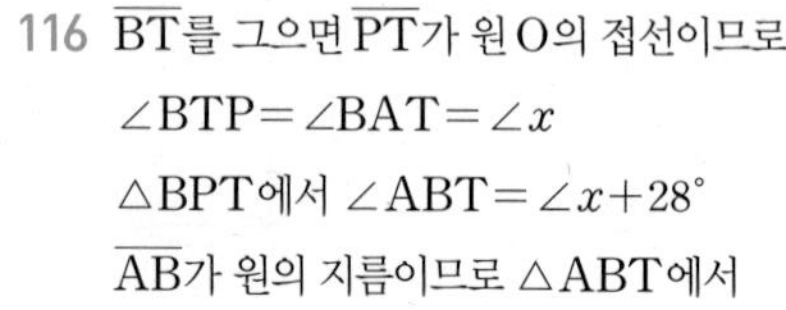

$\overline{AB}$가 원의 지름이므로 △ABT에서

$\angle x+(\angle x+28^\circ)+90^\circ=180^\circ$

$\therefore \angle x=31^\circ$

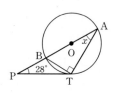

117 $\overline{AD}$를 그으면

$\angle DAC=180^\circ-(70^\circ+90^\circ)=20^\circ$

$\overleftrightarrow{CT}$가 원 O의 접선이므로

$\angle ABD=\angle DAC=20^\circ$

따라서 △BAC에서 $\angle BCT=70^\circ-20^\circ$

$=50^\circ$

118 $\overline{BC}$를 그으면

$\angle P=\angle BAC=\angle CBP=\angle x$라 하면

$\angle ABC=90^\circ$이므로

△ABP에서

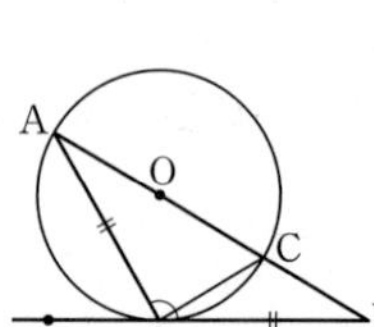

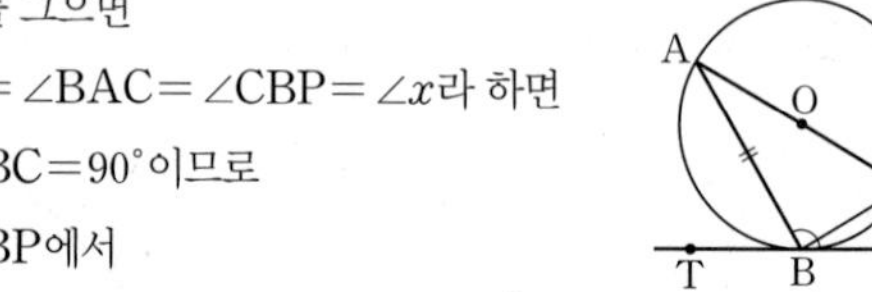

$\angle x+(90^\circ+\angle x)+\angle x=180^\circ$

$\therefore \angle x=30^\circ$

$\therefore \angle ABP=90^\circ+30^\circ=120^\circ$

119 $\angle x=\angle ACB=\angle BAT=38^\circ$

$\angle CAS=\angle CBA=57^\circ$

△ABD에서 $\angle DBA=90^\circ$이므로

$\angle y=90^\circ-57^\circ=33^\circ$

$\therefore \angle x+\angle y=38^\circ+33^\circ=71^\circ$

120 $\overline{BC}$를 그으면 $\angle ACB=90^\circ$

$\angle BAC=\angle x$라고 하면 $\angle BCP=\angle x$

△APC에서

$\angle x+38^\circ+\angle x+90^\circ=180^\circ$

$\therefore \angle x=26^\circ$

$\angle ACD=\angle CAD=\angle y$라고 하면

□ABCD는 원에 내접하므로 $\angle BAD+\angle BCD=180^\circ$

$26^\circ+\angle y+90^\circ+\angle y=180^\circ$

$\therefore \angle y=\angle ACD=32^\circ$

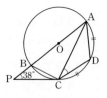

121 $\overset{\frown}{AT}=\overset{\frown}{CT}$이므로 $\overline{AT}=\overline{CT}$

$\angle ATB=x$라고 하면

$\triangle ATC$에서

$\angle CAT=\angle ACT=\angle ATP=x+28°$

$\overline{AB}$를 그으면

$\triangle ABT$에서 $\angle BAT=\angle PTB=28°$

$\triangle ABC$에서 $\angle BAC=90°$이므로

$(x+28°)+28°=90°$

$\therefore x=\angle ATB=34°$

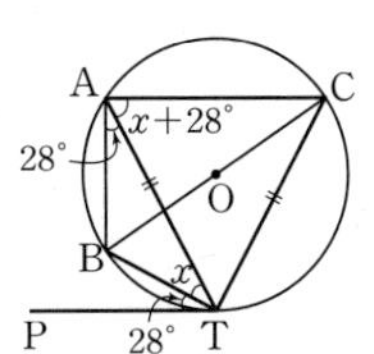

122 $\overline{CT}$를 그으면

$\angle BCT=\angle BAT=60°$($\because$ $\overset{\frown}{BT}$에 대한 원주각)

$\triangle BCT$에서 $\angle CBT=180°-(60°+90°)=30°$

$\overrightarrow{PT}$가 원 O의 접선이므로

$\angle CTP=\angle CBT=30°$

따라서 $\triangle CPT$에서 $\angle CPT=60°-30°=30°$

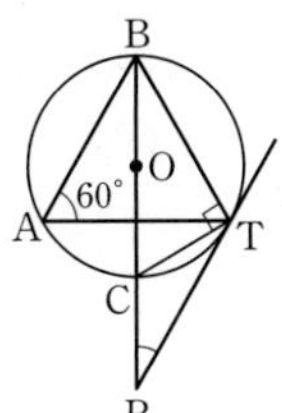

123 $\overline{AC}$를 그으면 $\overleftrightarrow{DE}$가 원 O의 접선이므로

$\angle DCA=\angle ADE=20°$

$\therefore \angle x=\angle BCD=90°-20°=70°$

$\overline{BC}\,/\!/\,\overline{DE}$이므로 $\angle CDE=\angle BCD=70°$

$\therefore \angle PDA=70°-20°=50°$

$\triangle PDA$에서

$\angle y=\angle DPA=180°-(50°+70°)=60°$

$\therefore \angle x+\angle y=70°+60°=130°$

124 $\overline{DA}$가 접선이므로

$\angle DAP=90°-30°=60°$

$\overline{DA}=\overline{DP}$이므로

$\angle DAP=\angle DPA=60°$

따라서 $\triangle DAP$는 정삼각형이다.

$\therefore \overline{AP}=9$(cm)

$\overline{PB}$를 그으면 $\angle APB=90°$이므로

$\overline{AB}=\dfrac{9}{\cos 30°}=6\sqrt{3}$(cm)

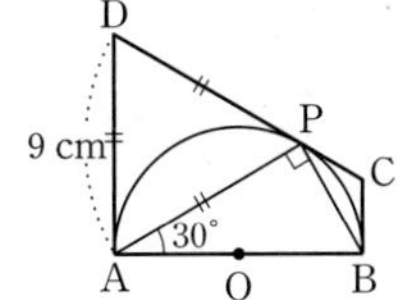

125 $\overline{PA}=\overline{PB}$이므로 $\angle PAB=\frac{1}{2}\times(180°-50°)=65°$

따라서 반직선 PA가 접선이므로 $\angle x=\angle PAB=65°$

126 $\triangle DEF$에서 $\angle DFE=180°-(60°+50°)=70°$

$\overline{AB}$가 원의 접선이므로 $\angle BDE=\angle DFE=70°$

따라서 $\overline{BD}=\overline{BE}$이므로 $\angle B=180°-2\times70°=40°$

127 $\overline{BD}=\overline{BE}$이므로 $\angle BDE=\frac{1}{2}\times(180°-48°)=66°$

$\overline{AB}$가 원의 접선이므로 $\angle DFE=\angle BDE=66°$

따라서 $\triangle DEF$에서 $\angle EDF=180°-(46°+66°)=68°$

128 $\angle CEF=\angle CFE=\angle EDF=59°$

$\angle C=180°-2\times59°=62°$

$\therefore \angle B=180°-90°-62°=28°$

129 $\overset{\frown}{AC}=\overset{\frown}{BC}$이므로 $\angle BAC=\angle ABC=\angle x$

$\triangle APB$에서 $\overline{PA}=\overline{PB}$이므로

$\angle ABP=\frac{1}{2}\times(180°-80°)=50°$

$\angle ACB=\angle ABP=50°$이므로

$\triangle ABC$에서 $\angle x=\frac{1}{2}\times(180°-50°)=65°$

130 $\overline{PA}=\overline{PB}$이므로

$\angle PBA=\angle PAB=\frac{1}{2}\times(180°-58°)=61°$

따라서 $\angle ACB=\angle PBA=61°$, $\angle ABC=\angle CAD=73°$이므로

$\triangle ABC$에서 $\angle CBE=\angle BAC=180°-(73°+61°)=46°$

131 $\overset{\frown}{BC}:\overset{\frown}{CA}=\angle BAC:\angle ABC$이므로

$3:8=\angle BAC:96°$ $\quad\therefore \angle BAC=36°$

$\triangle ABC$에서 $\angle ACB=180°-(36°+96°)=48°$

$\angle PAB=\angle ACB=48°$

$\triangle PAB$에서 $\overline{PA}=\overline{PB}$이므로

$\angle x=180°-2\times48°=84°$

132 $\overline{PA}=\overline{PB}$이고 $\overline{AB}$와 $\overline{BD}$를 그으면

$\angle PBA=\angle PAB=\angle ADB$

$=\frac{1}{2}(180°-42°)=69°$

$\angle ABC+\angle CBD+\angle DAB$

$=180°-69°=111°$

$\angle CBD=\frac{1}{3}\times111°=37°$($\because$ $\overset{\frown}{AC}=\overset{\frown}{CD}=\overset{\frown}{DB}$)

$\angle AEB=\angle ADB+\angle CBD=69°+37°=106°$

133 $\triangle PTA$와 $\triangle PBT$에서

$\angle P$는 공통, $\angle PTA=\angle PBT$이므로

$\triangle PTA \backsim \triangle PBT$(AA 닮음)

$4:\overline{PT}=\overline{PT}:(4+12)$, $\overline{PT}^2=64$ $\quad\therefore \overline{PT}=8$($\because$ $\overline{PT}>0$)

따라서 $\overline{AT}:12=4:8$이므로 $\overline{AT}=6$

134 $\overline{PT}$가 접선이므로 $\triangle PAT \backsim \triangle PTB$(AA 닮음)

$\overline{PA}=a$라 하면 $6:(a+9)=a:6$

$a^2+9a-36=0$, $(a+12)(a-3)=0$ $\quad\therefore a=3$($\because$ $a>0$)

따라서 $\overline{AT}:8=3:6$이므로 $\overline{AT}=4$

135 $\overline{TP}=\overline{TB}$이므로 $\angle TPB=\angle TBP$

또, $\angle PTA=\angle TBP$이므로

$\angle TPB=\angle PTA$ $\quad\therefore \overline{PA}=\overline{TA}=4$

$\triangle PTA \backsim \triangle PBT$(AA 닮음)이므로 $4:6=6:(4+\overline{AB})$

$\therefore \overline{AB}=5$

136 $\triangle PTB \backsim \triangle PAT$(AA 닮음)이므로

$\overline{PT}:(15+5)=5:\overline{PT}$

$\overline{PT}^2=100$ $\quad\therefore \overline{PT}=10$(cm)($\because$ $\overline{PT}>0$)

$\triangle ABT$가 직각삼각형이므로 $\overline{AT}=\sqrt{15^2-x^2}$

또, $x:\sqrt{15^2-x^2}=5:10$

$2x=\sqrt{15^2-x^2}$, $5x^2=225$, $x^2=45$

$\therefore x=3\sqrt{5}$(cm)($\because$ $x>0$)

137 $\overline{BC}$를 그으면

$\angle ABC=\angle ACP=30^\circ$

$\angle ACB=90^\circ$이므로

$\angle BAC=60^\circ$, $\angle APC=30^\circ$

$\angle APC=\angle ACP$이므로

$\overline{AC}=\overline{AP}=10\cos 60^\circ=5(\text{cm})$

$\triangle PBC \backsim \triangle PCA$이므로

$\overline{PB}:\overline{PC}=\overline{PC}:\overline{PA}$, $\overline{PC}^2=5\times 15=75$

$\therefore \overline{PC}=5\sqrt{3}(\text{cm})\ (\because \overline{PC}>0)$

138 $\angle A=\angle A'$, $\angle A'CB=90^\circ$이므로

$\sin A=\sin A'=\dfrac{\overline{BC}}{\overline{A'B}}=\dfrac{6}{8}=\dfrac{3}{4}$

139 $\angle D=\angle A=60^\circ$

$\overline{BD}$는 원 O의 지름이므로 $\angle BCD=90^\circ$

$\triangle BCD$에서 $\sin 60^\circ=\dfrac{6}{\overline{BD}}$ $\quad\therefore \overline{BD}=6\times\dfrac{2}{\sqrt{3}}=4\sqrt{3}(\text{cm})$

따라서 원 O의 반지름의 길이는 $2\sqrt{3}$ cm이다.

140 $\angle C=90^\circ$이므로 $\overline{AC}=\sqrt{6^2-4^2}=2\sqrt{5}$

$\therefore \cos A=\dfrac{2\sqrt{5}}{6}=\dfrac{\sqrt{5}}{3}$

141 $\overline{BO}$의 연장선이 원 O와 만나는 점을 A′이라 하면

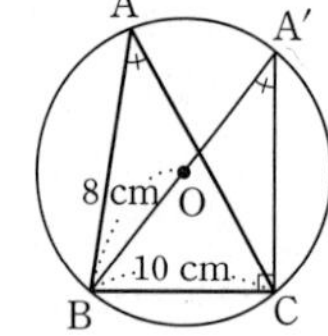

$\angle A=\angle A'$, $\angle A'CB=90^\circ$이므로

$\sin A=\sin A'=\dfrac{\overline{BC}}{\overline{A'B}}=\dfrac{10}{16}=\dfrac{5}{8}$

142 $\overline{BO}$의 연장선이 원 O와 만나는 점을 A′이라 하면

$\tan A=\tan A'=\dfrac{\overline{BC}}{\overline{A'C}}=\dfrac{4}{\overline{A'C}}=\sqrt{2}$

이므로 $\overline{A'C}=\dfrac{4}{\sqrt{2}}=2\sqrt{2}(\text{cm})$

$\therefore \overline{A'B}=\sqrt{4^2+(2\sqrt{2})^2}=2\sqrt{6}(\text{cm})$

따라서 원 O의 반지름의 길이는

$\overline{BO}=\dfrac{1}{2}\overline{A'B}=\sqrt{6}(\text{cm})$

143 $\overline{AO}$의 연장선이 원 O와 만나는 점을 B′이라

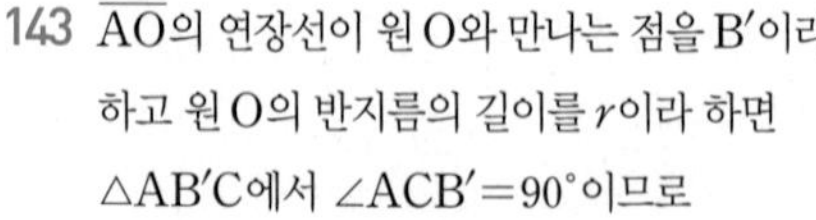

하고 원 O의 반지름의 길이를 r이라 하면

$\triangle AB'C$에서 $\angle ACB'=90^\circ$이므로

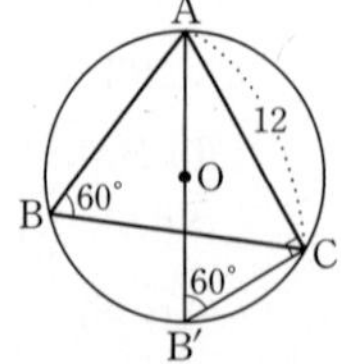

$\sin 60^\circ=\dfrac{\sqrt{3}}{2}=\dfrac{\overline{AC}}{\overline{AB'}}=\dfrac{12}{2r}=\dfrac{6}{r}$

$\therefore r=6\times\dfrac{2}{\sqrt{3}}=4\sqrt{3}$

144 원의 반지름의 길이를 a라 하고, $\overline{AO}$의 연장선이 원 O와 만나는 점을 P′이라 하자.

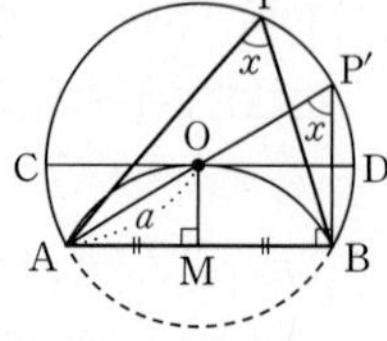

$\triangle ABP'$에서 $\overline{AM}=\overline{MB}$, $\overline{OM}\,/\!/\,\overline{P'B}$,

$\overline{OM}=\dfrac{1}{2}a$이므로 $\overline{P'B}=2\overline{OM}=a$

따라서 $\triangle ABP'$에서 $\overline{AP'}=2a$, $\overline{P'B}=a$이므로

$\overline{AB}=\sqrt{(2a)^2-a^2}=\sqrt{3}a$

$\therefore \sin x=\sin P'=\dfrac{\overline{AB}}{\overline{AP'}}=\dfrac{\sqrt{3}a}{2a}=\dfrac{\sqrt{3}}{2}$

145 $\angle BOC=2\angle A=60^\circ$이므로

$\triangle OBC=\dfrac{1}{2}\times 8^2\times\sin 60^\circ=16\sqrt{3}$

146 $\angle BOC=2\angle A=120^\circ$이므로

$\triangle OBC=\dfrac{1}{2}\times 4^2\times\sin(180^\circ-120^\circ)=4\sqrt{3}(\text{cm}^2)$

147 $\angle BOC=2\angle A=60^\circ$이고, $\overline{OB}=\overline{OC}$이므로

$\triangle OBC$는 한 변의 길이가 6 cm인 정삼각형이다.

$\therefore$ (색칠한 부분의 둘레)$=\widehat{BC}+\overline{BC}$

$=2\times\pi\times 6\times\dfrac{60^\circ}{360^\circ}+6$

$=2(\pi+3)(\text{cm})$

148 부채꼴의 중심각의 크기는 호의 길이에 정비례하므로

$\angle AOB=360^\circ\times\dfrac{3}{3+4+1}=135^\circ$

$\therefore \triangle ABO=\dfrac{1}{2}\times 2^2\times\sin(180^\circ-135^\circ)=\sqrt{2}(\text{cm}^2)$

149 $\angle BCA=\angle BAT=60^\circ$

$\widehat{AB}=\widehat{BC}$이므로

$\angle BAC=\angle BCA=60^\circ$

즉 $\triangle ABC$는 정삼각형이므로

$\overline{BC}=\overline{AC}=12$

따라서 $\triangle ABC$의 넓이는 $\dfrac{1}{2}\times 12\times 12\times\sin 60^\circ=36\sqrt{3}$

150 $\angle OCA=\angle OAC=30^\circ$이므로 $\angle AOC=120^\circ$

$\therefore$ (색칠한 부분의 넓이)

$=$(부채꼴 AOC의 넓이)$-\triangle AOC$

$=\pi\times(4\sqrt{3})^2\times\dfrac{120^\circ}{360^\circ}-\dfrac{1}{2}\times(4\sqrt{3})^2\times\sin(180^\circ-120^\circ)$

$=16\pi-12\sqrt{3}$

151 $\triangle OBP$는 이등변삼각형이므로

$\angle OPB=\angle OBP=25^\circ$, $\angle AOB=2\angle APB=2\times 60^\circ=120^\circ$

따라서 부채꼴 OAB의 넓이는

$\pi\times 9^2\times\dfrac{120^\circ}{360^\circ}=27\pi(\text{cm}^2)$

152 □ABCD에서 $\angle D=180^\circ-120^\circ=60^\circ$이고,

$\widehat{AD}=\widehat{CD}$이므로 $\triangle ACD$는 정삼각형이다.

$\therefore \triangle ACD=\dfrac{1}{2}\times 2\times 2\times\sin 60^\circ=\sqrt{3}(\text{cm}^2)$

153 $\overline{DB}$를 그으면

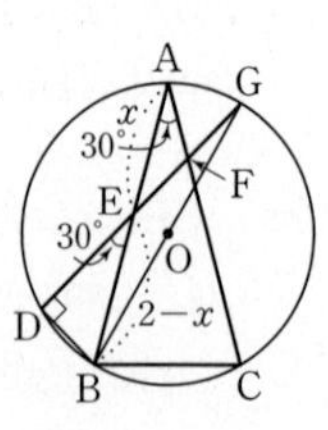

$\widehat{BD}$와 $\widehat{AG}$의 길이는 각각 원주의 $\dfrac{1}{12}$이므로

$\widehat{BD}$와 $\widehat{AG}$의 중심각은 30°이고

$\angle BGD=\angle ABG=15^\circ$

$\overline{BG}$는 지름이므로 $\angle BDE$는 직각이고

$\angle DEB=\angle BGD+\angle ABG=15^\circ+15^\circ=30^\circ$

$\overline{AE}=x$라고 하면 $\overline{BE}=\overline{EG}=2-x$, $\overline{DE}=x$

$\triangle EDB$에서 $\cos 30^\circ=\dfrac{\overline{ED}}{\overline{BE}}$, $\dfrac{\sqrt{3}}{2}=\dfrac{x}{2-x}$

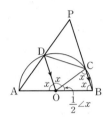

$2x=2\sqrt{3}-\sqrt{3}x$, $(2+\sqrt{3})x=2\sqrt{3}$

$\therefore x=4\sqrt{3}-6$

154 $\angle BCO=\angle x$라 하면

$\angle BCO=\angle OBC=\angle COD$

$=\angle AOD=\angle x$

$\angle BOC=\dfrac{1}{2}\angle COD=\dfrac{1}{2}\angle x$

$\triangle OBC$에서 $\angle x+\angle x+\dfrac{1}{2}\angle x=180^\circ$

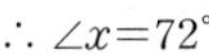

$\therefore \angle x=72^\circ$

$\therefore \widehat{AD}=2\times4\times\pi\times\dfrac{72^\circ}{360^\circ}=\dfrac{8}{5}\pi(\text{cm})$

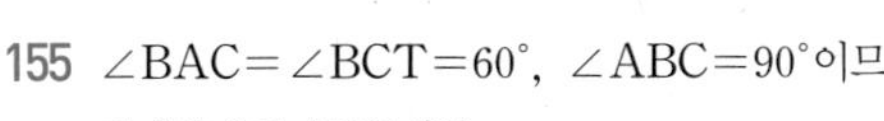

155 $\angle BAC=\angle BCT=60^\circ$, $\angle ABC=90^\circ$이므로

직각삼각형 ABC에서

$\overline{AB}:\overline{BC}:\overline{AC}=1:\sqrt{3}:2$

$\therefore \overline{AB}=5(\text{cm})$, $\overline{BC}=5\sqrt{3}(\text{cm})$

$\therefore \triangle ABC=\dfrac{1}{2}\times5\sqrt{3}\times5=\dfrac{25\sqrt{3}}{2}(\text{cm}^2)$

156 □PQCD가 원 O′에 내접하므로 $\angle BQP=100^\circ$

또, □ABQP가 원 O에 내접하므로

$\angle BAP=180^\circ-100^\circ=80^\circ$

$\therefore \angle BOP=2\times80^\circ=160^\circ$

157 $\angle PBD=\dfrac{1}{2}\times160^\circ=80^\circ$

□PQDB가 원 O′에 내접하므로 $\angle PQC=80^\circ$

따라서 □ACQP가 원 O에 내접하므로

$\angle PAC=180^\circ-80^\circ=100^\circ$

158 $\overline{CD}$, $\overline{EF}$를 그으면

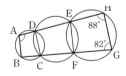

□EFGH가 원에 내접하므로

$\angle DEF=82^\circ$

□DCFE가 원에 내접하므로

$\angle BCD=82^\circ$

따라서 □ABCD가 원에 내접하므로

$\angle BAD=180^\circ-82^\circ=98^\circ$

159 두 원에 공통인 접선 PQ를 그으면

$\angle APQ=\angle ACP=80^\circ$,

$\angle DPQ=\angle PBD=65^\circ$

$\therefore \angle APC=180^\circ-(80^\circ+65^\circ)=35^\circ$

160 $\overleftrightarrow{TT'}$이 두 원의 공통인 접선이므로

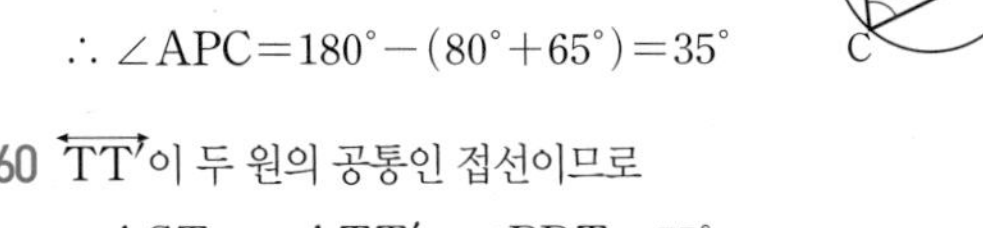

$\angle ACT=\angle ATT'=\angle BDT=75^\circ$,

즉 $\angle x=\angle y=75^\circ$

$\therefore 2\angle x-\angle y=2\times75^\circ-75^\circ=75^\circ$

161 $\overline{BC}$를 그으면

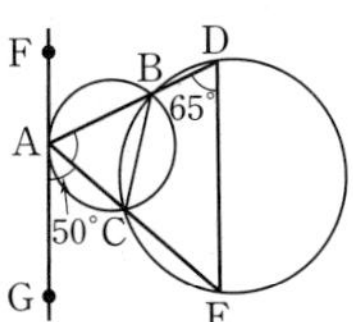

□BCED가 원에 내접하므로

$\angle BCA=\angle ADE=65^\circ$

$\overleftrightarrow{FG}$가 접선이므로

$\angle ABC=\angle GAE=50^\circ$

따라서 $\triangle ACB$에서

$\angle DAE=180^\circ-(65^\circ+50^\circ)=65^\circ$

학교 시험 100점 맞기 34쪽~37쪽

01 5°	02 ④	03 ④	04 ③	05 ⑤	06 ④
07 ②	08 ⑤	09 ⑤	10 ④	11 ③	12 ②
13 ③, ④	14 ①	15 ②	16 6 cm	17 24°	18 ③
19 ①	20 ②	21 ③	22 ①	23 39°	24 20°
25 66°	26 77°				

01 왼쪽 원에서 $\angle BOC=2\times70^\circ=140^\circ$

$\overline{OB}=\overline{OC}$이므로 $\angle x=\dfrac{1}{2}\times(180^\circ-140^\circ)=20^\circ$

오른쪽 원에서 $\angle ADC=\angle ABC=45^\circ$이므로

$\angle y=70^\circ-45^\circ=25^\circ$

$\therefore \angle y-\angle x=25^\circ-20^\circ=5^\circ$

02 $\overline{OA}$, $\overline{OB}$를 그으면

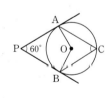

$\overrightarrow{PA}$, $\overrightarrow{PB}$가 원 O의 접선이므로

$\angle PAO=\angle PBO=90^\circ$

$\therefore \angle AOB=360^\circ-(90^\circ+60^\circ+90^\circ)$

$=120^\circ$

$\therefore \angle ACB=\dfrac{1}{2}\times120^\circ=60^\circ$

03 $\triangle PBC$에서 $\angle CBD=50^\circ+15^\circ=65^\circ$

$\therefore \angle CAD=\angle CBD=65^\circ$

따라서 $\triangle AQC$에서 $\angle DQC=65^\circ+15^\circ=80^\circ$

04 $\overline{BC}$를 그으면 $\angle BCD=\angle BED=43^\circ$

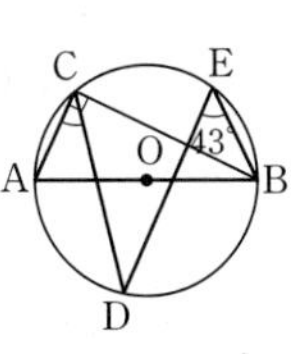

$\overline{AB}$가 원 O의 지름이므로 $\angle ACB=90^\circ$

$\therefore \angle ACD=90^\circ-43^\circ=47^\circ$

05 $\widehat{AM}=\widehat{BM}$이므로 $\angle ABM=\angle D=30^\circ$

따라서 $\triangle MDB$에서

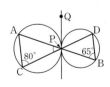

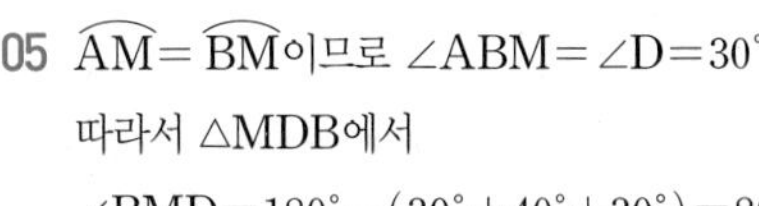

$\angle BMD=180^\circ-(30^\circ+40^\circ+30^\circ)=80^\circ$

06 $\triangle ACP$에서 $\angle CAP=65^\circ-20^\circ=45^\circ$

한 원에서 호의 길이는 원주각의 크기에 정비례하므로 원의 둘레의 길이를 l이라 하면 $l:4=180^\circ:45^\circ$

$\therefore l=16(\text{cm})$

07 □ABCD가 원에 내접하므로 $\angle ADC=180°-100°=80°$
따라서 △PCD에서 $\angle DCB=180°-(31°+80°)=69°$

08 □ABCD가 원에 내접하므로
$\angle CDA=180°-100°=80°$
$\overline{AC}$를 그으면 $\overline{AD}=\overline{CD}$이므로
$\angle DAC=\angle DCA=\frac{1}{2}\times(180°-80°)=50°$

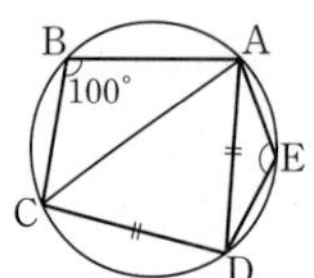

따라서 □ACDE가 원에 내접하므로
$\angle AED=180°-50°=130°$

09 ① $\angle CBD=\angle CAD=38°$
② $\angle ACB=\angle ADB=50°$
③ △ABD에서 $\angle ABD=180°-(45°+38°+50°)=47°$이므로
$\angle ACD=\angle ABD=47°$
④ □ABCD가 원에 내접하므로
$\angle DCE=\angle BAD=45°+38°=83°$
⑤ $\angle ABC=180°-\angle ADC=180°-(50°+45°)=85°$

10 $\overline{BC}$가 원 O의 지름이므로 $\angle BDC=90°$
$\therefore \angle BCD=180°-(90°+25°)=65°$
□ABCD가 원 O에 내접하므로 $\angle x=180°-65°=115°$
또, $\angle ADB=180°-(90°+60°)=30°$이므로
△ABD에서 $\angle y=180°-(115°+30°)=35°$
$\therefore \angle x-\angle y=115°-35°=80°$

11 △PBC에서 $\angle DCQ=\angle x+40°$
△DCQ에서 $\angle ADC=(\angle x+40°)+34°=\angle x+74°$
□ABCD가 원에 내접하므로 $\angle x+(\angle x+74°)=180°$
$2\angle x=106° \quad \therefore \angle x=53°$

12 $\overline{CE}$를 그으면 □ABCE가 원 O에 내접하므로
$\angle B+\angle AEC=180°$
또, $\angle CED=\frac{1}{2}\angle COD=\frac{1}{2}\times80°=40°$
$\therefore \angle B+\angle E=\angle B+\angle AEC+\angle CED$
$=180°+40°=220°$

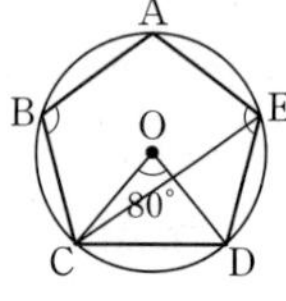

13 ③, ④ 한 쌍의 대각의 크기의 합이 180°이므로 원에 내접한다.

14 $\overline{BT}$를 그으면 $\overrightarrow{PT}$가 원 O의 접선이므로
$\angle ABT=\angle ATC=67°$
$\overline{AB}$가 원 O의 지름이므로 $\angle BTA=90°$
△ABT에서
$\angle BAT=180°-(67°+90°)=23°$
따라서 △APT에서 $\angle APC=67°-23°=44°$

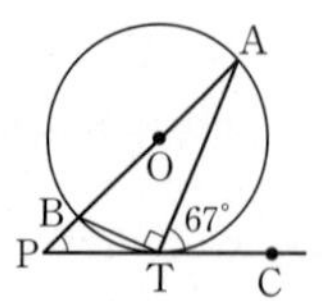

15 $\overline{PC}=\overline{BC}$이므로
$\angle CPA=\angle CBA=\angle a$라 하자.
$\overline{AC}$를 그으면 $\overrightarrow{PT}$가 접선이므로
$\angle ACP=\angle CBA=\angle a$
△APC에서 $\angle BAC=2\angle a$이므로
△ACB에서 $2\angle a+90°+\angle a=180° \quad \therefore \angle a=30°$
$\therefore \angle BCT=\angle BAC=2\times30°=60°$

16 $\overline{BC}$를 그으면
$\angle BCD=\angle BAC=30°$
△ABC에서 $\overline{BC}=12\sin30°$
$\therefore \overline{BC}=6(\text{cm})$
△BDC에서 $\angle BDC=\angle ABC-\angle BCD=60°-30°=30°$
$\therefore \overline{BD}=\overline{BC}=6(\text{cm})$

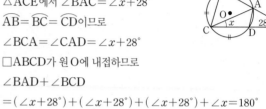

17 $\overline{AD}$, $\overline{BC}$를 긋자.
△ACE에서 $\angle BAC=\angle x+28°$
$\widehat{AB}=\widehat{BC}=\widehat{CD}$이므로
$\angle BCA=\angle CAD=\angle x+28°$
□ABCD가 원 O에 내접하므로
$\angle BAD+\angle BCD$
$=(\angle x+28°)+(\angle x+28°)+(\angle x+28°)+\angle x=180°$
$4\angle x=96° \quad \therefore \angle x=24°$

18 △EBD에서 $\angle EBD=\angle x-\angle EDB$
$\overrightarrow{DA}$가 원의 접선이므로 $\angle CAD=\angle EBD$
△ABD에서
$40°+(\angle x-\angle EDB)+(\angle x-\angle EDB)+2\angle EDB=180°$
$2\angle x=140° \quad \therefore \angle x=70°$

19 $\widehat{TC}=\widehat{CB}$이므로 $\angle CBT=\angle CTB=27°$
△BTC에서 $\angle BCT=180°-2\times27°=126°$
$\overline{AT}$를 그으면 □ATCB가 원에 내접하므로
$\angle PAT=\angle BCT=126°$
△APT에서
$\angle ATP=180°-(126°+32°)=22°$
따라서 $\overrightarrow{PT}$가 원의 접선이므로 $\angle ABT=\angle ATP=22°$

20 $\overline{AB}$가 원 O의 지름이므로 $\angle ATB=90°$
△PBT와 △TBA에서
$\angle BPT=\angle BTA=90°$, $\angle BTP=\angle BAT$이므로
△PBT∽△TBA(AA 닮음)
$4:\overline{TB}=\overline{TB}:13$이므로 $\overline{TB}^2=52$
$\therefore \overline{TB}=2\sqrt{13}(\because \overline{TB}>0)$

21 $\overline{PQ}$를 그으면
□ACQP가 원 O에 내접하므로
$\angle PQD=\angle PAC=100°$
따라서 □PQDB가 원 O′에 내접하므로
$\angle PBD=180°-100°=80°$

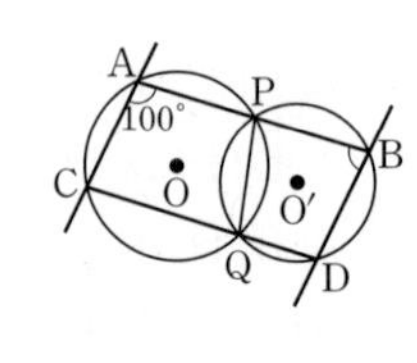

22 $\overleftrightarrow{PQ}$가 접선이므로 $\angle ABT=\angle ATP$, $\angle CDT=\angle ATP$
$\therefore \angle ABT=\angle CDT \quad \therefore \overline{AB}/\!/\overline{CD}$
같은 방법으로 $\angle BAT=\angle DCT$
또, △ABT∽△CDT(AA 닮음)
따라서 옳지 않은 것은 ① $\angle ABT=\angle DCT$이다.

23 (1단계) $\angle COB=2\angle CEB=2\times66°=132°$
(2단계) $\angle COA=\angle COB-\angle AOB=132°-54°=78°$
(3단계) $\angle x=\frac{1}{2}\angle COA=\frac{1}{2}\times78°=39°$

24 (1단계) $\overset{\frown}{BT}$에 대하여

$\angle BCT=\angle BAT=55°$

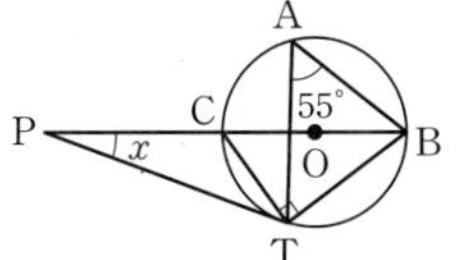

(2단계) $\overline{BT}$를 그으면 $\triangle BCT$에서

$\overline{BC}$가 원 O의 지름이므로

$\angle CBT=180°-(55°+90°)=35°$

따라서 $\overline{PT}$가 원 O의 접선이므로 $\angle CTP=\angle CBT=35°$

(3단계) $\triangle CPT$에서 $\angle x=\angle BCT-\angle CTP=55°-35°=20°$

25 $\overline{AD}$를 그으면 $\overset{\frown}{CD}$에 대하여

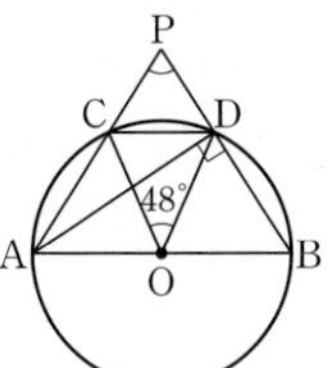

$\angle CAD=\frac{1}{2}\angle COD=\frac{1}{2}\times 48°=24°$ …… ❶

$\overline{AB}$는 원 O의 지름이므로

$\angle ADP=\angle ADB=90°$ …… ❷

따라서 $\triangle PAD$에서

$\angle CPD=180°-(24°+90°)=66°$ …… ❸

채점 기준	배점
❶ $\angle CAD$의 크기 구하기	2점
❷ $\angle ADP$의 크기 구하기	2점
❸ $\angle CPD$의 크기 구하기	1점

26 $\angle DAB=180°-(54°+28°)=98°$ …… ❶

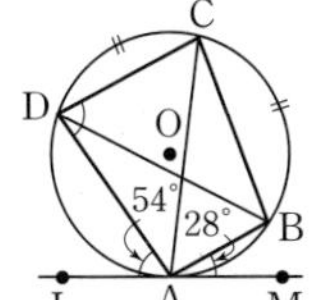

$\overline{BD}$, $\overline{AC}$를 그으면

$\overset{\frown}{BC}=\overset{\frown}{CD}$이므로 $\angle BAC=\frac{1}{2}\times 98°=49°$

따라서 $\overset{\frown}{BC}$에 대하여

$\angle BDC=\angle BAC=49°$ …… ❷

$\overleftrightarrow{LM}$이 원 O의 접선이므로

$\angle BDA=\angle BAM=28°$ …… ❸

$\therefore \angle ADC=\angle BDC+\angle BDA=49°+28°=77°$ …… ❹

채점 기준	배점
❶ $\angle DAB$의 크기 구하기	1점
❷ $\angle BDC$의 크기 구하기	4점
❸ $\angle BDA$의 크기 구하기	2점
❹ $\angle ADC$의 크기 구하기	1점

5. 산포도와 상관관계

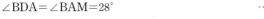

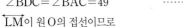

시험에 나오는 핵심개념 38쪽~39쪽

예제 1 답 (1) 평균 : 8, 중앙값 : 7 (2) 평균 : 88, 중앙값 : 85

(3) 평균 : 8, 중앙값 : 8.5

(1) $(\text{평균})=\frac{2+6+7+9+16}{5}=\frac{40}{5}=8$

중앙값 : 7

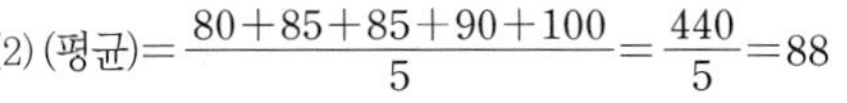

(2) $(\text{평균})=\frac{80+85+85+90+100}{5}=\frac{440}{5}=88$

중앙값 : 85

(3) $(\text{평균})=\frac{8+4+9+9+8+10}{6}=\frac{48}{6}=8$

작은 값부터 크기순으로 나열하면 4, 8, 8, 9, 9, 10이므로

$(\text{중앙값})=\frac{8+9}{2}=8.5$

예제 2 답 (1) 18 (2) 2, 6 (3) 없다. (4) 사과

예제 3 답 -5

편차의 총합은 항상 0이므로 $(-2)+3+4+0+x=0$

$\therefore x=-5$

예제 4 답 분산 : 4, 표준편차 : 2

$(\text{평균})=\frac{7+6+9+10+12+10}{6}=\frac{54}{6}=9$이므로

$(\text{분산})=\frac{(-2)^2+(-3)^2+0^2+1^2+3^2+1^2}{6}=\frac{24}{6}$

$=4$

$(\text{표준편차})=\sqrt{4}=2$

예제 5 답

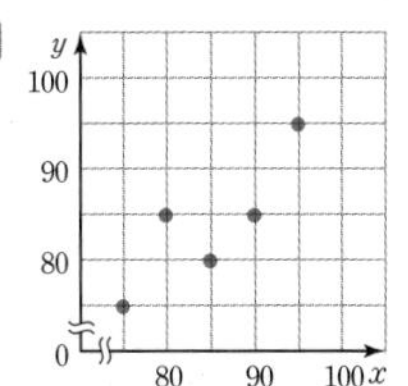

예제 6 답 ②

①, ④는 양의 상관관계

③, ⑤는 상관관계가 없다.

유형 격파 + 기출 문제 40쪽~57쪽

01 ③ 02 ③ 03 ② 04 ③ 05 ④ 06 ④
07 ④ 08 14.5 mm 09 13 10 ④ 11 ①
12 ④ 13 25 14 ② 15 $a=7$, $b=8$
16 평균 : 11회, 중앙값 : 10회, 최빈값 : 6회 17 강아지 18 ③
19 중앙값 : 25분, 최빈값 : 30분
20 중앙값 : 53 kg, 최빈값 : 54 kg 21 8.5개 22 ②
23 ④ 24 ③ 25 0, 2, 1, -3, -1, 0, 0, 2, -2, 1
26 $x=2$, $y=0$ 27 ⑤ 28 ② 29 ② 30 ⑤
31 13점 32 평균 : 60점, 분산 : 200, 표준편차 : $10\sqrt{2}$점
33 ③ 34 ③ 35 ③ 36 ①, ⑤ 37 ③ 38 6.8
39 66 40 ② 41 ③ 42 ③ 43 A 44 D반
45 (1) 풀이 참조 (2) B, A, C (3) A, C, B 46 B 지역 47 ⑤

48 ⑤ 49 C

50 (1) A반 : 3권, B반 : 3권 (2) A반 : 1.8, B반 : 1.2 (3) B반

51 (1, 2), (3, 3), (2, 4), (4, 2), (5, 1) /

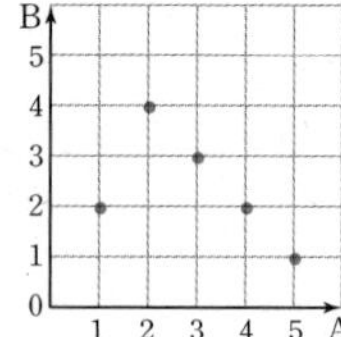

52 ③

53 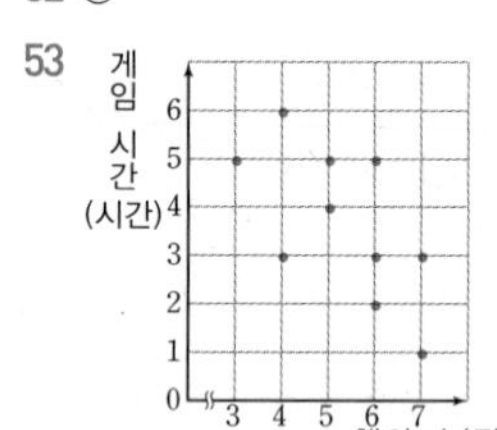

54

55 ② 56 (1) 2명 (2) 3명 (3) 7명

57 (1) ① (2) ④ (3) 1명 58 ⑤ 59 3명

60 (1) ② (2) ② 61 ⑤ 62 ④ 63 8명

64 (1) 19명 (2) 6권 (3) 3명 65 ⑤ 66 (1) 45 % (2) 3명

67 176 cm 68 (1) 9점 (2) ③ 69 ② 70 195

71 ⑤ 72 ⑤ 73 ①, ③ 74 ③, ④ 75 ④ 76 은지

77 ① 78 음의 상관관계 79 ② 80 ②, ④ 81 ③

82 ④ 83 ② 84 ③ 85 ③ 86 ②

87 (1) ⑤ (2) ② (3) ① 88 ②, ④ 89 ②, ⑤ 90 ④

91 $a=2$, $b=4$ 92 $\sqrt{5}$점 93 $\frac{\sqrt{3}}{3}$

94 (1) 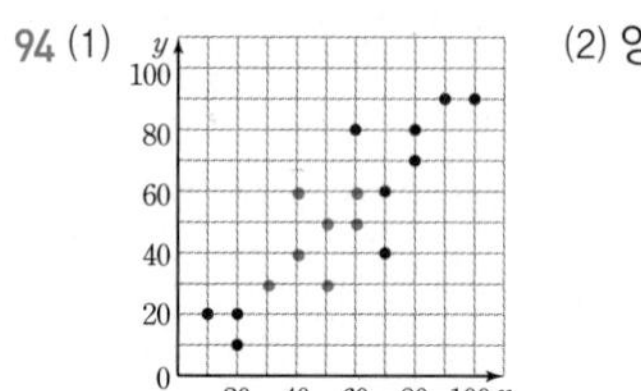 (2) 양의 상관관계

95 (1) 상관관계가 없다. (2) 음의 상관관계

01 $(\text{평균})=\frac{70+85+x+90+95+60}{6}=80(\text{점})$

$400+x=480 \quad \therefore x=80$

따라서 미란이의 영어 성적은 80점이다.

02 $(\text{평균})=\frac{l+m+n}{3}=8$이므로 $l+m+n=24$

따라서 구하려는 평균은 $\frac{9+l+m+2+n+7}{6}=\frac{42}{6}=7$

03 $(\text{평균})=\frac{20\times82+25\times73}{20+25}=\frac{3465}{45}=77(\text{점})$

04 (4회의 총점)$=85\times4=340$(점)

5회의 점수를 x점이라 하면

$\frac{340+x}{5}\geq87$, $340+x\geq435$

$\therefore x\geq95$

따라서 마지막 시험에서 남주는 95점 이상을 받아야 한다.

05 $(\text{평균})=\frac{3+4+5+10+11+12+21+25+30+34}{10}$

$=\frac{155}{10}=15.5(\text{권})$

06 200명 중 상위 10 %의 학생 수는 20명이다.

(3학년 전체 학생의 수학 성적의 평균)

$=\frac{92\times20+70\times180}{200}=\frac{1840+12600}{200}=\frac{14440}{200}=72.2(\text{점})$

07 잘못 측정한 신입 회원의 키를 x cm,

나머지 신입 회원 6명의 키의 총합을 X cm라 하면

$\frac{X+x}{7}-\frac{X+172}{7}=1$, $\frac{x-172}{7}=1 \quad \therefore x=179$

따라서 잘못 측정한 신입 회원의 키는 179 cm이다.

08 작은 값부터 크기순으로 나열하면 0.0, 0.5, 3.1, 14.5, 28.5, 36.0, 77.5이므로 중앙값은 14.5 mm이다.

09 $\frac{11+x}{2}=12 \quad \therefore x=13$

10 ㄱ. 대푯값으로 가장 많이 사용되는 것은 평균이다.

11 중앙값이 20이고 $\frac{15+25}{2}=20$이므로 $x\geq25$이어야 한다.

따라서 x의 값으로 옳지 않은 것은 ① 20이다.

12 나머지 변량을 x라 하고 4개의 변량을 크기순으로 나열하면 42, x, 48, 55이다.

중앙값이 46이므로 $\frac{x+48}{2}=46 \quad \therefore x=44$

13 $(\text{평균})=\frac{14+21+18+24+20+15+x+17+26}{9}=18$이므로

$x+155=162 \quad \therefore x=7$

주어진 자료를 작은 값부터 크기순으로 나열하면

7, 14, 15, 17, 18, 20, 21, 24, 26이므로 $y=18$

$\therefore x+y=25$

14 $(\text{평균})=\frac{x+83+36+29+42}{5}=45$이므로

$x+190=225 \quad \therefore x=35$

주어진 자료를 작은 값부터 크기 순으로 나열하면

29, 35, 36, 42, 83이므로 중앙값은 36분이다. $\therefore y=36$

$\therefore y-x=1$

15 (i)에서 $a\leq7$

(ii)에서 b를 제외한 나머지 변량을 작은 값부터 크기순으로 나열하면

3, a, 10, 12 또는 a, 3, 10, 12이다.

그런데 중앙값이 8이므로 $b=8$

또, $\frac{3+a+8+10+12}{5}=8$이므로 $a+33=40$에서 $a=7$

16 $(\text{평균})=\frac{6+16+9+6+15+18+6+10+14+10}{10}=\frac{110}{10}$

$=11(\text{회})$

작은 값부터 크기순으로 나열하면

6, 6, 6, 9, 10, 10, 14, 15, 16, 18이므로

(중앙값)$=\frac{10+10}{2}=10$(회)

6이 3개로 가장 많이 나타나므로 최빈값은 6회이다.

17 강아지를 좋아하는 학생 수가 8명으로 가장 많으므로 최빈값은 강아지이다.

18 가장 좋아하는 연예인을 쉽게 알 수 있는 것은 최빈값이다.

19 자료의 개수가 홀수 개이므로 중앙값은 25분이다. 또, 줄기 3에서 잎 0이 4개로 가장 많이 나타나므로 최빈값은 30분이다.

20 (평균)$=\frac{41+47+52+47+48+54+56+54+57+x}{10}=51$(kg)

이므로 $456+x=510$ $\quad\therefore x=54$

따라서 작은 값부터 크기순으로 나열하면

41, 47, 47, 48, 52, 54, 54, 54, 56, 57이므로

(중앙값)$=\frac{52+54}{2}=53$(kg)

또, 54가 3개로 가장 많이 나타나므로 최빈값은 54kg이다.

21 최빈값이 9개이므로 $x=9$

따라서 작은 값부터 크기순으로 나열하면

6, 7, 8, 9, 9, 10이므로 중앙값은

$\frac{8+9}{2}=8.5$(개)

22 ② 대푯값으로 가장 많이 쓰이는 것은 평균이다.

23 (평균)$=\frac{2+7+1+0+(-2)+a+b}{7}=2$ $\quad\therefore a+b=6$

이때 $a<b$이고 최빈값이 2이므로 $a=2$, $b=4$

$\therefore ab=8$

24 x의 값에 관계없이 가장 많이 나타나는 값은 6이므로 최빈값은 6시간이다.

(평균)$=\frac{8+6+6+5+x+4+6}{7}=6$에서 $35+x=42$

$\therefore x=7$

25 (평균)$=\frac{8+10+9+5+7+8+8+10+6+9}{10}=\frac{80}{10}=8$이므로

(편차)=(변량)-8이다.

26 (평균)$=\frac{7+12+13+9+10+9}{6}=\frac{60}{6}=10$

(편차)=(변량)$-$(평균)이므로

$x=12-10=2$

$y=10-10=0$

27 (편차)=(변량)$-$(평균)이므로 동욱이가 작년에 한 봉사 활동 시간은

$7+28=35$(시간)

28 편차의 총합은 항상 0이므로

$x+4+(-2x)+3+(-9)=0$ $\quad\therefore x=-2$

$\therefore$ (A 학생의 키)$=-2+167=165$(cm)

29 편차의 총합은 항상 0이므로

$2+x+0+(-4)+(-1)=0$ $\quad\therefore x=3$

따라서 수학 성적이 가장 좋은 학생은 편차가 가장 큰 학생이므로 B이다.

30 $2+x+(-3)+x+2+7=0$에서 $x=-4$

B의 점수는 $22+(-4)=18$(점),

D의 점수는 $22+(-2)=20$(점)

따라서 B와 D의 점수의 평균은 $\frac{18+20}{2}=19$(점)

31 4회 때 편차를 x, 5회 때 편차를 y라고 하면

4회 때의 편차는 $x=(-4)+9=5$이다.

편차의 총합은 0이므로

$2+(-1)+(-4)+x+y=0$, $-3+x+y=0$, $y=-2$

따라서 5회에서 얻은 점수는 $15+(-2)=13$(점)이다.

32 (평균)$=\frac{50+70+80+40+60}{5}=\frac{300}{5}=60$(점)

각 변량의 편차는 -10, 10, 20, -20, 0이므로

(분산)$=\frac{(-10)^2+10^2+20^2+(-20)^2+0^2}{5}=\frac{1000}{5}=200$

(표준편차)$=\sqrt{200}=10\sqrt{2}$(점)

33 (평균)$=\frac{12+2+6+4}{4}=\frac{24}{4}=6$(회)이므로

(분산)$=\frac{(12-6)^2+(2-6)^2+(6-6)^2+(4-6)^2}{4}=\frac{56}{4}=14$

34 편차의 총합은 항상 0이므로

$(-1)+3+(-1)+x+1=0$ $\quad\therefore x=-2$

$\therefore$ (분산)$=\frac{(-1)^2+3^2+(-1)^2+(-2)^2+1^2}{5}=\frac{16}{5}=3.2$

35 (평균)$=\frac{(-2)+1+x+5+7}{5}=2$이므로

$x+11=10$ $\quad\therefore x=-1$

(분산)$=\frac{(-2-2)^2+(1-2)^2+(-1-2)^2+(5-2)^2+(7-2)^2}{5}$

$=\frac{60}{5}=12$

$\therefore$ (표준편차)$=\sqrt{12}=2\sqrt{3}$

36 ① 분산은 편차의 제곱의 평균이다.

⑤ 표준편차가 클수록 변량은 평균에서 멀리 흩어져 있다.

37 (평균)$=\frac{21+25+22+24+23}{5}=23$이므로

(편차의 제곱의 총합)$=(-2)^2+2^2+(-1)^2+1^2+0^2=10$

$\therefore$ (분산)$=\frac{10}{5}=2$, (표준편차)$=\sqrt{2}$

38 남학생 8명의 점수의 (편차)^{2}의 총합은 $8\times5=40$

여학생 12명의 점수의 (편차)^{2}의 총합은 $12\times8=96$

$\therefore$ (전체 20명의 점수의 분산)$=\frac{40+96}{20}=\frac{136}{20}=6.8$

39 (평균)$=\frac{a+b+c+d}{4}=8$ $\therefore a+b+c+d=32$

(분산)$=\frac{(a-8)^2+(b-8)^2+(c-8)^2+(d-8)^2}{4}$

$=\frac{a^2+b^2+c^2+d^2-16(a+b+c+d)+4\times64}{4}$

$=\frac{a^2+b^2+c^2+d^2}{4}-64=2$

따라서 네 수 a^2, b^2, c^2, d^2의 평균은 $\frac{a^2+b^2+c^2+d^2}{4}=66$

40 $3+m+1+n+(-1)=0$ $\therefore m+n=-3$

$\frac{3^2+m^2+1^2+n^2+(-1)^2}{5}=(2\sqrt{2})^2$ $\therefore m^2+n^2=29$

$(m+n)^2=m^2+n^2+2mn$, $(-3)^2=29+2mn$

$\therefore mn=-10$

41 $M=\frac{5+8+7+6+9}{5}=\frac{35}{5}=7$이므로

5명 모두 각각 1점씩 성적을 올려줄 때, 평균은

$\frac{(5+1)+(8+1)+(7+1)+(6+1)+(9+1)}{5}=8=M+1$

$S=\sqrt{\frac{(5-M)^2+(8-M)^2+(7-M)^2+(6-M)^2+(9-M)^2}{5}}$

이고 5명 모두 각각 1점씩 성적을 올려줄 때, 표준편차는

$\sqrt{\frac{(6-M-1)^2+(9-M-1)^2+(8-M-1)^2+(7-M-1)^2+(10-M-1)^2}{5}}$

이므로 S와 같다.

42 연속하는 세 자연수를 $x-1$, x, $x+1$이라 하면

(평균)$=\frac{(x-1)+x+(x+1)}{3}=\frac{3x}{3}=x$이므로

(분산)$=\frac{(x-1-x)^2+(x-x)^2+(x+1-x)^2}{3}=\frac{2}{3}$

$\therefore$ (표준편차)$=\sqrt{\frac{2}{3}}=\frac{\sqrt{6}}{3}$

43 표준편차가 작을수록 과목의 성적이 고르므로 모든 과목의 성적이 가장 고른 학생은 표준편차가 가장 작은 A이다.

44 표준편차가 작을수록 자료의 분포 상태가 고르다.
따라서 자료의 분포 상태가 가장 고른 반은 D반이다.

45 (1) 각 모둠의 점수의 평균과 분산을 각각 구하면 다음과 같다.

	A 모둠	B 모둠	C 모둠
평균(점)	14	16	12
분산	8	40	24

(3) 분산이 작을수록 점수가 고르므로 점수가 고른 모둠부터 차례로 나열하면 A, C, B이다.

46 A 지역의 기온의 평균은 3 ℃이고, B 지역의 기온의 평균은 7 ℃이다.
A 지역의 기온의 분산은 4이고, B 지역의 기온의 분산은 3이다.
따라서 분산이 더 작은 B 지역의 기온이 더 고르다고 할 수 있다.

47 각 자료의 평균은 모두 5이고 표준편차가 가장 작은 것은 평균을 중심으로 흩어진 정도가 가장 작은 ⑤이다.

참고 각 자료의 표준편차는

① 3 ② $\frac{2\sqrt{6}}{3}$ ③ $\frac{\sqrt{6}}{3}$ ④ 1 ⑤ 0

48 A 모둠과 B 모둠의 평균과 분산을 각각 구하면 다음과 같다.

	A 모둠	B 모둠
평균(점)	5	5
분산	4	2

따라서 A 모둠과 B 모둠의 평균은 같고, B 모둠의 분산이 A 모둠의 분산보다 작으므로 B 모둠이 A 모둠보다 성적이 더 고르다.

49 A의 점수 : 7, 7, 8, 8, 10

A의 분산 : $\frac{(-1)^2\times2+0^2\times2+2^2\times1}{5}=\frac{6}{5}$

B의 점수 : 6, 6, 8, 10, 10

B의 분산 : $\frac{(-2)^2\times2+0^2\times1+2^2\times2}{5}=\frac{16}{5}$

C의 점수 : 7, 7, 8, 9, 9

C의 분산 : $\frac{(-1)^2\times2+0^2\times1+1^2\times2}{5}=\frac{4}{5}$

따라서 점수가 가장 고른 사람은 C이다.

50 (1) A반 : $\frac{1\times2+2\times1+3\times4+4\times1+5\times2}{10}=\frac{30}{10}=3$(권)

B반 : $\frac{1\times1+2\times2+3\times4+4\times2+5\times1}{10}=\frac{30}{10}=3$(권)

(2) A반 : $\frac{(-2)^2\times2+(-1)^2\times1+0^2\times4+1^2\times1+2^2\times2}{10}=\frac{18}{10}=1.8$

B반 : $\frac{(-2)^2\times1+(-1)^2\times2+0^2\times4+1^2\times2+2^2\times1}{10}=\frac{12}{10}=1.2$

55 국어 성적을 x, 수학 성적을 y라고 하자.

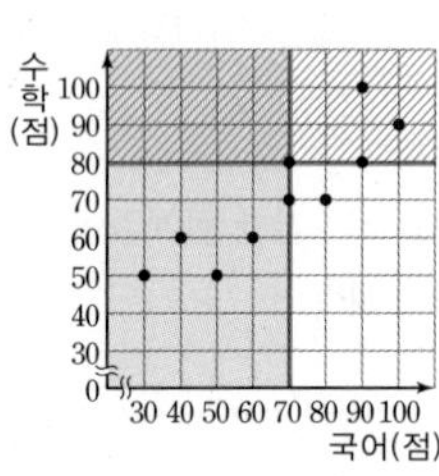

국어 성적이 70점 미만인 학생 수는 $x<70$을 만족하는 점의 개수이므로

$a=4$

수학 성적이 80점 이상인 학생 수는 $y\geq80$을 만족하는 점의 개수이므로

$b=4$

$\therefore a+b=8$

56 (1) 1차 점수를 x라고 할 때, $x>9$인 경우이다. 즉, 2명이다.

(2) 2차 점수를 y라고 할 때, $y\leq7$인 경우이다. 즉, 3명이다.

(3) 1차 점수를 x, 2차 점수를 y라고 할 때,
$x\geq8$이고 $y\geq8$인 경우이다. 즉, 7명이다.

57 (1) 몸무게를 y라고 할 때, $y\leq55$인 경우이다. 즉, 3명이다.

$\therefore \frac{3}{15}\times100=20(\%)$

(2) 키를 x라고 할 때, $160\leq x<175$인 경우이다. 즉, 6명이다.

$\therefore \frac{6}{15}\times100=40(\%)$

(3) 키를 x, 몸무게를 y라고 할 때, $x>175$, $y\geq70$인 경우이다.
즉, 1명이다.

58 학기 초와 학기 말 중 적어도 하나의 성적이 80점 이상인 학생 수는 색칠한 부분(경계선 포함)에 속하는 점의 개수와 같으므로 13명이다.

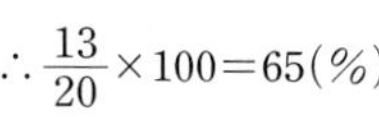

$\therefore \frac{13}{20}\times 100=65(\%)$

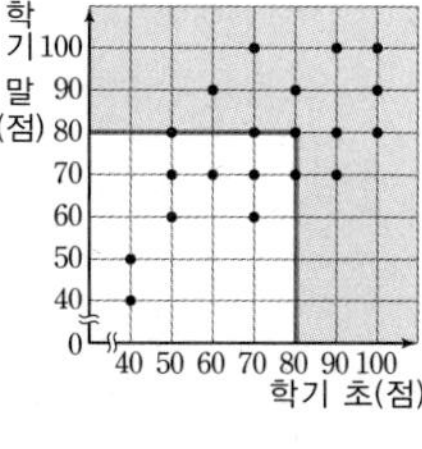

59 영어 성적이 국어 성적보다 높은 학생 수는 대각선보다 아래쪽에 있는 점의 개수와 같으므로 3명이다.

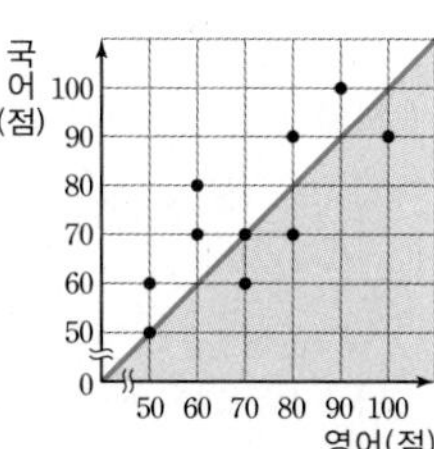

60 (1) 공부 시간과 게임 시간이 같은 학생 수는 2명이다.

$\therefore \frac{2}{10}\times 100=20(\%)$

(2) 공부 시간을 x, 게임 시간을 y라고 할 때, $y>x$인 경우이다.
즉, 3명이다.

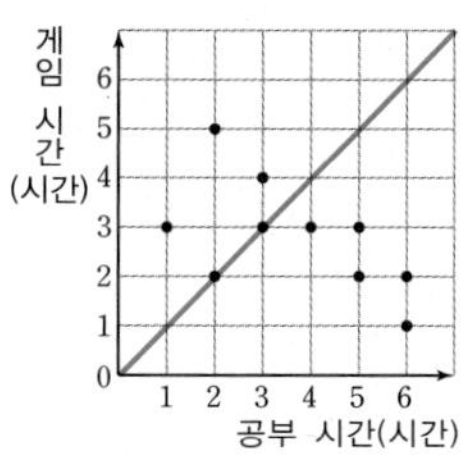

61 ⑤ 1차와 2차 때 성공한 고리의 개수가 모두 8개 이상인 학생 수는 6명이므로 전체의 $\frac{6}{15}\times 100=40(\%)$이다.

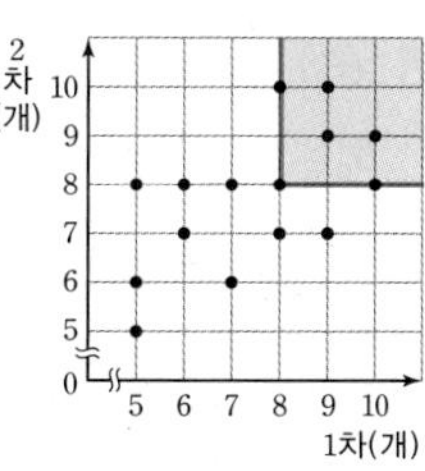

62 필기 성적보다 실기 성적이 낮은 학생 수
는 8명이다. $\therefore a=8$
필기 성적과 실기 성적이 같은 학생 수는 3명이므로 $\frac{3}{20}\times 100=15(\%)$이다.
$\therefore b=15$
$\therefore b-a=7$

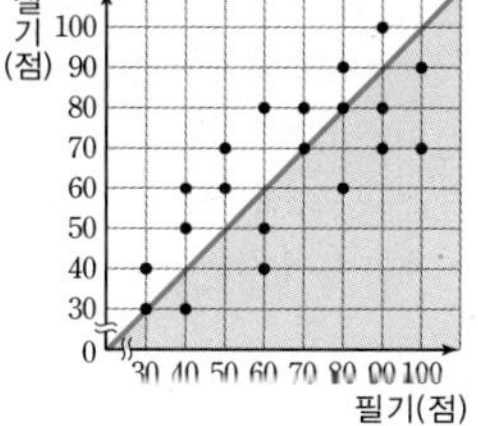

63 산점도에서 오른쪽 아래로 향하는 직선의 위쪽에 있는 점의 개수와 같으므로 8명이다.

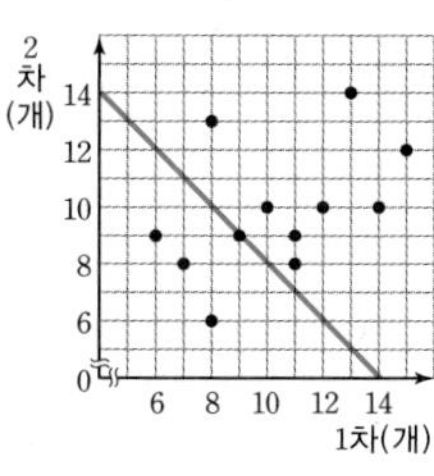

64 (1) 중복되는 점이 없다고 했으므로 산점도에서의 점의 개수와 같다. 즉 19명이다.

(2) 직선 $y=x$에서 멀리 떨어질수록 1학기와 2학기 동안 읽은 책의 수의 차가 크므로 A의 책의 수의 차가 가장 크다.
따라서 A가 2학기에 읽은 책의 수는 6권이다.

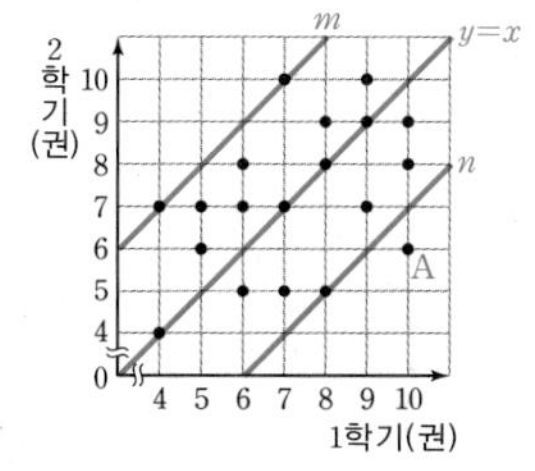

(3) 1학기와 2학기 동안 읽은 책의 수의 차가 3권인 학생 수는 산점도에서 두 직선 m, n 위에 있는 점의 개수와 같으므로 3명이다.

65 ④ 두 평가 점수의 차이가 가장 큰 학생은 직선 $y=x$에서 가장 멀리 떨어져 있는 학생 B이다.

⑤ 두 평가 점수의 합이 25점 이하인 학생은 직선 m 위에 있거나 그 직선 아래에 있는 점의 개수와 같으므로 7명이다.

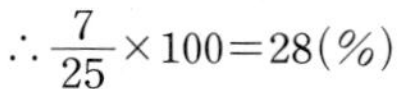

$\therefore \frac{7}{25}\times 100=28(\%)$

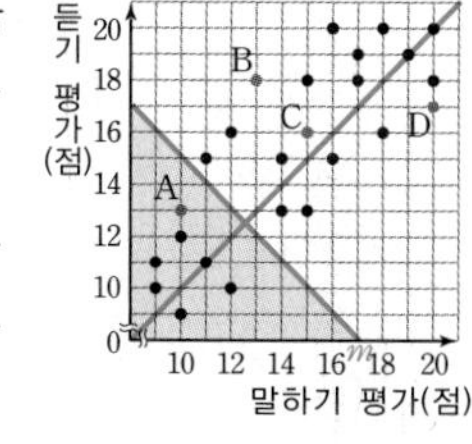

66 (1) 2차 성적이 1차 성적보다 높지 않은 학생 수는 1차 성적이 2차 성적보다 높거나 같은 경우를 말하므로 직선 $y=x$의 위에 있거나 그 직선 아래 있는 점의 개수와 같다. 즉 9명이고 전체 학생의 $\frac{9}{20}\times 100=45(\%)$이다.

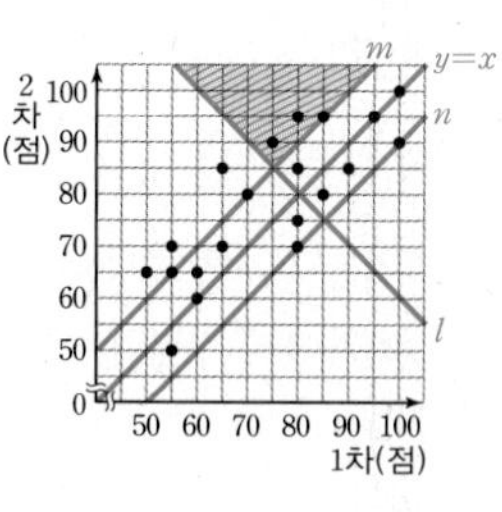

(2) 조건 (i)을 만족하는 학생 수는 직선 $y=x$보다 위쪽에 있는 점의 개수와 같다.
조건 (ii)을 만족하는 학생 수는 직선 l보다 위쪽에 있는 점의 개수와 같다.
조건 (iii)을 만족하는 학생 수는 직선 m의 위와 그 직선 위쪽에 있는 점의 개수와 직선 n 위와 그 직선 아래쪽에 있는 점의 개수의 합과 같다.
따라서 주어진 조건을 모두 만족시키는 학생 수는 빗금친 부분에 속하는 점의 개수와 같으므로 3명이다.

67 몸무게가 65 kg 이상인 학생들은 색칠한 부분에 속하므로 이 학생들의 키는 각각 170 cm, 175 cm, 185 cm, 170 cm, 180 cm이다.
따라서 이 학생들의 키의 평균은
$\frac{170+175+185+170+180}{5}$
$=\frac{880}{5}=176(\text{cm})$이다.

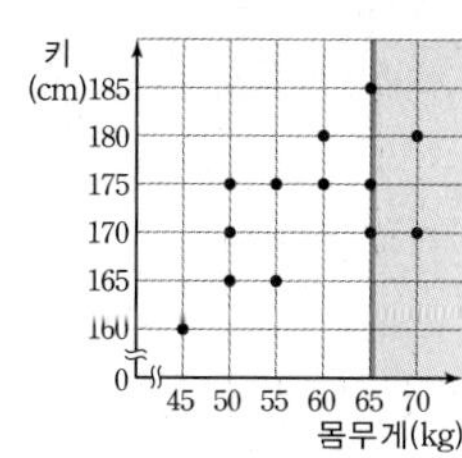

68 (1) 두 종목의 평균이 8점 이상이므로 두 종목의 점수의 합은 16점 이상이어야 한다. 두 종목의 합이 16점 이상인 선수 수는 직선 m 위 또는 위쪽에 있는 점의 개수와 같으므로 3명이고 이 선수들의 사격 점수는 각각 8점, 9점, 10점이다.

$\therefore (\text{평균})=\frac{8+9+10}{3}=9(\text{점})$

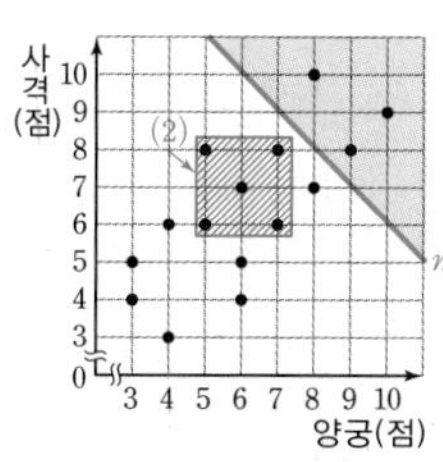

(2) 조건을 만족하는 선수들의 양궁 점수는 5점, 5점, 6점, 7점, 7점이므로

$(\text{평균})=\frac{5+5+6+7+7}{5}=6(\text{점})$

69 ㄴ. 윗몸일으키기보다 팔굽혀펴기를 더 많이 한 학생은 직선 l보다 위쪽에 있는 점의 개수와 같으므로 2명이다.

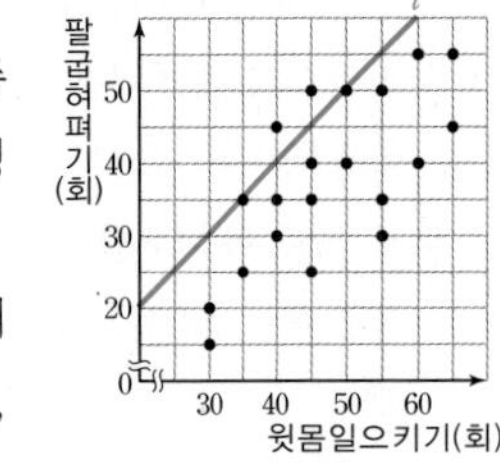

ㄷ. 윗몸일으키기를 45회 한 학생들의 팔굽혀펴기의 횟수는 각각 25회, 35회, 40회, 50회이므로

(평균)$=\dfrac{25+35+40+50}{4}=37.5$(회) 이다.

70 성적이 상위 20 % 이내에 드는 학생 학생 수는 $25\times\dfrac{20}{100}=5$(명)이다.

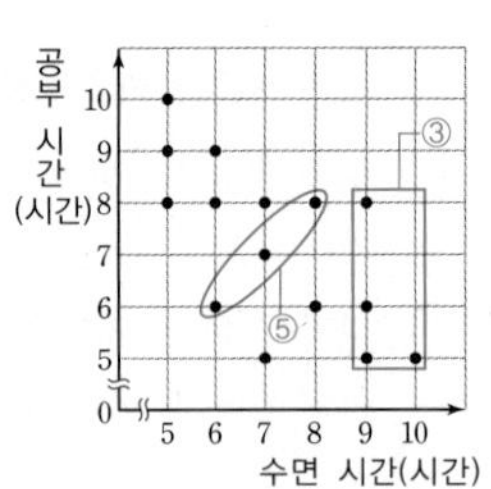

색칠된 부분에 해당되는 점들의 수학 성적과 과학 성적의 합은 각각 200점, 195점, 190점, 185점, 180점이므로 (평균)$=190$(점)이다.

$\therefore a+b=5+190=195$

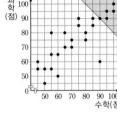

71 ⑤ 공부 시간이 4시간 이상인 학생 수는 8명이므로 전체의 $\dfrac{8}{20}\times100=40(\%)$이다.

72 ⑤ 수면 시간과 공부 시간이 같은 학생 수는 3명이므로 전체의 $\dfrac{3}{15}\times100=20(\%)$이다.

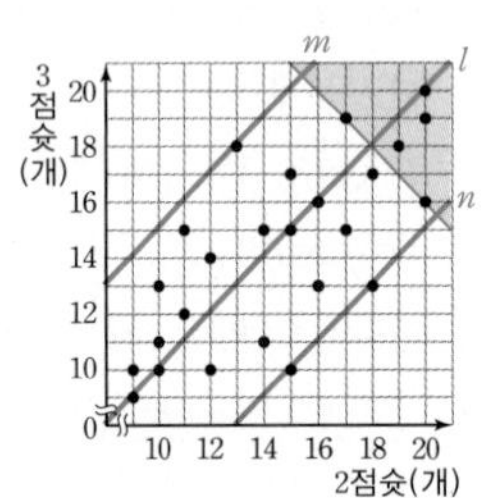

73 ② 2점슛과 3점슛의 차가 5개인 선수는 직선 m과 직선 n 위에 있는 점의 개수와 같으므로 3명이다.

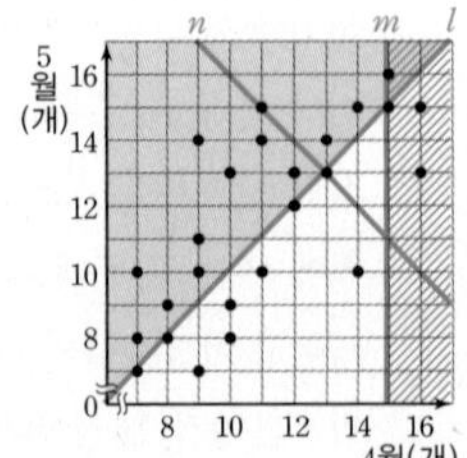

④ 2점슛과 3점슛의 개수의 평균이 18개 초과는 2점슛과 3점슛의 개수의 합이 36개 초과이어야 하므로 색칠된 부분(경계선 제외)의 점의 개수와 같으므로 3명이다.

⑤ 성공한 3점 슛의 개수가 12개 이상 16개 미만인 선수 수는 9명이다.

74 ① 직선 l보다 위쪽에 있는 점의 개수와 같으므로 13명이다.

② 직선 m의 위와 오른쪽에 있는 점의 개수와 같으므로 $\dfrac{4}{25}\times100=16(\%)$

③ 4월과 5월의 안타 개수의 평균이 13개인 선수는 직선 n 위의 점의 개수와 같으므로 2명이다.

④ (4월의 안타 개수, 5월의 안타 개수)로 나타내면 4월과 5월의 안타 개수의 차가 가장 큰 선수의 5월의 안타 개수는 (9, 14)이므로 14개다.

⑤ 직선 l 위에 있는 점의 개수와 같으므로 5명이다.

75 ㄱ. 조사 대상자는 중복되는 점이 없으므로 10명이다.

ㄷ. 조건을 만족하는 선수 수는 6명이다.

76 보미 : 조건을 만족하는 학생 수는 두 과목의 총합이 140점 미만인 학생 수와 같으므로 4명이고 전체의 $\dfrac{4}{16}\times100=25(\%)$이다.

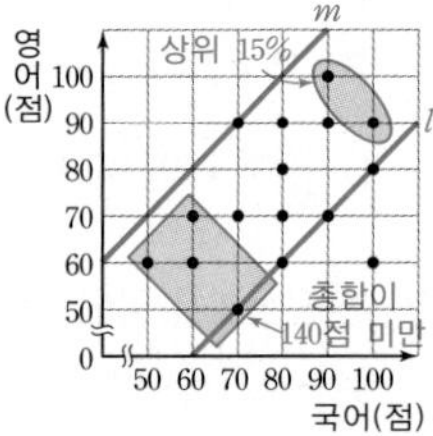

하영 : 상위 15 %인 학생 수는 $\dfrac{15}{100}\times16=2.4$이므로 2명이다.

2명의 영어 성적은 각각 100점, 90점이므로 평균은 95점이다.

남주 : 두 과목의 차가 20점인 학생 수는 직선 l과 직선 m의 위에 있는 점의 개수와 같으므로 5명이다.

은지 : 조건을 만족하는 학생 수는 (70, 90), (80, 90), (90, 70), (90, 90), (90, 100), (100, 60), (100, 80), (100, 90)의 8명이다.

77 여름철 기온(x)이 높을수록 냉방기의 사용으로 인한 전기의 사용량(y)도 대체로 증가하므로 여름철 기온과 냉방기의 전기 사용량은 양의 상관관계이다.

78 산의 높이가 높아질수록 정상에서의 기온은 대체로 낮아지는 경향이 있으므로 산의 높이와 정상에서의 기온은 음의 상관관계이다.

79 ② 1년 동안 생산된 고구마의 양이 많아질수록 그 해 고구마의 가격은 대체로 떨어지는 경향이 있으므로 x, y 사이에는 음의 상관관계가 있다.

80 ①, ③ 음의 상관관계

⑤ 상관관계가 없다.

81 ①, ②, ④, ⑤ 양의 상관관계

③ 음의 상관관계

82 ①, ⑤ 음의 상관관계

②, ③ 상관관계가 없다.

84 스마트폰 사용 시간과 시험 성적의 평균 사이는 음의 상관관계를 갖는다.

①, ②, ⑤ 양의 상관관계

④ 상관관계가 없다.

85 여름철 평균 기온과 아이스크림 판매량 사이에는 양의 상관관계가 있다.

86 ①, ② A는 과학에 비해 수학을 잘하고, B는 수학에 비해 과학을 잘한다.

③ 과학 성적과 수학 성적은 양의 상관관계가 있다.

④ C는 B보다 과학 성적이 더 낮다.

⑤ C는 A보다 과학 성적과 수학 성적이 모두 높다.

87 (3) 직선 l의 위쪽에 위치한 점 중 직선 l에서 가장 멀리 떨어진 점이다.

즉 A이다.

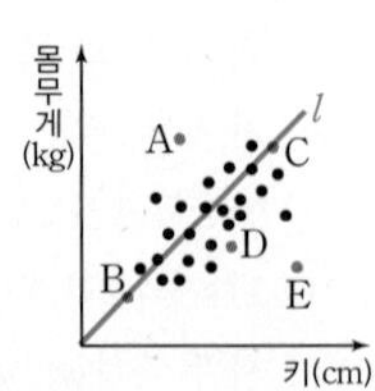

88 ① 산의 높이가 높을수록 기온은 대체로 낮아지는 편이다.
③ A~E 중 기온이 가장 높은 산은 A이다.
⑤ A와 D가 각각 어느 지역에 있는지는 알 수 없다.

89 ① 전 과목 평균 점수와 수학 점수 사이에는 양의 상관관계가 있다.
③ A는 전 과목 평균 점수보다 수학 점수가 높다.
④ 전 과목 평균 점수와 수학 점수의 차가 가장 큰 학생은 D이다.

90 ㄴ. 소득액과 저축액 사이에는 양의 상관관계가 있다고 할 수 있다.
ㅁ. A~F 중 소득에 비해 저축액이 많은 편에 속하는 사람은 A, B, D의 3명이다.

91 (평균)$=\dfrac{7+10+9+7+10+a+b}{7}=7$이므로 $a+b=6$ ⋯㉠

(분산)$=\dfrac{0^2+3^2+2^2+0^2+3^2+(a-7)^2+(b-7)^2}{7}=8$이므로

$a^2+b^2-14(a+b)+120=56$

㉠을 대입하여 정리하면 $a^2+b^2=20$ ⋯㉡

따라서 ㉠, ㉡을 모두 만족하고 $a<b$이므로 $a=2$, $b=4$

92 남학생 3명과 여학생 2명의 수학 쪽지시험 성적을 차례로 a점, b점, c점, d점, e점이라 하자.

(남학생 3명의 분산)$=\dfrac{(a-7)^2+(b-7)^2+(c-7)^2}{3}=7$이므로

$(a-7)^2+(b-7)^2+(c-7)^2=21$

(여학생 2명의 분산)$=\dfrac{(d-7)^2+(e-7)^2}{2}=2$이므로

$(d-7)^2+(e-7)^2=4$

따라서 남녀 학생 5명의 수학 쪽지시험 성적의 평균은 7이므로 분산은

$\dfrac{(a-7)^2+(b-7)^2+(c-7)^2+(d-7)^2+(e-7)^2}{5}=\dfrac{25}{5}=5$

따라서 남녀 학생 5명의 수학 쪽지시험 성적의 표준편차는 $\sqrt{5}$점이다.

93 $f(x)=6x^2-2(p_1+p_2+\cdots+p_6)x+p_1^2+p_2^2+\cdots+p_6^2$

$=6\left(x-\dfrac{p_1+p_2+\cdots+p_6}{6}\right)^2+p_1^2+p_2^2+$

$\cdots+p_6^2-6\left(\dfrac{p_1+p_2+\cdots+p_6}{6}\right)^2$

$=6(x-m)^2+p_1^2+p_2^2+\cdots+p_6^2-6m^2$

따라서 m은 평균이고, $p_1^2+p_2^2+\cdots+p_6^2-6m^2=2$이므로

(분산)$=\dfrac{(p_1-m)^2+(p_2-m)^2+\cdots+(p_6-m)^2}{6}$

$=\dfrac{p_1^2+p_2^2+\cdots+p_6^2-2(p_1+p_2+\cdots+p_6)m+6m^2}{6}$

$=\dfrac{1}{6}(p_1^2+p_2^2+\cdots+p_6^2-6m^2)$

$=\dfrac{2}{6}=\dfrac{1}{3}$

∴ (표준편차)$=\sqrt{\dfrac{1}{3}}=\dfrac{\sqrt{3}}{3}$

94 (2) x의 값이 증가함에 따라 y의 값도 대체로 증가하므로 두 변량 x, y 사이에는 양의 상관관계가 있다.

95 (1) x의 값이 증가함에 따라 y의 값이 대체로 값이 대체로 증가 또는 감소하는 경향이 있지 않으므로 두 변량 사이에는 상관관계가 없다.
(2) x의 값이 증가함에 따라 y의 값은 대체로 감소하므로 두 변량 x, y 사이에는 음의 상관관계가 있다.

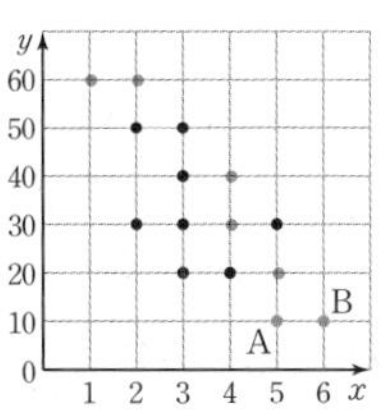

학교 시험 100점 맞기 58쪽~61쪽

01 ④　02 ②　03 ③　04 160　05 라면
06 중앙값 : 6회, 최빈값 : 7회　07 62　08 ①　09 ②
10 ③　11 ④, ⑤　12 민규　13 60 %　14 ②　15 ②, ③
16 다희　17 ①　18 $a=4$, $b=9$　19 ①, ⑤　20 ③
21 $18\sqrt{3}$　22 ㄱ, ㄴ, ㄷ　23 20　24 음의 상관관계
25 희연　26 25 %

01 (평균)$=\dfrac{34+28+30+38+43+49}{6}=\dfrac{222}{6}=37$(m)

02 (전체 평균)$=\dfrac{30\times66+20\times68}{30+20}=\dfrac{3340}{50}=66.8$(점)

03 작은 값부터 크기순으로 나열하면
10, 11, 12, 12, 13, 14, 15, 15, 16, 17, 17, 18이므로

중앙값은 $\dfrac{14+15}{2}=14.5$(살)

04 (평균)$=\dfrac{x+80+95+90+76+77+83}{7}=83$이므로

$x+501=581$ ∴ $x=80$

주어진 자료를 작은 값부터 크기순으로 나열하면
76, 77, 80, 80, 83, 90, 95이므로 $y=80$
∴ $x+y=160$

05 라면을 좋아하는 학생 수가 7명으로 가장 많으므로 최빈값은 라면이다.

06 (평균)$=\dfrac{7+4+2+12+3+x+8+5+7+5}{10}=6$

이므로 $53+x=60$ ∴ $x=7$

따라서 작은 값부터 크기순으로 나열하면 2, 3, 4, 5, 5, 7, 7, 7, 8, 12이므로

(중앙값)$=\dfrac{5+7}{2}=6$(회)

또, 7이 3개로 가장 많이 나타나므로 최빈값은 7회이다.

07 편차의 총합은 항상 0이므로

$(-8)+3+(-1)+b+10=0 \quad \therefore b=-4$

(편차)=(변량)−(평균)이므로 (평균)$=48-(-8)=56(\text{kg})$

$\therefore a=10+56=66$

$\therefore a+b=62$

08 (평균)$=\dfrac{7+5+6+8+7+7+8+9+7+6}{10}=\dfrac{70}{10}=7$(점)이므로

(분산)

$=\dfrac{(7-7)^2+(5-7)^2+(6-7)^2+(8-7)^2+(7-7)^2+(7-7)^2+(8-7)^2+(9-7)^2+(7-7)^2+(6-7)^2}{10}$

$=\dfrac{12}{10}=1.2$

09 (평균)$=\dfrac{6+11+9+5+6+5}{6}=\dfrac{42}{6}=7$

(분산)$=\dfrac{(-1)^2+4^2+2^2+(-2)^2+(-1)^2+(-2)^2}{6}=\dfrac{30}{6}=5$

$\therefore$ (표준편차)$=\sqrt{5}$

10 ③ 각 변량에서 평균을 뺀 값을 편차라 한다.

즉, (편차)=(변량)−(평균)

11 ① (평균)$=\dfrac{4+3+7+5+8+3}{6}=\dfrac{30}{6}=5$

② (분산)$=\dfrac{(4-5)^2+(3-5)^2+(7-5)^2+(5-5)^2+(8-5)^2+(3-5)^2}{6}$

$=\dfrac{22}{6}=\dfrac{11}{3}$

③ 최빈값은 3의 1개이다.

④ 중앙값은 $\dfrac{4+5}{2}=4.5$이므로 변량 중에 없다.

⑤ 각 변량의 편차는 $-1, -2, 2, 0, 3, -2$이므로 가장 큰 편차는 3이다.

12 표준편차가 작을수록 성적이 고르므로 성적이 가장 고른 사람은 민규이다.

13 말하기 평가가 듣기 평가보다 높지 않은 학생 수는 직선 l의 위와 위쪽에 있는 점의 개수와 같으므로 6명이다.

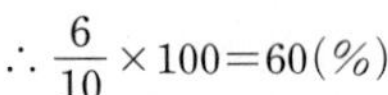

$\therefore \dfrac{6}{10}\times 100=60(\%)$

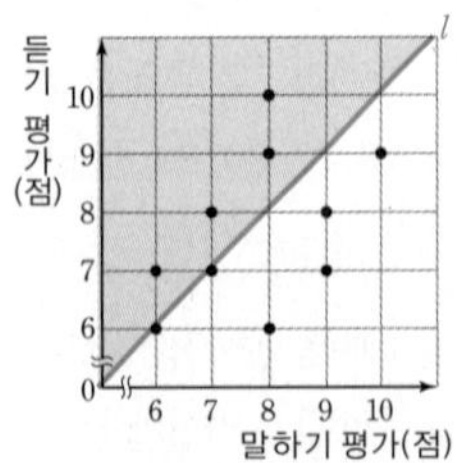

14 ①, ③ 상관관계가 없다.

④, ⑤ 양의 상관관계

② 음의 상관관계

15 ①, ④ 상관관계가 없다.

②, ③ 양의 상관관계

⑤ 음의 상관관계

16 왼쪽 눈의 시력을 x, 오른쪽 눈의 시력 y라고 하면 직선 $y=x$의 아래쪽에서 가장 멀리 떨어져 있는 학생은 다희이다.

17 잘못 측정한 혜진이의 몸무게를 $x$kg, 나머지 회원 7명의 몸무게의 총합을 Xkg이라 하면

$\dfrac{X+56}{8}-\dfrac{X+x}{8}=1, \dfrac{56-x}{8}=1 \quad \therefore x=48$

따라서 잘못 측정한 혜진이의 몸무게는 48kg이다.

18 (i)에서 $a\le 6$

(ii)에서 b를 제외한 나머지 변량을 작은 값부터 크기순으로 나열하면 $2, a, 12, 13$ 또는 $a, 2, 12, 13$이다.

그런데 중앙값이 9이므로 $b=9$

또, $\dfrac{2+12+13+a+9}{5}=8$이므로 $a+36=40$에서 $a=4$

19 (평균)$=\dfrac{3+x+4+(8-x)+5}{5}=\dfrac{20}{5}=4$

(분산)$=\dfrac{(3-4)^2+(x-4)^2+(4-4)^2+(8-x-4)^2+(5-4)^2}{5}$

$=2$

간단히 정리하면 $x^2-8x+12=0, (x-2)(x-6)=0$

$\therefore x=2$ 또는 $x=6$

20 ③ 1차와 2차에서 적어도 하나의 점수가 8점 초과인 사람은 7명이다.

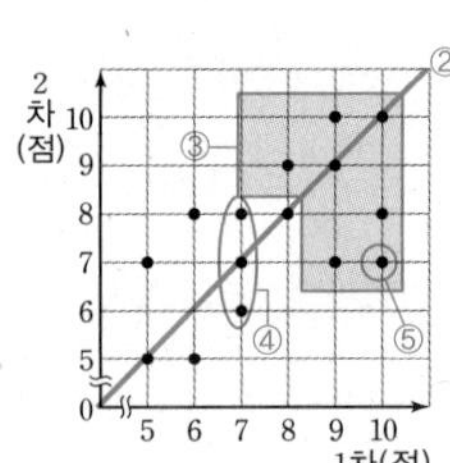

21 $\dfrac{a+b+c+d+e}{5}=5$이므로 $a+b+c+d+e=25$

$\therefore p=\dfrac{(2a-1)+(2b-1)+(2c-1)+(2d-1)+(2e-1)}{5}$

$=\dfrac{2(a+b+c+d+e)-5}{5}=\dfrac{45}{5}=9$

(분산)$=\dfrac{(a-5)^2+(b-5)^2+(c-5)^2+(d-5)^2+(e-5)^2}{5}=3$

이므로

$q=\sqrt{\dfrac{(2a-1-9)^2+(2b-1-9)^2+(2c-1-9)^2+(2d-1-9)^2+(2e-1-9)^2}{5}}$

$=\sqrt{\dfrac{4\{(a-5)^2+(b-5)^2+(c-5)^2+(d-5)^2+(e-5)^2\}}{5}}$

$=\sqrt{4\times 3}=2\sqrt{3}$

$\therefore pq=9\times 2\sqrt{3}=18\sqrt{3}$

22 ㄹ. C는 A, B, C, D, E 중 발의 크기가 가장 작다.

ㅁ. A, B, C, D, E 중 키에 비해 발의 크기가 작은 편인 학생은 E이다.

23 1단계 주어진 자료를 작은 값부터 크기순으로 나열하면

1, 3, 3, 4, 6, 7, 9, 9, 12, 12, 12, 18이므로

(중앙값)$=x=\dfrac{7+9}{2}=8$

(2단계) 12가 3개로 가장 많이 나타나므로 (최빈값)$=y=12$

(3단계) $x+y=8+12=20$

24 (1단계)

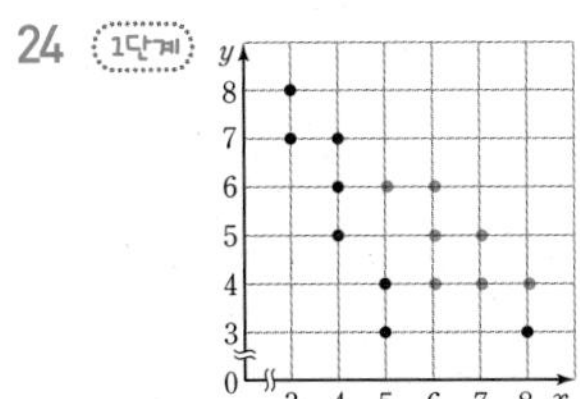

(2단계) x의 값이 증가함에 따라 y의 값은 대체로 감소하므로 두 변량 x, y 사이에는 음의 상관관계가 있다.

25 희연이가 자른 노끈의 길이의 평균은

$$\frac{100+98.5+101.5+101+99}{5}=\frac{500}{5}=100(\text{cm})$$

지연이가 자른 노끈의 길이의 평균은

$$\frac{101+99+98.5+99.5+102}{5}=\frac{500}{5}=100(\text{cm})$$

희연이와 지연이가 자른 노끈의 길이의 평균은 서로 같다. …… ❶

희연이가 자른 노끈의 길이의 분산은

$$\frac{(100-100)^2+(98.5-100)^2+(101.5-100)^2+(101-100)^2+(99-100)^2}{5}$$

$$=\frac{6.5}{5}=1.3$$

지연이가 자른 노끈의 길이의 분산은

$$\frac{(101-100)^2+(99-100)^2+(98.5-100)^2+(99.5-100)^2+(102-100)^2}{5}$$

$$=\frac{8.5}{5}=1.7$$ …… ❷

따라서 희연이가 자른 노끈의 길이의 분산이 지연이가 자른 노끈의 길이의 분산보다 작으므로 희연이가 노끈을 더 고르게 잘랐다.

…… ❸

채점 기준	배점
❶ 두 사람의 평균 구하기	2점
❷ 두 사람의 분산 구하기	4점
❸ 누가 더 고르게 잘랐는지 말하기	1점

26 A의 두 과목의 점수의 평균은

$\frac{60+70}{2}=65$(점)이고 …… ❶

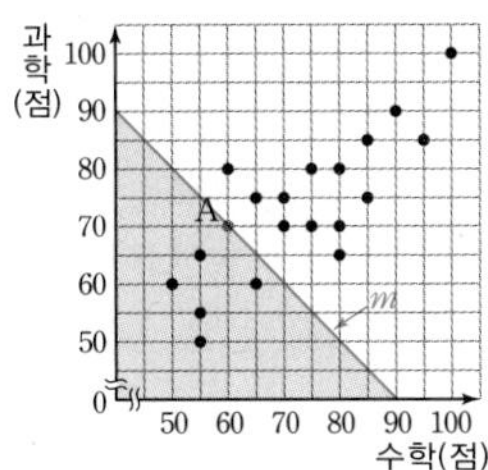

A보다 두 과목의 평균이 낮은 학생 수는 직선 m보다 아래쪽에 있는 점의 개수와 같으므로 5명이다. …… ❷

따라서 조건을 만족하는 학생 수는

전체의 $\frac{5}{20}\times100=25(\%)$이다. …… ❸

채점 기준	배점
❶ A의 두 과목의 점수의 평균 구하기	1점
❷ 조건을 만족하는 학생 수 구하기	3점
❸ 백분율 구하기	2점

싹쓸이 핵심 기출 문제

64쪽~67쪽

01 ③ 02 ① 03 15° 04 ② 05 ① 06 ⑤
07 $\angle x=85°$, $\angle y=70°$ 08 ③ 09 ④ 10 ③
11 ④ 12 ① 13 $\angle x=80°$, $\angle y=80°$ 14 ④
15 ② 16 ③ 17 155 cm 18 분산 : 50, 표준편차 : $5\sqrt{2}$
19 3반 20

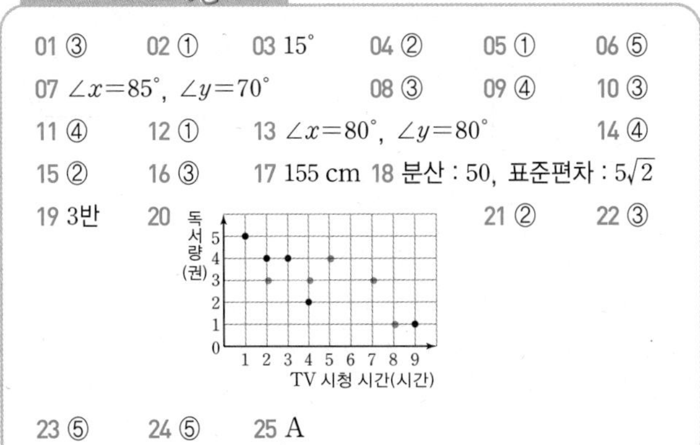

21 ② 22 ③
23 ⑤ 24 ⑤ 25 A

01 $\angle x$는 $\widehat{AB}$에 대한 중심각이므로 $\angle x=2\angle APB=110°$
$\angle y$는 $\widehat{AB}$에 대한 원주각이므로 $\angle y=\angle APB=55°$
$\therefore \angle x+\angle y=165°$

02 $\overline{OA}$, $\overline{OB}$를 그으면
$\angle AOB=360°-2\times100°=160°$
따라서 $\square APBO$에서
$\angle APB=360°-(90°+90°+160°)$
$=20°$

03 $\triangle BQD$에서 $\angle BDC=45°-30°=15°$
$\therefore \angle BAC=\angle BDC=15°$

04 반원에 대한 원주각의 크기는 90°이므로 $\angle APB=90°$
따라서 $\triangle ABP$에서 $\angle x=180°-(65°+90°)=25°$

05 $\widehat{AB}$에 대한 원주각의 크기는 $\frac{1}{2}\times80°=40°$
$40° : \angle CED=8 : 6$ $\therefore \angle CED=30°$

06 $\angle AQB=\frac{1}{2}\times160°=80°$
따라서 $\square APBQ$가 원 O에 내접하므로
$\angle APB=180°-80°=100°$

07 $\angle DCE=\angle A$ $\therefore \angle x=85°$
$\angle CDF=\angle B$ $\therefore \angle y=70°$

08 $\triangle PBC$에서 $\angle DCQ=\angle x+36°$
$\triangle DCQ$에서 $\angle ADC=(\angle x+36°)+32°=\angle x+68°$
$\square ABCD$가 원에 내접하므로 $\angle x+(\angle x+68°)=180°$
$2\angle x=112°$ $\therefore \angle x=56°$

09 $\overline{BD}$를 그으면

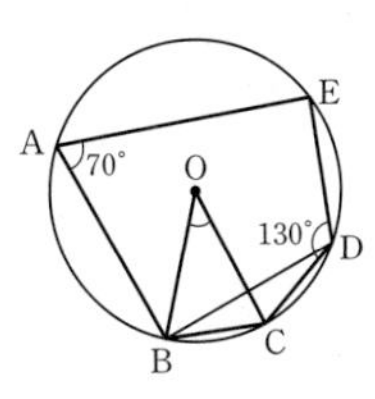

$\square ABDE$가 원 O에 내접하므로
$\angle EDB=180°-70°=110°$
$\therefore \angle BDC=130°-110°=20°$
따라서 $\angle BDC$는 $\widehat{BC}$에 대한 원주각이므로
$\angle BOC=2\times20°=40°$

10 $\overline{AB}$를 그으면

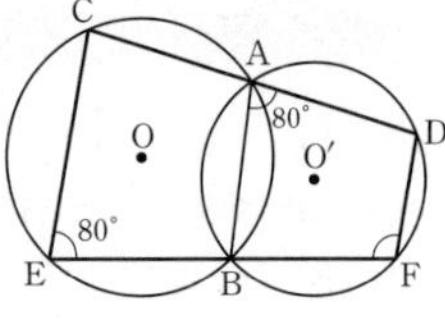

□ACEB는 원 O에 내접하므로

$\angle DAB=\angle E=80°$

또, □ABFD는 원 O'에 내접하므로

$\angle DAB+\angle F=180°$

$80°+\angle F=180°$ $\quad\therefore \angle F=100°$

11 ① $\angle BDC=90°-45°=45°$이므로 $\angle CAB\neq\angle CDB$

② $\angle BAD+\angle BCD=170°\neq180°$

③ $\angle ABC+\angle ADC=170°\neq180°$

④ $\angle DAC=\angle DBC=30°$

⑤ $\angle ABC=180°-(40°+50°)=90°$이므로

$\angle ABC+\angle ADC=190°\neq180°$

12 $\overline{BT}$를 그으면 $\overrightarrow{PT}$가 원 O의 접선이므로

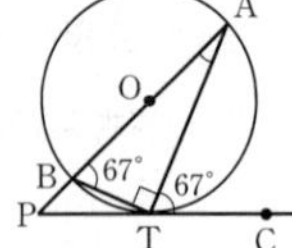

$\angle ABT=\angle ATC=67°$

$\overline{AB}$가 지름이므로 $\angle ATB=90°$

$\therefore \angle BAT=180°-(67°+90°)=23°$

13 큰 원에서 $\angle PTD=\angle TCD$이므로 $\angle y=80°$

또, $\angle BTQ=\angle PTD$(맞꼭지각)이므로 $\angle BTQ=80°$

따라서 작은 원에서 $\angle BTQ=\angle BAT$이므로 $\angle x=80°$

14 (4회의 총점)$=91\times4=364$(점)

5회의 점수를 x점이라 하면

$364+x\geq92\times5,\ x+364\geq460$ $\quad\therefore x\geq96$

따라서 마지막 시험에서 지영이는 96점 이상을 받아야 한다.

15 주어진 자료를 작은 값부터 크기순으로 나열하면

3, 4, 4, 5, 6, 8, 9, 11, 12, 13, 14, 14, 16, 17, 18

이므로 중앙값은 8번째인 11회이다.

16 주어진 자료에서 학생 수가 가장 많은 15분이 최빈값이다.

17 편차의 총합은 항상 0이므로

$(-5)+3+4+x+(-1)+2=0$ $\quad\therefore x=-3$

따라서 D 학생의 키는 $158-3=155$(cm)

18 (평균)$=\dfrac{60+75+80+65+70}{5}=\dfrac{350}{5}=70$

$\therefore$ (분산)$=\dfrac{(-10)^2+5^2+10^2+(-5)^2+0^2}{5}=\dfrac{250}{5}=50,$

(표준편차)$=\sqrt{50}=5\sqrt{2}$

19 3반의 표준편차가 가장 작으므로 100 m 달리기 기록이 가장 고른 반은 3반이다.

20 (TV 시청 시간, 독서량)으로 순서쌍을 나타내면

(2, 3), (4, 3), (5, 4), (7, 3), (8, 1)의 5개의 점을 추가한다.

21 몸무게를 x, 키를 y라고 하면

$55\leq x\leq65,\ y>170$이어야 하므로

조건을 만족하는 학생 수는 색칠된 부분에 있는 점의 개수와 같다. 즉, 4명이다.

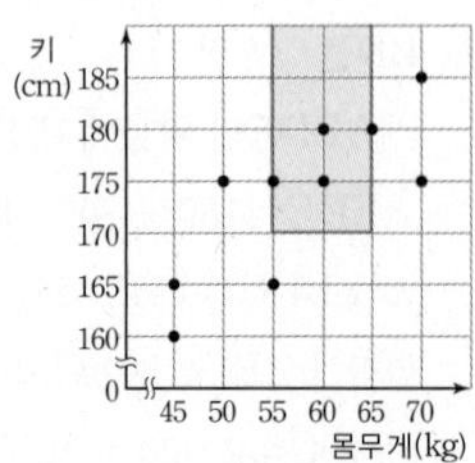

22 조건을 만족하는 학생 수는 직선 l보다 위쪽에 있는 점의 개수와 같으므로 4명이다.

$\therefore \dfrac{4}{10}\times100=40(\%)$

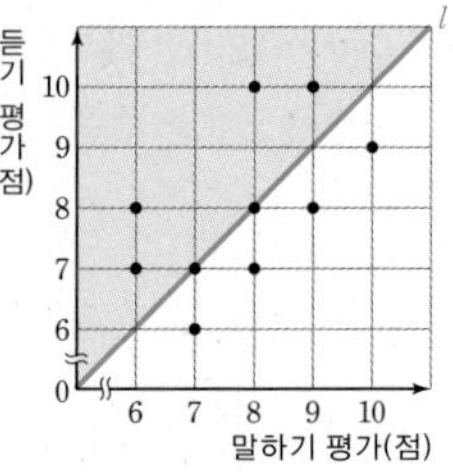

23 조건을 만족하는 학생의 1차 국어 성적은 각각 80점, 90점, 90점, 100점, 100점이므로

(평균)$=\dfrac{80+90+90+100+100}{5}=92$(점)

24 ①, ④ 양의 상관관계

②, ③ 상관관계가 없다.

⑤ 음의 상관관계

25 소득에 비해 비교적 저축을 많이 한 사람은 A이고 소득에 비해 비교적 저축을 적게 한 사람은 C이다.

싹쓸이 핵심 예상 문제

68쪽~71쪽

01 ②	02 ⑤	03 ②	04 140°	05 45°	06 150°
07 ④	08 ⑤	09 105°	10 ③	11 ④	12 ⑤
13 ⑤	14 ①	15 ④	16 ③		
17 $A=70,\ B=81,\ C=8$			18 ④	19 ④	
20 풀이 참조			21 6명	22 60 %	
			23 ②	24 ③	
			25 D		

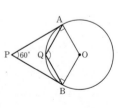

20 (게임 시간(시간) – 책의 수(권) 그래프)

01 $\angle AOB$는 $\widehat{AB}$에 대한 중심각이므로 $\angle AOB=2\angle APB=160°$

$\therefore \angle x=360°-160°=200°$

$\angle y$는 $\widehat{AB}$에 대한 원주각이므로 $\angle y=\angle APB=80°$

$\therefore \angle x-\angle y=120°$

02 $\overline{OA}$, $\overline{OB}$를 그으면 □APBO에서

$\angle AOB=360°-(90°+90°+60°)$

$=120°$

원 O에서 호 AB의 중심각($\angle AOB$의 큰 각)의 크기는 $360°-120°=240°$이므로 $\angle AQB$의 크기는 $\dfrac{1}{2}\times240°=120°$

03 $\overline{PB}$가 원 O의 지름이므로 $\angle PAB=90°$

$\triangle PAB$에서 $\angle PBA=180°-(33°+90°)=57°$

$\therefore \angle x=\angle PBA=57°$

04 반원에 대한 원주각의 크기는 90°이므로

$\angle AQB=\angle APB=90°$ $\quad\therefore \angle y=90°$

$\triangle$ABP에서 $\angle x=180°-(40°+90°)=50°$

$\therefore \angle x+\angle y=140°$

05 $\widehat{AB}:\widehat{CD}=2:5$이므로 $30°:\angle CAD=2:5$ $\quad\therefore \angle CAD=75°$
따라서 $\triangle$APC에서 $\angle CPD=\angle CAD-\angle ACP=75°-30°=45°$

06 □ABCD가 원 O에 내접하므로 $\angle ADC=180°-30°=150°$

07 $\angle DCE=\angle A$ $\quad\therefore \angle x=95°$
$\angle CDF=\angle B$ $\quad\therefore \angle y=180°-85°=95°$
$\therefore \angle x+\angle y=190°$

08 $\triangle$QCD에서 $\angle BCP=30°+50°=80°$
$\triangle$BPC에서 $\angle ABC=\angle x+80°$
□ABCD가 원에 내접하므로 $(\angle x+80°)+50°=180°$
$\therefore \angle x=50°$

09 $\overline{BD}$를 그으면 오른쪽 그림과 같이 $\widehat{CD}$에 대한 원주각의 크기는 29°이다.
$\angle ABD=104°-29°=75°$
□ABDE는 원 O에 내접하므로
$\angle x=180°-75°=105°$

10 $\overline{AB}$를 그으면 □ABFD는 원 O′에 내접하므로 $\angle ABE=\angle D=50°$
따라서 원 O에서
$\angle ACE=\angle ABE=50°$($\because$ $\widehat{AE}$에 대한 원주각)

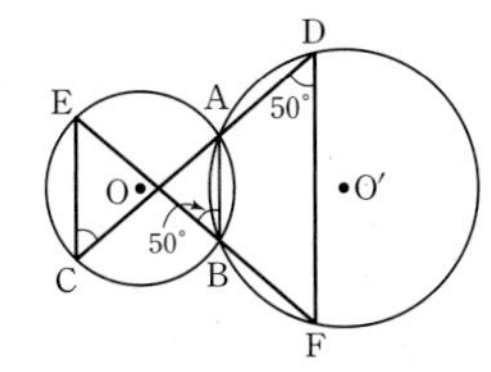

11 ④ $\angle ABC=180°-(60°+60°)=60°$이므로
$\angle ABC+\angle ADC=160°\neq180°$

12 $\overline{AB}$, $\overline{BC}$가 원 O의 접선이므로 $\overline{BD}=\overline{BE}$
$\therefore \angle BDE=\angle BED=\frac{1}{2}\times(180°-48°)=66°$
$\triangle$DEF에서 $\angle DFE=\angle BED=66°$
$\therefore \angle EDF=180°-(46°+66°)=68°$

13 작은 원에서 $\angle BTQ=\angle BAT=50°$
큰 원에서 $\angle CTQ=\angle CDT=60°$
$\therefore \angle DTC=180°-(50°+60°)=70°$

14 사회 점수를 x점이라고 하면
$\frac{75+100+85+x+95}{5}\geq85$에서 $355+x\geq425$ $\quad\therefore x\geq70$
따라서 사회의 최소 점수는 70점 이상이어야 한다.

15 (평균)$=\frac{5+9+6+11+9+10+6+7+9+8}{10}=\frac{80}{10}=8$
주어진 자료를 작은 값부터 크기순으로 나열하면
5, 6, 6, 7, 8, 9, 9, 9, 10, 11이므로 중앙값은 $\frac{8+9}{2}=8.5$
$\therefore a+b=8+8.5=16.5$

16 주어진 자료에서 학생 수가 가장 많은 환타와 물이 최빈값이다.

17 $-4=69-$(평균)이므로 (평균)$=69+4=73$(점)
편차의 총합은 항상 0이므로
$(-4)+1+(-3)+(-2)+C=0$ $\quad\therefore C=8$
(편차)=(변량)−(평균)이므로
$A-73=-3$ $\quad\therefore A=70$
$B-73=8$ $\quad\therefore B=81$

18 ① (평균)$=\frac{6+9+4+10+7+6}{6}=\frac{42}{6}=7$
② 편차의 총합은 항상 0이다.
③ 편차의 제곱의 총합은
$(-1)^2+2^2+(-3)^2+3^2+0^2+(-1)^2=24$이다.
④ (분산)$=\frac{24}{6}=4$
⑤ (표준편차)$=\sqrt{4}=2$

19 ㄱ. 세 학급의 영어 성적의 평균은 2반>3반>1반이다. (참)
ㄴ. 영어 성적이 가장 우수한 학생은 누구인지 알 수 없다. (거짓)
ㄷ. 세 학급의 영어 성적의 표준편차는 3반>2반>1반이므로 표준편차가 가장 작은 1반의 영어 성적이 가장 고르다. (참)

20 (책의 수, 게임 시간)으로 순서쌍을 나타내면 (1, 3), (3, 2), (3, 4), (4, 3), (5, 2)의 5개의 점을 추가한다.

21 윗몸일으키기 횟수를 x, 팔굽혀펴기 횟수를 y라고 하면 $35<x<60$, $30\leq y\leq50$이어야 하므로 조건을 만족하는 학생 수는 색칠된 부분에 있는 점의 개수와 같다.
즉 6명이다.

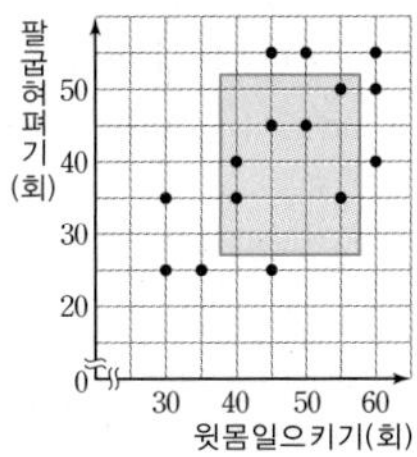

22 조건을 만족하는 학생 수는 직선 l의 위 또는 위쪽에 있는 점의 개수와 같으므로 6명이다.
$\therefore \frac{6}{10}\times100=60(\%)$

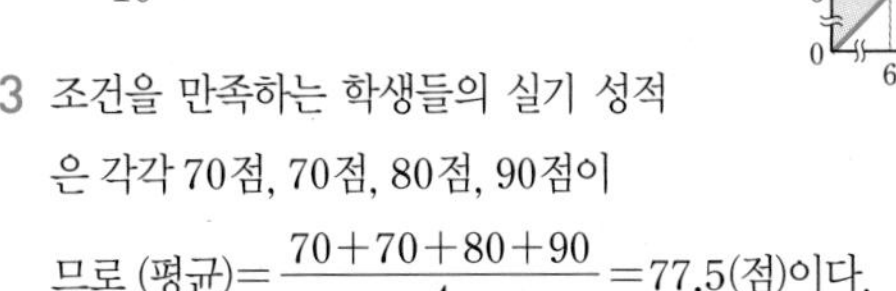

23 조건을 만족하는 학생들의 실기 성적은 각각 70점, 70점, 80점, 90점이므로 (평균)$=\frac{70+70+80+90}{4}=77.5$(점)이다.

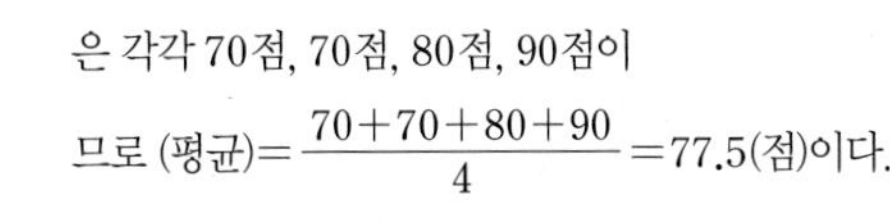

24 ①, ②, ④, ⑤ 음의 상관관계
③ 양의 상관관계

기말고사 대비 실전 모의고사

1회 72쪽~75쪽

01 ①	02 ④	03 ④	04 ②	05 ④	06 ③
07 ④	08 ③	09 ④	10 ①, ⑤		
11 $\angle x=30°$, $\angle y=30°$			12 ③	13 ④	
14 중앙값 : 70, 최빈값 : 74			15 ④	16 ②	17 5
18 ②	19 ③	20 ①	21 ②	22 ④	23 66°
24 16°	25 180				

01 $\widehat{AC}$에 대한 중심각 ∠AOC의 큰 각의 크기가 238°이므로
∠x=360°−238°=122°

02 ∠AOC=∠AOB+∠BOC=2(∠AQB+∠BPC)
110°=2(∠AQB+30°), 2∠AQB=50°　∴ ∠AQB=25°

03 ∠CBD=$\frac{1}{2}$×116°=58°(∵ $\widehat{CD}$의 원주각)
△ABD는 이등변삼각형이므로 ∠BAD=∠BDA
∴ ∠BAD=$\frac{1}{2}$×58°=29°

04 $\overline{PB}$를 그으면 $\overline{AB}$는 지름이므로 ∠APB=90°
△ABP에서∠ABP=180°−(30°+90°)
=60°
30° : 60°=6π : $\widehat{PA}$에서 $\widehat{PA}$=12π

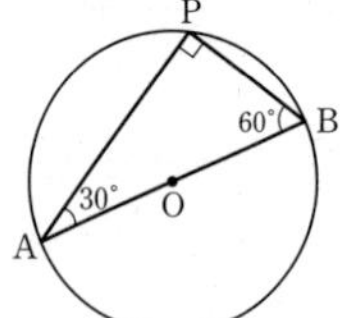

05 △ACP에서 ∠CAP=60°−20°=40°
한 원에서 호의 길이와 원주각의 크기는 정비례하므로
$\widehat{AD}$: 6=20° : 40°　∴ $\widehat{AD}$=3(cm)

06 □ABCD가 원에 내접하므로
∠ABC=180°−102°=78°
따라서 △ABC에서 ∠x=180°−78°−32°=70°

07 □ABCD가 원에 내접하므로 ∠ADC=∠ABE=101°
∴ ∠ADB=101°−51°=50°
∴ ∠ACB=∠ADB=50°

08 ∠A+∠C=∠A+120°=180°, ∠A=60°
∠BOD=2∠A=2×60°=120°
□OBCD에서
∠OBC+∠ODC=360°−(120°+120°)=120°
□ABCD에서
∠B+∠D=(∠x+∠OBC)+(∠y+∠ODC)
=∠x+∠y+120°=180°
∴ ∠x+∠y=60°

09 □ABQP가 원에 내접하므로 ∠PQC=∠A=96°
□PQCD는 원에 내접하므로 ∠PQC+∠D=96°+∠x=180°
∴ ∠x=∠D=180°−96°=84°

10 ① ∠ADB≠∠ACB
② ∠ADB=∠ACB
③ ∠A+∠D=180°, ∠A=∠B이므로 ∠B+∠D=180°
④ ∠ACB=180°−(45°+85°)=50°=∠ADB
⑤ ∠ABC+∠ADC=160°≠180°

11 △CTA에서 ∠BCA=∠CTA+∠CAT
68°=38°+∠x　∴ ∠x=30°
또 ∠CAT=∠CBA이므로 ∠y=30°

12 ∠ABD=∠DAT=24°
또, $\widehat{AD}$=$\widehat{BD}$이므로
∠ABD=∠BAD=24°

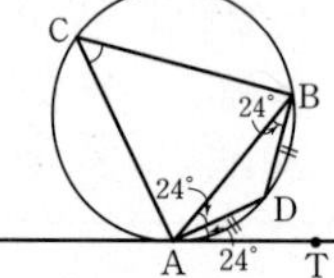

∴ ∠BAT=24°+24°=48°
$\overleftrightarrow{AT}$가 원의 접선이므로 ∠ACB=∠BAT=48°

13 5회의 성적을 x점이라 하면
$\frac{84\times4+x}{5}=86$, $336+x=430$　∴ $x=94$

14 $\frac{74+65+x+63+78+66}{6}=70$, $346+x=420$　∴ $x=74$
따라서 자료를 작은 값부터 크기순으로 나열하면 63, 65, 66, 74, 74, 78이므로 중앙값은 $\frac{66+74}{2}=70$
또, 74가 2개로 가장 많이 나타나므로 최빈값은 74이다.

15 ① 자료 전체의 특징을 하나의 수로 나타낸 값을 대푯값이라 한다.
② (편차)=(변량)−(평균)
③ 편차의 평균은 항상 0이므로 이것으로는 변량들이 흩어져 있는 정도를 알 수 없다.
⑤ 자료의 개수와 산포도는 아무런 상관이 없다.

16 (평균)=$\frac{7+9+8+9+10+10+9+10}{8}=\frac{72}{8}=9$(점)
∴ (분산)=$\frac{(-2)^2+0^2+(-1)^2+0^2+1^2+1^2+0^2+1^2}{8}=\frac{8}{8}=1$

17 편차의 총합은 항상 0이므로
$(-5)+(-3)+a+b+1+2=0$, $a+b=5$
표준편차가 3, 즉 분산이 $3^2=9$이므로
$\frac{(-5)^2+(-3)^2+a^2+b^2+1^2+2^2}{6}=9$, $a^2+b^2=15$
$(a+b)^2=a^2+b^2+2ab$, $5^2=15+2ab$　∴ $ab=5$

18 듣기 평가 점수를 x, 말하기 평가 점수를 y라 하면
$x\geq8$, $y\geq7$을 만족하는 점의 개수와 같으므로 6명이다.
∴ $\frac{6}{25}\times100=24$(%)

19 (듣기 평가 점수, 말하기 평가 점수)의 순서쌍으로 나타내면
(2, 5), (4, 7), (6, 9), (8, 5)의 4명이다.

21 ①, ⑤ 양의 상관관계
② 음의 상관관계
③, ④ 상관관계가 없다.

22 ④ E는 월 평균 독서량에 비하여 국어 성적이 별로 좋지 않은 편이다.

23 ∠ADC=180°×$\frac{1}{5}$=36°(∵ $\widehat{AC}$에 대한 원주각) …… ❶
∠BAD=180°×$\frac{1}{6}$=30°(∵ $\widehat{BD}$에 대한 원주각) …… ❷
따라서 △APD에서
∠APC=∠ADP+∠DAP=36°+30°=66° …… ❸

채점 기준	배점
❶ ∠ADC의 크기 구하기	2점
❷ ∠BAD의 크기 구하기	2점
❸ ∠APC의 크기 구하기	2점

24 ∠x=∠APT=∠BPT′=∠BDP=60° …… ❶
∠DPT=∠CPT′=∠CAP=44°

$\angle y=180^\circ-(\angle BPT'+\angle DPT)$

$=180^\circ-(60^\circ+44^\circ)=76^\circ$ …… ❷

$\angle y-\angle x=76^\circ-60^\circ=16^\circ$ …… ❸

채점 기준	배점
❶ $\angle x$의 크기 구하기	3점
❷ $\angle y$의 크기 구하기	3점
❸ $\angle y-\angle x$의 크기 구하기	2점

25 점수의 합이 낮은 순으로 3번째(18등) 학생의 성적을 순서쌍으로 나타내면 $(50, 50)$이다. $\therefore a=50+50=100$ …… ❶

$(90, 70)$, $(80, 80)$, $(70, 90)$인 학생들이 모두 같은 등수인 6등이고, 이들의 평균은 모두 80점이다. $\therefore b=80$ …… ❷

$\therefore a+b=180$ …… ❸

채점 기준	배점
❶ a의 값 구하기	3점
❷ b의 값 구하기	3점
❸ $a+b$의 값 구하기	2점

기말고사 대비 실전 모의고사

② 회 76쪽~79쪽

01 ③	02 ②	03 ②	04 62°	05 ③	06 ①
07 ③, ⑤	08 ②, ④, ⑤		09 ④	10 ⑤	11 ④
12 ①	13 ④	14 ④	15 ⑤	16 ③	17 ②, ③
18 ④	19 ③	20 ⑤	21 ②	22 C	23 119°
24 102°	25 4.8				

01 $\angle AOB=2\angle ACB=2\times48^\circ=96^\circ$

따라서 $\triangle OAB$에서 $\overline{OA}=\overline{OB}$이므로

$\angle OAB=\frac{1}{2}\times(180^\circ-96^\circ)=42^\circ$

02 $\angle PAQ=\angle PBQ=70^\circ$($\because \widehat{PQ}$의 원주각)

$\triangle CAP$에서 $\angle x+70^\circ=97^\circ$ $\therefore \angle x=27^\circ$

$\angle PAC+\angle y=180^\circ$에서 $\angle y=180^\circ-70^\circ=110^\circ$

$\therefore \angle x+\angle y=137^\circ$

03 $\overline{AB}$를 그으면 $\angle BAC=\angle BDC=47^\circ$

$\overline{AC}$는 원 O의 지름이므로 $\angle ABC=90^\circ$

따라서 $\triangle ABC$에서

$\angle ACB=180^\circ-(47^\circ+90^\circ)=43^\circ$

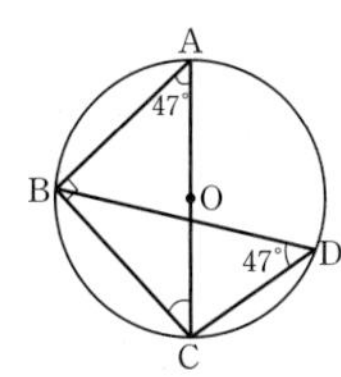

04 점 A와 C를 선분으로 연결하면

$\angle CAD=\frac{1}{2}\times56^\circ=28^\circ$

$\angle ACP=\angle ACB=90^\circ$

$\therefore \angle CPD=90^\circ-28^\circ=62^\circ$

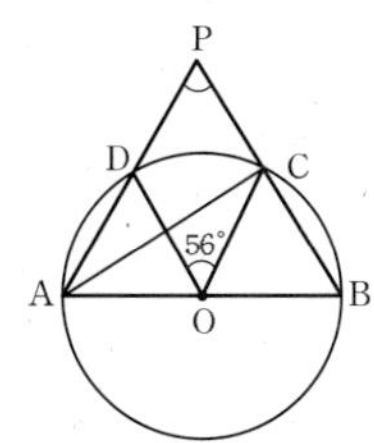

05 $\widehat{AC}=\widehat{BD}$이므로 $\angle ABC=\angle DCB=30^\circ$

따라서 $\triangle PCB$에서 $\angle APC=30^\circ+30^\circ=60^\circ$

06 □ABCD가 원에 내접하므로 $\angle x=180^\circ-104^\circ=76^\circ$

$\triangle PCD$에서 $\angle y=180^\circ-(26^\circ+76^\circ)=78^\circ$

$\therefore \angle y-\angle x=78^\circ-76^\circ=2^\circ$

07 ③, ⑤ 한 쌍의 대각의 크기의 합이 180°이므로 사각형이 원에 내접한다.

08 ① $\angle ADB\neq\angle ACB$

② $\angle ADB=\angle ACB$

③ 원에 내접하는지 아닌지 알 수 없다.

④ $\angle BAC=\angle BDC$

⑤ $\angle ACB=90^\circ-60^\circ=30^\circ=\angle ADB$

09 $\angle BAC=\angle BDC$이므로 네 점 A, B, C, D는 한 원 위에 있고

$\widehat{AB}$에 대하여 $\angle ADB=\angle ACB=40^\circ$

따라서 $\triangle ABC$에서

$\angle ABC=180^\circ-(57^\circ+40^\circ)=83^\circ$

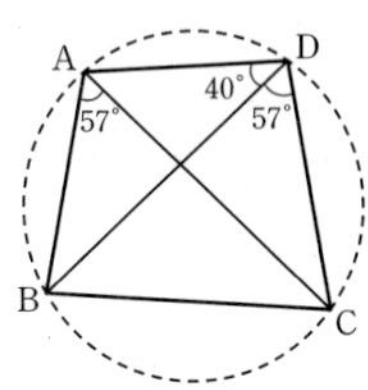

10 직선 TT′이 원의 접선이므로 $\angle x=\angle DCT'=55^\circ$

$\angle BCD=180^\circ-(35^\circ+55^\circ)=90^\circ$이고 □ABCD가 원에 내접하므로 $\angle y=180^\circ-90^\circ=90^\circ$

$\therefore \angle x+\angle y=55^\circ+90^\circ=145^\circ$

11 작은 원에서 $\angle DTP=\angle DCT$이므로 $\angle x=70^\circ$

큰 원에서 $\angle ATP=\angle ABT$이므로 $\angle y=70^\circ$

$\therefore \angle x+\angle y=70^\circ+70^\circ=140^\circ$

12 A, B 두 동아리 전체 회원의 몸무게의 평균은

$\frac{62\times12+67\times8}{12+8}=\frac{1280}{20}=64(\text{kg})$

13 (중앙값)$=\frac{9+x}{2}=10$, $9+x=20$ $\therefore x=11$

14 $a=\frac{29+30}{2}=29.5$, $b=36$이므로 $a+b=29.5+36=65.5$

15 ⑤ 평균과 산포도 사이에는 아무런 관계가 없다.

16 남학생 6명의 수학 점수의 편차의 제곱의 총합은 $8\times6=48$

여학생 4명의 수학 점수의 편차의 제곱의 총합은 $5\times4=20$

따라서 전체 10명의 수학 점수의 편차의 제곱의 총합은 $48+20=68$

이므로 분산은 $\frac{68}{10}=6.8$이고, 표준편차는 $\sqrt{6.8}$(점)이다.

17 평균이 높은 B반이 A반보다 성적이 전체적으로 높다.

또, 표준편차가 작은 A반이 B반보다 성적이 더 고르다.

18 조건을 만족하는 점을 (공부 시간, 성적)의 순서쌍으로 나타내면 $(4, 70)$, $(4, 80)$, $(4, 90)$, $(5, 80)$, $(5, 90)$, $(5, 100)$이다.

즉 조건을 만족하는 학생 수는 6명이다.

$\therefore \frac{6}{15}\times100=40(\%)$

19 (평균)$=\frac{80+40+60+90+50}{5}=\frac{320}{5}=64$(점)

20 ㄷ. 1차와 2차 점수 중 적어도 하나가 9점 이상인 사람은 색칠한 부분(경계선 포함)의 점의 개수와 같으므로 6명이고 이는 전체의 $\frac{6}{15}\times 100=40(\%)$이다.

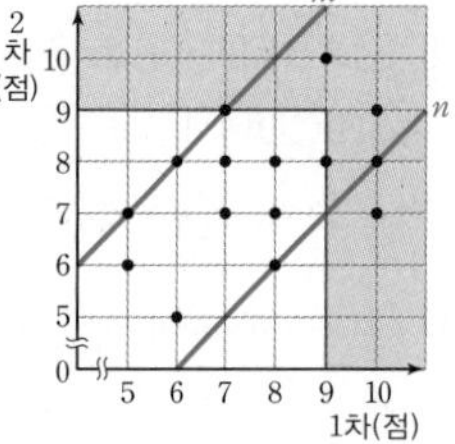

ㄹ. 1차와 2차의 점수 차가 2점 이상인 선수는 직선 m의 위 또는 위쪽의 점의 개수와 직선 n의 위 또는 아래쪽의 점의 개수의 합과 같으므로 6명이다.

21 ①, ③ 상관관계가 없다.
② 음의 상관관계
④, ⑤ 양의 상관관계

22 오른쪽 위로 향하는 대각선으로부터 멀리 떨어질수록 두 기록의 차가 크다.
따라서 조건을 만족하는 학생은 C이다.

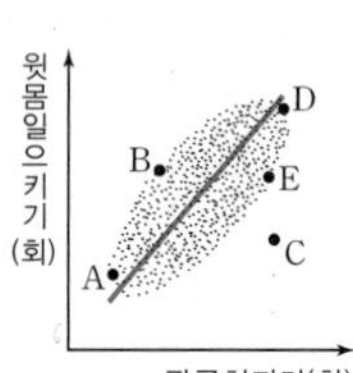

23 $\angle AFE=\angle BFC=85^\circ$($\because$ 맞꼭지각) ······ ❶
$\triangle AEF$에서 $\angle EAF=180^\circ-85^\circ-34^\circ=61^\circ$ ······ ❷
□ACDE는 원에 내접하는 사각형이므로
$\angle CDE=180^\circ-61^\circ=119^\circ$ ······ ❸

채점 기준	배점
❶ $\angle AFE$의 크기 구하기	2점
❷ $\angle EAF$의 크기 구하기	2점
❸ $\angle CDE$의 크기 구하기	3점

24 □GHCD, □EFHG가 각각 원 O_2, 원 O_3에 내접하므로
$\angle CDG=\angle GHF=\angle FEA$ ······ ❶
□ABFE가 원 O_1에 내접하므로
$\angle ABF+\angle FEA=180^\circ$, $78^\circ+\angle FEA=180^\circ$
$\therefore \angle FEA=102^\circ$ ······ ❷
$\angle FEA=102^\circ$ 이므로 $\angle CDG=102^\circ$ ······ ❸

채점 기준	배점
❶ $\angle CDG$와 크기가 같은 각 찾기	3점
❷ $\angle FEA$의 크기 구하기	3점
❸ $\angle CDG$의 크기 구하기	2점

25 $1+2+x+2+y=10$ $\therefore x+y=5$ ··· ㉠
(평균)$=\frac{6\times1+8\times2+10\times x+12\times2+14\times y}{10}$
$=\frac{10x+14y+46}{10}=10$
에서 $10x+14y+46=100$ $\therefore 5x+7y=27$ ··· ㉡
따라서 ㉠, ㉡을 연립하여 풀면 $x=4$, $y=1$이다. ······ ❶
$\therefore$ (분산)$=\frac{(-4)^2\times1+(-2)^2\times2+0^2\times4+2^2\times2+4^2\times1}{10}$
$=\frac{48}{10}=4.8$ ······ ❷

채점 기준	배점
❶ x, y의 값 구하기	4점
❷ 분산 구하기	4점

기말고사 대비 실전 모의고사

3 회

80쪽~83쪽

01 ④ 02 126° 03 49° 04 60° 05 ⑤ 06 ④
07 ② 08 ④ 09 ①, ⑤ 10 ㉢, ㉣ 11 63° 12 60°
13 ②, ⑤ 14 ② 15 ②, ④ 16 ③, ④
17 (1) A의 평균 : 8점, B의 평균 : 8점
(2) A의 분산 : 1.6, B의 분산 : 5.2 (3) A
18 ③ 19 36 20 ③, ④ 21 ②, ⑤ 22 ② 23 45°
24 $2\sqrt{2}$ 25 8

01 $\overline{BC}$를 그으면 $\angle DCB=35^\circ$($\because$ $\widehat{BD}$에 대한 원주각)
$\widehat{AC}$에 대한 중심각의 크기가 80°이므로
$\angle ABC=\frac{1}{2}\times80^\circ=40^\circ$
$\therefore \angle APC=\angle DCB+\angle ABC=35^\circ+40^\circ=75^\circ$

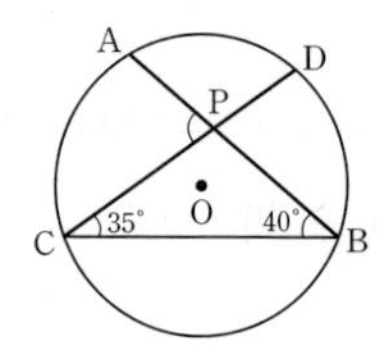

02 $\overline{OE}$를 그으면
$\angle AOE=46^\circ$($\because$ $\widehat{AE}$에 대한 중심각)
$\angle BOE=80^\circ$($\because$ $\widehat{BE}$에 대한 중심각)
$\therefore \angle AOB=\angle AOE+\angle BOE$
$=46^\circ+80^\circ=126^\circ$

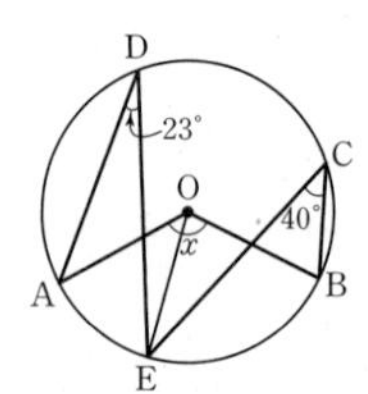

03 $\overline{AB}$가 지름이므로 $\angle ACB=90^\circ$이고
$\triangle ACB$에서
$\angle ABC=180^\circ-(41^\circ+90^\circ)=49^\circ$
$\therefore \angle ADC=\angle ABC=49^\circ$($\because$ $\widehat{AC}$에 대한 원주각)

04 점 O와 $\overline{AB}$에 대하여 대칭인 원 위의 점을 D라 하고 $\overline{OD}$와 $\overline{AB}$의 교점을 M이라 하면 $\overline{OM}=\overline{DM}$, $\angle AMO=90^\circ$, $\overline{AM}$은 공통이므로 $\triangle AOM\equiv\triangle ADM$(SAS 합동)
$\overline{AO}=\overline{AD}=\overline{OD}$이므로 $\triangle AOD$는 정삼각형
마찬가지로 $\triangle BOD$도 정삼각형
따라서 $\angle AOB=120^\circ$이고 $\widehat{AB}$에 대한 원주각 $\angle APB=60^\circ$이다.

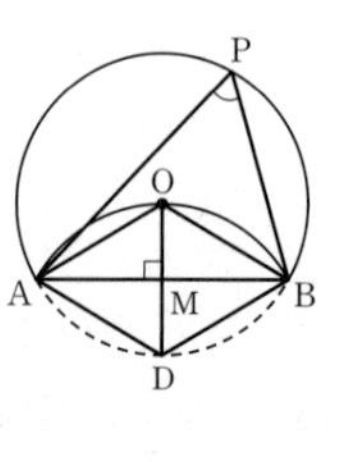

05 한 원에서 호의 길이와 원주각의 크기는 비례하므로
$\widehat{AB}:\widehat{BC}=1:2$이고, $\angle APB:\angle BPC=1:2$이다.
$\angle APB=22^\circ$이므로 $\angle BPC=44^\circ$

06 $\angle BAD=180^\circ-(30^\circ+58^\circ)=92^\circ$
□ABCD는 원에 내접하므로
$\angle DCE=\angle BAD=92^\circ$

07 □FBDG가 원에 내접하므로
$\angle GDC=\angle BFG=83^\circ$
따라서 □GDCE가 원에 내접하므로
$\angle GEC=180^\circ-83^\circ=97^\circ$

08 $\overline{CE}$를 그으면 □ABCE는 원 O에 내접하므로
$\angle AEC=180^\circ-116^\circ=64^\circ$
또, $\angle CED=\frac{1}{2}\angle COD=\frac{1}{2}\times72^\circ=36^\circ$
$\therefore \angle x=\angle AEC+\angle CED$
$=64^\circ+36^\circ$
$=100^\circ$

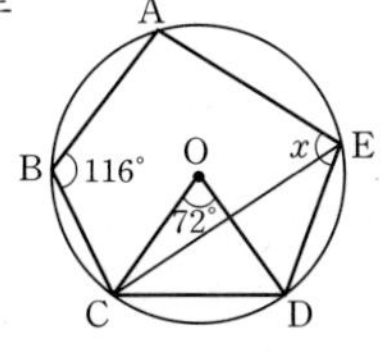

09 ① $\angle ABC+\angle ADC=190^\circ\neq180^\circ$
②, ③, ④ $\angle BAD+\angle BCD=180^\circ$
⑤ $\angle BAD+\angle BCD=220^\circ\neq180^\circ$

10 원에 내접하기 위한 조건은
$\angle A+\angle DCB=180^\circ$이므로 $\angle DCB=180^\circ-76^\circ=104^\circ$이거나
$\angle A=\angle DCE=76^\circ$이다.

11 $\overline{PA}=\overline{PB}$이므로 $\angle PAB=\frac{1}{2}\times(180^\circ-54^\circ)=63^\circ$
따라서 반직선 PA가 접선이므로 $\angle x=\angle PAB=63^\circ$

12 □ABDC가 큰 원에 내접하므로
$\angle PAB=\angle CDB=60^\circ$
따라서 $\overleftrightarrow{PT}$가 작은 원의 접선이므로
$\angle BPT=\angle PAB=60^\circ$

13 ① (평균)$=\frac{7+5+9+9+10+8}{6}=\frac{48}{6}=8$
② 자료를 작은 값부터 크기순으로 나열하면 5, 7, 8, 9, 9, 10이므로
중앙값은 $\frac{8+9}{2}=8.5$
⑤ (분산)$=\frac{(-1)^2+(-3)^2+1^2+1^2+2^2+0^2}{6}=\frac{16}{6}=\frac{8}{3}$

14 a, b, c, d, e의 평균이 7이므로 $\frac{a+b+c+d+e}{5}=7$
$\therefore a+b+c+d+e=35$
따라서 $\frac{a-1}{2}$, $\frac{b-1}{2}$, $\frac{c-1}{2}$, $\frac{d-1}{2}$, $\frac{e-1}{2}$의 평균은
$\frac{1}{5}\times\left(\frac{a-1}{2}+\frac{b-1}{2}+\frac{c-1}{2}+\frac{d-1}{2}+\frac{e-1}{2}\right)$
$=\frac{1}{5}\times\left(\frac{a+b+c+d+e-5}{2}\right)$
$=\frac{35-5}{10}=\frac{30}{10}=3$

15 (평균)$=\frac{1+x+4+(8-x)+7}{5}=\frac{20}{5}=4$
분산이 4이므로 $\frac{(-3)^2+(x-4)^2+0^2+(4-x)^2+3^2}{5}=4$
$x^2-8x+15=0$, $(x-3)(x-5)=0$
$\therefore x=3$ 또는 $x=5$

16 ③ A와 C의 점수 차는 5점이다.
④ 성적이 가장 낮은 학생은 B이다.
⑤ $\frac{3^2+(-7)^2+(-2)^2+0^2+6^2}{5}=\frac{98}{5}=19.6$

17 (1) (A의 평균)$=\frac{6+8+8+10+8}{5}=\frac{40}{5}=8$(점)
(B의 평균)$=\frac{4+7+9+10+10}{5}=\frac{40}{5}=8$(점)
(2) (A의 분산)$=\frac{(-2)^2+0^2+0^2+2^2+0^2}{5}=\frac{8}{5}=1.6$
(B의 분산)$=\frac{(-4)^2+(-1)^2+1^2+2^2+2^2}{5}=\frac{26}{5}=5.2$
(3) 분산이 작은 A의 점수가 더 고르다.

18 5월과 6월의 안타 개수의 평균이 14개 이상인 선수는 직선 m의 위 또는 위쪽에 있는 점의 개수와 같으므로 6명이다.

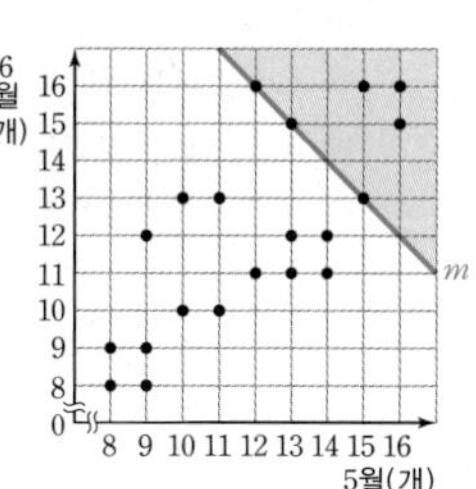

19 5월과 6월의 안타 개수의 차가 가장 큰 선수의 6월의 안타 개수를 (5월의 안타 개수, 6월의 안타 개수)로 나타내면
$(12, 16)$이므로 $a=16$
5월과 6월의 안타 개수의 변화가 없는 선수는 4명이므로
$\frac{4}{20}\times100=20(\%)$ $\therefore b=20$
$\therefore a+b=36$

20 ① 수면 시간이 6시간 미만인 학생 수는 4명이다.
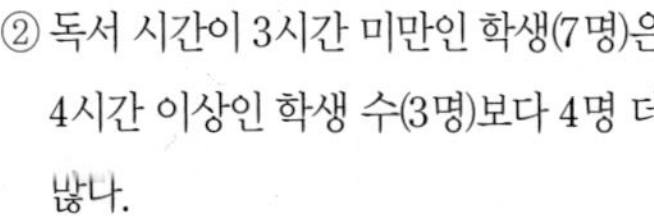
② 독서 시간이 3시간 미만인 학생(7명)은 4시간 이상인 학생 수(3명)보다 4명 더 많다.
⑤ 독서 시간이 2시간인 학생들의 평균 수면 시간은 7시간이다.

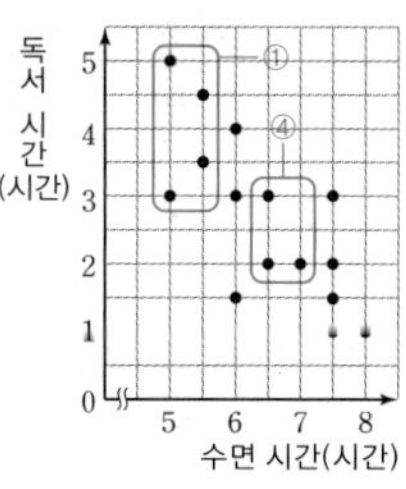

21 ①, ③, ④ 양의 상관관계
②, ⑤ 음의 상관관계

22 ① 학생 A, B, C, D 중 수학 성적이 가장 좋은 학생은 A이다.
④ D는 수학 성적보다 과학 성적이 더 높다.
⑤ 과학 성적과 수학 성적은 양의 상관관계가 있다.

23 $\overline{AO}$를 그으면 $\angle PAO=90^\circ$
△AOB에서 $\angle OAB=\angle B=30^\circ$
$\angle PAB=\angle PAO+\angle OAB$
$=90^\circ+30^\circ=120^\circ$ …… ❶
△PAO에서 $\angle PAO=90^\circ$,
$\angle AOP=60^\circ$이므로 $\angle APO=30^\circ$
$\angle APQ=\frac{1}{2}\angle APO=15^\circ$ …… ❷
$\therefore \angle x=180^\circ-(120^\circ+15^\circ)=45^\circ$ …… ❸

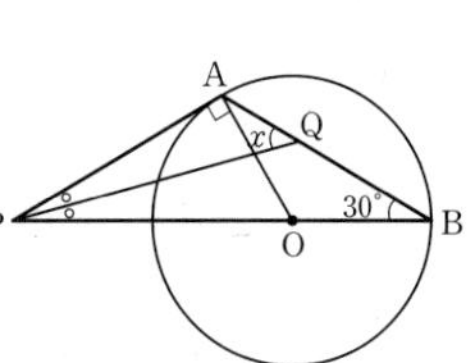

채점 기준	배점
❶ ∠PAB의 크기 구하기	3점
❷ ∠APQ의 크기 구하기	3점
❸ ∠x의 크기 구하기	2점

24 $\overleftrightarrow{BT}$는 원 O의 접선이므로

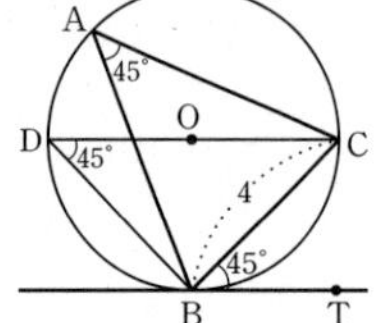

∠A=∠CBT=45°이고 …… ❶

$\overline{CO}$의 연장선이 원과 만나는 점을 D라 하면

∠BDC는 $\overset{\frown}{BC}$에 대한 원주각이므로

∠BDC=45° …… ❷

$\overline{DC}=\dfrac{4}{\sin 45^\circ}=4\sqrt{2}$

∴ (원 O의 반지름의 길이)$=2\sqrt{2}$ …… ❸

채점 기준	배점
❶ ∠A의 크기 구하기	2점
❷ $\overset{\frown}{BC}$에 대한 원주각 ∠BDC의 크기 찾기	3점
❸ 원 O의 반지름의 길이 구하기	3점

25 ㄱ에서 1, a, 6, 8, b의 중앙값이 5이므로 $a<5$, $b=5$이어야 한다. …… ❶

ㄴ에서 a, 5, 2, 9의 중앙값이 4이므로 작은 값부터 크기순으로 나열하면 2, a, 5, 9이어야 한다.

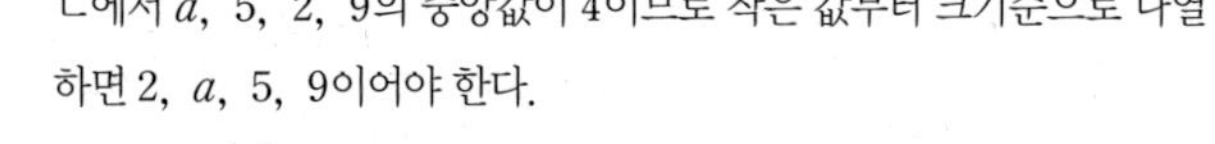

따라서 $\dfrac{a+5}{2}=4$이므로 $a+5=8$에서 $a=3$ …… ❷

∴ $a+b=3+5=8$ …… ❸

채점 기준	배점
❶ a의 조건과 b의 값 구하기	3점
❷ a의 값 구하기	3점
❸ $a+b$의 값 구하기	1점

기말고사 대비 실전 모의고사

4회 84쪽~87쪽

01 ∠x=35°, ∠y=38° 02 20° 03 $18\pi-18\sqrt{3}$
04 ① 05 ④ 06 ④ 07 ③ 08 ② 09 ⑤
10 ②, ③ 11 30° 12 $\dfrac{\sqrt{7}}{4}$ 13 ④ 14 ② 15 40
16 ⑤ 17 ④, ⑤ 18 ④ 19 170 20 37.5점 21 ③
22 ④ 23 96° 24 62° 25 49

01 ∠x=∠ACB=35°(∵ $\overset{\frown}{AB}$에 대한 원주각)
∠y=∠CAD=38°(∵ $\overset{\frown}{CD}$에 대한 원주각)

02 $\overline{BP}$를 그으면

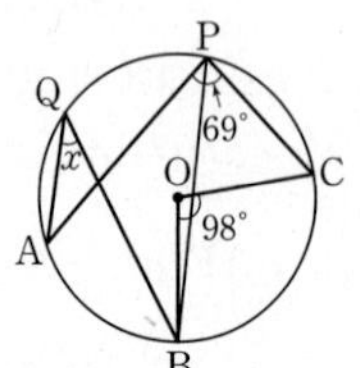

∠BPC$=\dfrac{1}{2}$∠BOC=49°

∴ ∠x=∠APB=69°−49°=20°

03 $\overline{AB}$가 지름이므로 ∠ACB=90°

∴ $\overline{AC}=12\sin 30^\circ=6$, $\overline{BC}=12\cos 30^\circ=6\sqrt{3}$

∴ (색칠한 부분의 넓이)$=\dfrac{1}{2}\times\pi\times6^2-\dfrac{1}{2}\times6\times6\sqrt{3}=18\pi-18\sqrt{3}$

04 호의 길이는 원주각의 크기와 정비례하므로

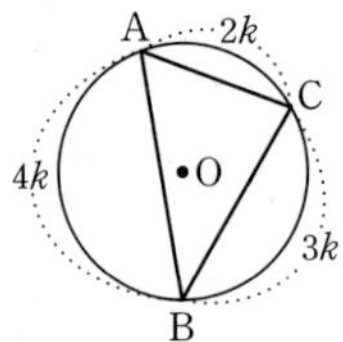

$\overset{\frown}{AB}:\overset{\frown}{BC}:\overset{\frown}{CA}$
=∠ACB : ∠BAC : ∠ABC
=4 : 3 : 2

∴ ∠ABC$=180^\circ\times\dfrac{2}{9}=40^\circ$

05 ∠BOD=148°이므로 ∠C$=\dfrac{1}{2}\times148^\circ=74^\circ$

∠A+∠C=180°이므로 ∠A=180°−74°=106°

06 △QBC에서 ∠DCP=∠x+22°

△DCP에서 ∠ADC=(∠x+22°)+34°=∠x+56°

□ABCD는 원에 내접하므로 ∠ABC+∠ADC=180°

∠x+(∠x+56°)=180°, 2∠x=124° ∴ ∠x=62°

07 □ABCD가 원에 내접하므로

∠DCE=∠BAD=79°

∠CAD=79°−48°=31°

$\overline{AC}$는 원 O의 지름이므로 ∠ADC=90°

∴ ∠x=90°−31°=59°

08 □ABCD가 원에 내접하므로

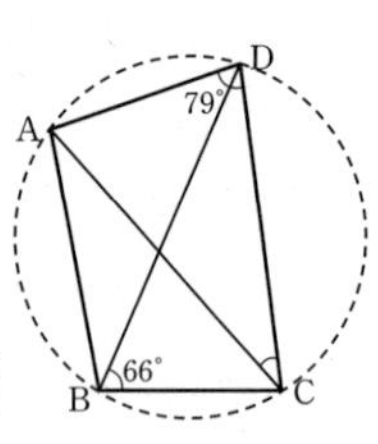

∠B+∠D=180°, ∠B=180°−79°=101°

∠ABD=101°−66°=35°

∴ ∠ACD=∠ABD=35°

(∵ $\overset{\frown}{AD}$에 대한 원주각)

09 ∠BFE=∠DEF+∠BDE
=∠DEF+90°

∴ ∠ABD+∠AEC+∠BFE
=∠ABD+∠AEC+∠DEF+90°
=∠ABD+∠AED+90°
=180°+90°=270°

10 □ACQP와 □PQDB가 두 원 O, O′에 각각 내접하므로

∠BDQ=∠APQ=∠QCE, ∠PQC=∠PBD=80°

또, ∠ACQ+∠APQ=∠ACQ+∠BDQ=180°이므로

$\overline{AC}$ // $\overline{BD}$이다.

따라서 옳지 않은 것은 ②, ③이다.

11 $\overleftrightarrow{TT'}$이 원의 접선이므로 ∠BAT=∠BTT′=60°

△ABT에서 ∠ABT=180°−(90°+60°)=30°

∴ ∠ACT=∠ABT=30°(∵ $\overset{\frown}{AT}$에 대한 원주각)

12 $\overline{BD}$가 원 O의 지름이므로 $\overline{BD}=8$, ∠BCD=90°

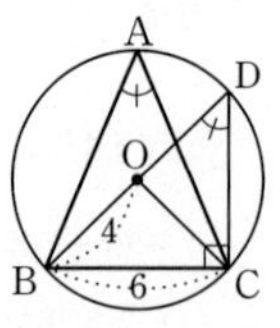

△DBC에서 $\overline{CD}=\sqrt{8^2-6^2}=2\sqrt{7}$

따라서 ∠A=∠D(∵ $\overset{\frown}{BC}$에 대한 원주각)이므로

$\cos A=\cos D=\dfrac{\overline{CD}}{\overline{BD}}=\dfrac{2\sqrt{7}}{8}=\dfrac{\sqrt{7}}{4}$

13 전학 간 선수의 키를 $x$cm라 하면

$184.2\times13-x=184\times12$

$\therefore\ x=186.6$

14 $4+(-6)+x+3+1=0\qquad\therefore x=-2$

따라서 학생 C의 턱걸이 횟수는 $11-2=9$(회)

15 $\dfrac{a+b+c+d}{4}=6,\ a+b+c+d=24\ \cdots$ ㉠

$\dfrac{(a-6)^2+(b-6)^2+(c-6)^2+(d-6)^2}{4}=4$

$(a^2+b^2+c^2+d^2)-12(a+b+c+d)+144=16\ \cdots$ ㉡

㉡에 ㉠을 대입하면

$(a^2+b^2+c^2+d^2)-12\times24+144=16,\ a^2+b^2+c^2+d^2=160$

따라서 네 수 a^2, b^2, c^2, d^2의 평균은 $\dfrac{160}{4}=40$

16 (평균)$=\dfrac{(4-a)+4+(4+a)}{3}=\dfrac{12}{3}=4$

(분산)$=\dfrac{(-a)^2+0^2+a^2}{3}=(\sqrt{6})^2,\ 2a^2=18$

$\therefore a=3(\because a>0)$

17 ① 산포도가 가장 큰 반은 4반이다.

② 1반에 90점 이상인 학생이 있는지 없는지 알 수 없다.

③ 영어 성적이 가장 높은 학생이 어느 반에 있는지 알 수 없다.

18 주어진 조건을 만족하는 학생 수는 색칠한 부분(경계선 제외)의 점의 개수와 같으므로 3명이다.

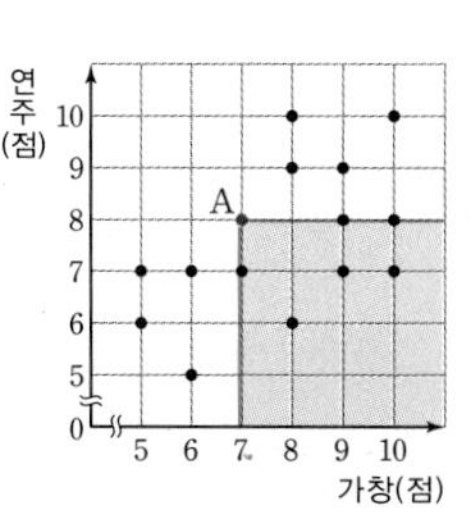

19 가창 점수와 연주 점수가 같은 학생은 3명이므로

$\dfrac{3}{15}\times100=20(\%)\qquad\therefore a=20$

가창 점수와 연주 점수의 차가 가장 큰 학생의 좌표를 (가창, 연주)로 나타냈을 때 $(10,\ 7)$이므로 두 점수 평균은 $\dfrac{10+7}{2}=8.5$(점)

$\therefore b=8.5$

따라서 $ab=170$

20 두 과목의 성적의 평균이 60점 미만인 학생 수는 직선 l보다 아래쪽에 있는 점의 개수와 같으므로 8명이고 국어 성적은 각각 10점, 20점, 30점, 30점, 40점, 50점, 60점, 60점 이므로 (평균)$=\dfrac{300}{8}=37.5$(점)이다.

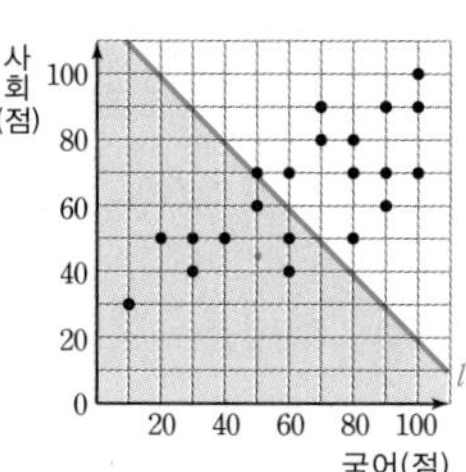

22 ① 학생 B는 D보다 잠을 적게 잔다.

② 학생 A는 수면 시간은 짧은 편이고 스마트폰 이용 시간은 긴 편이다.

③ 학생 E는 C보다 스마트폰 이용 시간이 더 짧다.

23 $\overline{OC}$를 그으면 $\overset{\frown}{AC}:\overset{\frown}{CB}=3:2$이므로

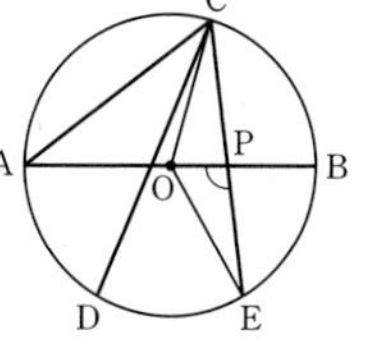

$\angle COB=180^\circ\times\dfrac{2}{3+2}=72^\circ$

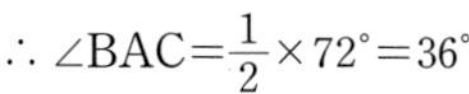

$\therefore\ \angle BAC=\dfrac{1}{2}\times72^\circ=36^\circ$ …… ❶

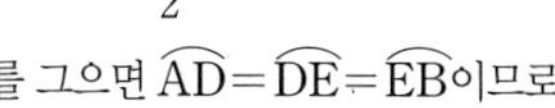

$\overline{OE}$를 그으면 $\overset{\frown}{AD}=\overset{\frown}{DE}=\overset{\frown}{EB}$이므로

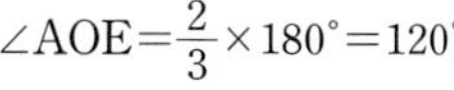

$\angle AOE=\dfrac{2}{3}\times180^\circ=120^\circ$

$\therefore\ \angle ACE=\dfrac{1}{2}\times120^\circ=60^\circ$ …… ❷

$\triangle CAP$에서 $\angle APE=\angle PAC+\angle ACP=36^\circ+60^\circ=96^\circ$

…… ❸

채점 기준	배점
❶ $\angle BAC$의 크기 구하기	3점
❷ $\angle ACE$의 크기 구하기	3점
❸ $\angle APE$의 크기 구하기	2점

24 점 A와 B를 선분으로 연결하면 … ❶

□ABFE는 원 O′에 내접하는 사각형이므로 $\angle BAD=\angle BFE=62^\circ$

…… ❷

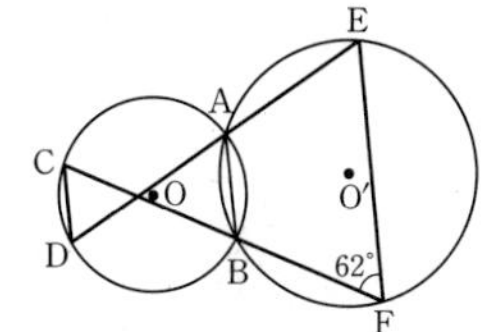

$\overset{\frown}{BD}$에 대하여 $\angle BAD=\angle BCD$이므로

$\angle BCD=\angle BAD=62^\circ$ …… ❸

채점 기준	배점
❶ 점 A와 B를 선분으로 연결하기	1점
❷ $\angle BAD$의 크기 구하기	3점
❸ $\angle BCD$의 크기 구하기	3점

25 $a=\dfrac{32+40+42+46+52+54+54+57+60+63}{10}=\dfrac{500}{10}=50$

자료의 개수가 10개이므로 중앙값은 5번째와 6번째 변량의 평균이므로

$b=\dfrac{52+54}{2}=53$

최빈값은 두 번 나타난 변량인 54이므로 $c=54$ …… ❶

$\therefore\ a+b-c=50+53-54=49$ …… ❷

채점 기준	배점
❶ a, b, c의 값 각각 구하기	각 2점
❷ $a+b-c$의 값 구하기	2점

기말고사 대비 실전 모의고사

5 회

88쪽~91쪽

01 ④ 02 ⑤ 03 ④ 04 ⑤ 05 4 06 ②

07 ① 08 ④ 09 ③ 10 ⑤ 11 ① 12 ③

13 ④ 14 ③ 15 34

16 세희 : 2, 지웅 : 1.2, 지웅이가 더 고르다. 17 18 18 ①

19 ② 20 ① 21 ⑤ 22 ④ 23 6 24 68°

25 $\sqrt{7.6}$

01 $\angle x$를 원주각으로 하는 호의 중심각의 크기는
$360^\circ - 140^\circ = 220^\circ$
따라서 $\angle x = 220^\circ \times \frac{1}{2} = 110^\circ$

02 $\triangle$OBC는 이등변삼각형이므로
$\angle OBC = \angle OCB = 35^\circ$
따라서 $\angle BOC = 180^\circ - (35^\circ + 35^\circ) = 110^\circ$이고 $\angle BAC$는 $\overset{\frown}{BC}$의
원주각이므로 $\angle BAC = 110^\circ \times \frac{1}{2} = 55^\circ$

03 $\triangle$ACP에서 $\angle BCA = 32^\circ + \angle x$
$\angle CBD = \angle DAC = \angle x$($\because$ $\overset{\frown}{CD}$에 대한 원주각)이므로
$\triangle$BCQ에서 $32^\circ + \angle x + \angle x = 74^\circ$
$\therefore \angle x = 21^\circ$

04 $\overline{BC}$를 그으면 $\overline{AB}$가 반원 O의 지름이므로
$\angle ACB = 90^\circ$
$\triangle$PCB에서 $\angle CBD = 90^\circ - 68^\circ = 22^\circ$
$\therefore \angle x = 2\angle CBD = 2 \times 22^\circ = 44^\circ$

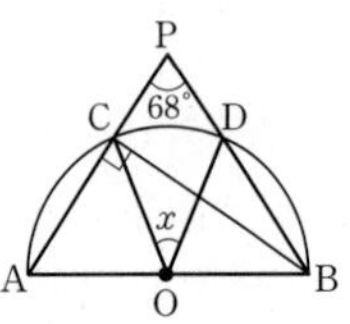

05 $\overline{BC}$를 그으면
$\overline{AB} /\!/ \overline{CD}$이므로 $\angle ABC = \angle BCD$(엇각)
따라서 $\overset{\frown}{AC} = \overset{\frown}{BD}$이므로 $\overset{\frown}{BD} = 4$

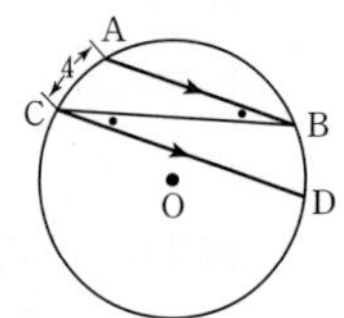

06 $2\overset{\frown}{BC} = \overset{\frown}{CD}$이므로 $\angle CAD = 50^\circ$
$\overline{CO}$를 그으면
$\angle BOD = \angle BOC + \angle COD$
$= (50^\circ + 25^\circ) \times 2$
$= 150^\circ$
$\therefore \angle AFO = 150^\circ - 50^\circ = 100^\circ$

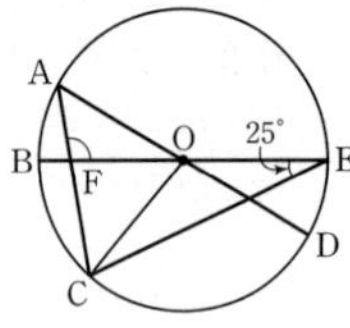

07 $\triangle$ACD에서 $\angle ADC = 180^\circ - 37^\circ - 33^\circ = 110^\circ$
□ABCD는 원에 내접하므로
$\angle ABE = \angle ADC = 110^\circ$

08 $\overline{OC}$를 그으면
$\triangle$OBC와 $\triangle$OCD는 이등변삼각형이므로
$\angle OCB = \angle x$, $\angle OCD = \angle y$
$\therefore \angle x + \angle y = \angle BCD = 180^\circ - 78^\circ = 102^\circ$

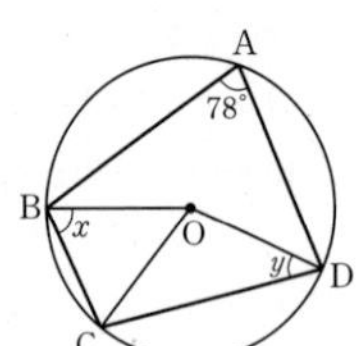

09 □ABCD에서 $\angle BAD = 74^\circ$
점 B와 D를 선분으로 연결하면
$\triangle$ABD가 이등변삼각형이므로
$\angle ADB = \frac{1}{2} \times (180^\circ - 74^\circ) = 53^\circ$
□AEBD는 원에 내접하는 사각형이므로
$\angle AEB = 180^\circ - 53^\circ = 127^\circ$

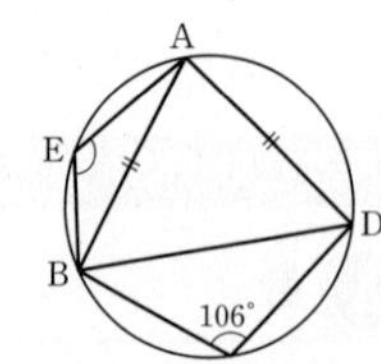

10 $\overleftrightarrow{TT'}$은 두 원의 공통인 접선이므로
$\angle ABT = \angle ATT' = \angle CDT = 55^\circ$
즉 $\angle x = \angle y = 55^\circ$
$\therefore 2\angle x + \angle y = 165^\circ$

11 $\overline{AC}$를 그으면 $\overline{BC}$가 원 O의 지름이므로
$\angle CAB = 90^\circ$
$\triangle$ABC에서
$\angle BCA = 180^\circ - (90^\circ + 40^\circ) = 50^\circ$
따라서 $\overleftrightarrow{AT}$가 원 O의 접선이므로
$\angle BAT = \angle BCA = 50^\circ$

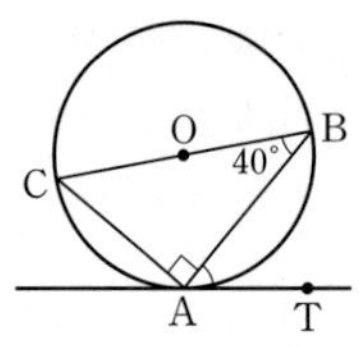

12 $\angle BAC = \angle CBE = 60^\circ$
$\angle ABC = \angle CAD = \angle y$
$\triangle$ABC에서 $\angle x + \angle y = 180^\circ - 60^\circ = 120^\circ$

13 16번째 학생의 키를 x cm라 하면
$\frac{157.2 + x}{2} = 158 \quad \therefore x = 158.8$
따라서 키가 159 cm인 학생이 전학을 왔을 때, 학생 31명의 키를 작은 값부터 크기순으로 나열하면 16번째의 값이 158.8 cm이므로 중앙값은 158.8 cm이다.

14 ㄴ. 평균보다 작은 변량의 편차는 음수이다.
ㄷ. 변량들이 고르게 있을수록 표준편차는 작아진다.

15 (평균)$= \frac{a+b+c+d}{4} = 5 \quad \therefore a+b+c+d = 20$

(분산)$= \frac{(a-5)^2 + (b-5)^2 + (c-5)^2 + (d-5)^2}{4}$

$= \frac{a^2+b^2+c^2+d^2 - 10(a+b+c+d) + 4 \times 25}{4}$

$= \frac{a^2+b^2+c^2+d^2}{4} - 25 = 3^2$

따라서 네 수 a^2, b^2, c^2, d^2의 평균은 $\frac{a^2+b^2+c^2+d^2}{4} = 34$

16 세희 : (평균)$= \frac{2+4+6+8+10}{10} = 3$(점)
(분산)$= \frac{8+2+0+2+8}{10} = 2$
지웅 : (평균)$= \frac{1+4+12+8+5}{10} = 3$(점)
(분산)$= \frac{4+2+0+2+4}{10} = 1.2$
따라서 지웅이의 분산이 더 작으므로 지웅이의 점수가 더 고르다.

17 $a=4$, $b=7$, $c=7$이므로 $a+b+c=18$

18 조건을 만족하는 학생 수는 (6, 7), (7, 8), (8, 9), (9, 7), (9, 8)의 5명이므로 조건을 만족하는 학생 수의 전체에 대한 비율은 $\frac{5}{15} = \frac{1}{3}$

19 읽은 책의 수의 합이 5번째로 많은 학생의 점의 좌표는 (8, 6)이므로 읽은 책의 수의 합이 5번째로 많은 학생이 읽은 인문학 관련 책의 수는 8권이다.

20 가장 강한 양의 상관관계를 나타낸 산점도는 ①이다.

21 ①, ②, ③, ④ 음의 상관관계
⑤ 양의 상관관계

22 ④ E는 C보다 소득에 대한 지출의 비율이 낮은 편이다.

23 $\overline{AD}$를 그으면
$\triangle APD$에서 $\angle ADP + \angle PAD = 60^\circ$이므로
$\widehat{AC} + \widehat{BD}$에 대한 중심각의 크기는 120°이다. …… ❶

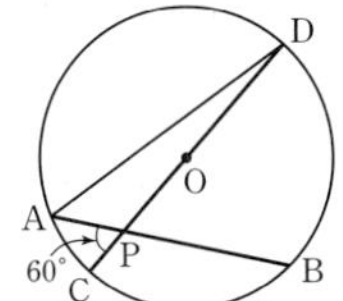

원주를 l이라 하면
$4\pi : l = 120^\circ : 360^\circ \quad \therefore l = 12\pi$ …… ❷
원 O의 반지름의 길이를 r이라고 하면
$2\pi r = 12\pi$에서 $r = 6$ …… ❸

채점 기준	배점
❶ $\widehat{AC}+\widehat{BD}$에 대한 중심각의 크기 구하기	3점
❷ 원 O의 원주 구하기	3점
❸ 원 O의 반지름의 길이 구하기	2점

24 점 A, B, C, D가 한 원 위에 있으므로
$\angle ADB = \angle ACB = 58^\circ$이고 $\triangle DEF$에서
$\angle DFE = 180^\circ - (96^\circ + 58^\circ) = 26^\circ$ …… ❶

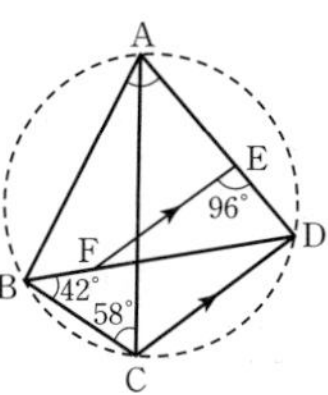

$\overline{EF} /\!/ \overline{CD}$이므로 $\angle BDC = \angle DFE = 26^\circ$이다.
또한 $\widehat{BC}$의 원주각으로 $\angle BAC = \angle BDC = 26^\circ$ …… ❷
$\therefore \angle BAD = \angle BAC + \angle CAD$
$= \angle BDC + \angle CBD$
$= 26^\circ + 42^\circ = 68^\circ$ …… ❸

채점 기준	배점
❶ $\angle DFE$의 크기 구하기	3점
❷ $\angle BAC$의 크기 구하기	2점
❸ $\angle BAD$의 크기 구하기	3점

25 편차의 총합은 항상 0이므로
$(-4) \times 3 + (-2) \times x + 0 \times 5 + 2 \times 4 + 4 \times 2 + 6 \times 1 = 0$,
$2x = 10 \quad \therefore x = 5$ …… ❶
$$(\text{분산}) = \frac{(-4)^2 \times 3 + (-2)^2 \times 5 + 0^2 \times 5 + 2^2 \times 4 + 4^2 \times 2 + 6^2 \times 1}{3+5+5+4+2+1}$$
$$= \frac{152}{20}$$
$= 7.6$ …… ❷
$\therefore (\text{표준편차}) = \sqrt{7.6}$ …… ❸

채점 기준	배점
❶ x의 값 구하기	3점
❷ 분산 구하기	3점
❸ 표준편차 구하기	1점

기말고사 대비 실전 모의고사

6 회

92쪽~95쪽

01 ①	02 $\angle x=62^\circ$, $\angle y=50^\circ$		03 ③	04 ②
05 ②	06 ⑤	07 ④	08 ①	09 ⑤	10 ②
11 ②	12 118°	13 ①	14 ③, ④	15 ⑤	16 $\sqrt{119}$분
17 ②	18 7	19 13	20 ②	21 ②	22 ⑤
23 90°	24 14°	25 92.5점			

01 $\angle CAD = \angle CBD = 56^\circ$이므로
$\triangle BCE$에서
$\angle x = 180^\circ - 66^\circ - 56^\circ = 58^\circ$

02 $\overline{AC}$는 지름이므로 $\angle ADC = 90^\circ$
$\triangle ACD$에서 $\angle x = 180^\circ - (28^\circ + 90^\circ) = 62^\circ$
$\angle y = \angle BAC = \angle BDC = 90^\circ - 40^\circ = 50^\circ$

03 점 O와 C를 선분으로 연결하면
$\triangle OCP$에서 $\angle OCP = 90^\circ$
$\angle POC = 180^\circ - (90^\circ + 38^\circ) = 52^\circ$
$\therefore \angle BOC = 180^\circ - 52^\circ = 128^\circ$
$\angle BOC$는 $\widehat{BC}$에 대한 중심각이므로
$\angle BAC = \frac{1}{2} \times 128^\circ = 64^\circ$

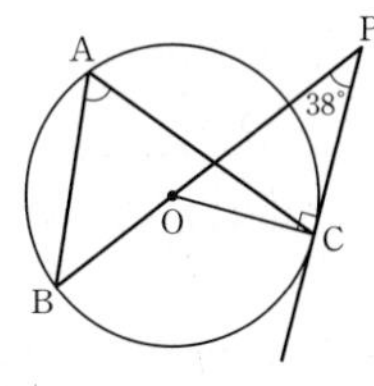

04 $\angle BOD = 2\angle BCD = 116^\circ$
$\triangle OAB$에서 $\angle OAB = \angle OBA$이므로
$\angle BOA = 180^\circ - 2 \times 60^\circ = 60^\circ$
$\angle AOD = 116^\circ - 60^\circ = 56^\circ$
$\therefore \angle x = \frac{1}{2} \times (180^\circ - 56^\circ) = 62^\circ$

05 $\widehat{CD}$에 대한 원주각의 크기는 $\frac{1}{2} \times 60^\circ = 30^\circ$
따라서 $8 : 12 = x : 30$이므로 $2 : 3 = x : 30$, $3x = 60$에서 $x = 20$

06 $\angle ADC = \frac{1}{2} \times 234^\circ = 117^\circ$
$\therefore \angle ABE = \angle ADC = 117^\circ$

07 $\triangle ABE$에서 $\angle FAD = \angle x + 35^\circ$
□ABCD가 원의 내접사각형이므로
$\angle ADF = \angle B = \angle x$
따라서 $\triangle ADF$에서
$(\angle x + 35^\circ) + \angle x + 36^\circ = 180^\circ$, $\angle x = 54.5^\circ$

08 □ABCD에서 $\angle ABC + \angle ADC = 180^\circ$이므로
$\angle ABC = 180^\circ - 106^\circ = 74^\circ$
$\triangle ABC$에서 $\angle ACB = \angle ABT = 76^\circ$
$\therefore \angle x = 180^\circ - 74^\circ - 76^\circ = 30^\circ$

09 $\triangle FCE$에서 $\angle FEC = 120^\circ - 18^\circ = 102^\circ$
$\angle ADC = \angle AEC = 102^\circ$($\because$ 원주각)
$\overline{AD} /\!/ \overline{BC}$이므로
$\angle ADC + \angle BCD = 180^\circ$, $102^\circ + \angle BCD = 180^\circ$
$\therefore \angle BCD = 78^\circ$

10 $\overline{BC}$를 그으면 □BCED가 원에 내접하므로
$\angle BCA = \angle ADE = 55^\circ$
$\overleftrightarrow{FG}$가 접선이므로 $\angle ABC = \angle GAE = 60^\circ$
따라서 $\triangle ACB$에서
$\angle DAE = 180^\circ - (55^\circ + 60^\circ) = 65^\circ$

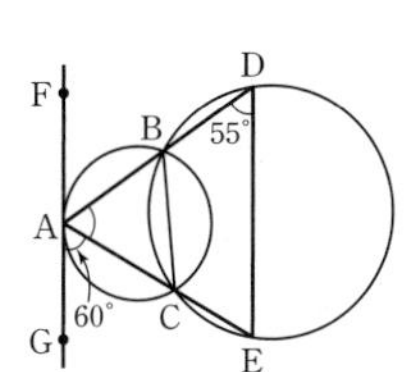

11 $\overleftrightarrow{AT}$는 원의 접선이므로 $\angle BAT = \angle BCA$이다.
$\triangle BAC$에서 $\angle BAC = \angle BCA$이므로

$\angle BAC = \frac{1}{2} \times (180° - 110°) = 35°$

12 점 B와 점 B′ 을 직선으로 연결하자.

$\triangle ABB'$ 에서 $\overline{AB} = \overline{AB'}$

($\because \triangle ABC \equiv \triangle AB'C'$)이므로

$\angle ABB' = \angle AB'B$

$\therefore \angle ABB' = \frac{1}{2} \times (180° - 56°) = 62°$

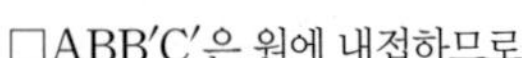

$\square ABB'C'$은 원에 내접하므로

$\angle AC'B' = 180° - \angle ABB' = 180° - 62° = 118°$

$\therefore \angle C = \angle C' = 118°$

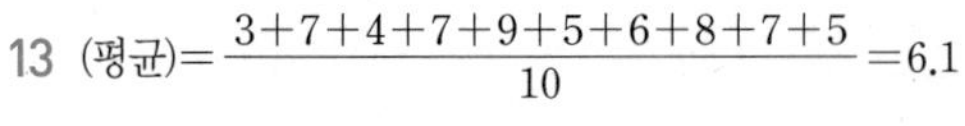

13 (평균)$= \frac{3+7+4+7+9+5+6+8+7+5}{10} = 6.1$

자료를 작은 값부터 크기순으로 나열하면 3, 4, 5, 5, 6, 7, 7, 7, 8, 9이므로 중앙값은 $\frac{6+7}{2} = 6.5$이다.

7이 3개로 가장 많이 나타나므로 최빈값은 7이다.

따라서 $a=6.1$, $b=6.5$, $c=7$이므로 $a<b<c$

14 ③ (편차)=(변량)−(평균)

④ 편차의 제곱의 평균은 분산이다.

15 시완이의 수학 점수를 x점이라 하면 지현이의 점수는 $(x-6)$ 점이다.

편차의 총합은 0이므로

$x+5+0+(-4)+(-2)+(-4)+(x-6)+(-5)=0$,

$2x-16=0$

$\therefore x=8$

(시완이의 수학 점수)$=80+8=88$(점)

16 (평균)$= \frac{5\times2+15\times5+25\times8+35\times3+45\times2}{20} = \frac{480}{20} = 24$(분)

(분산)$= \frac{(-19)^2\times2+(-9)^2\times5+1^2\times8+11^2\times3+21^2\times2}{20}$

$= \frac{2380}{20} = 119$

$\therefore$ (표준편차)$=\sqrt{119}$(분)

17 ①, ② 국어 성적의 표준편차가 (B반)<(A반)<(C반)이므로 B반의 성적이 가장 고르다.

③ 편차의 총합은 항상 0이다.

④ A반의 평균이 C반의 평균보다 높으므로 A반이 C반 보다 국어를 잘하는 편이다.

⑤ 국어 성적이 가장 우수한 학생은 어느 반의 학생인지 알 수 없다.

18 1차와 2차에서 같은 점수를 얻은 선수는 직선 l 위에 있는 점의 개수와 같으므로 4명이다.

즉 $\frac{4}{25} \times 100 = 16(\%)$이다.

$\therefore a=16$

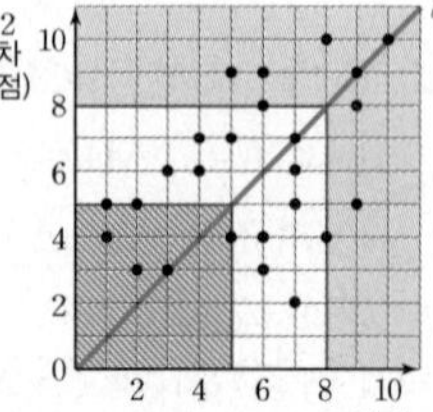

1차보다 2차에서 낮은 점수를 얻은 선수는 직선 l 보다 아래쪽에 있는 점의 개수와 같으므로 9명이다.

$\therefore b=9$ $\quad \therefore a-b=16-9=7$

19 두 차례 모두 5점 이하의 점수를 얻은 선수 수는 빗금친 부분(경계선 포함)의 점의 개수와 같으므로 6명이다. $\quad \therefore c=6$

적어도 한 차례의 점수가 8점 초과인 선수 수는 색칠한 부분(경계선 제외)의 점의 개수와 같으므로 7명이다. $\quad \therefore d=7$

$\therefore c+d=13$

20 ①, ③, ④, ⑤ 음의 상관관계

② 양의 상관관계

21 평균 예금액과 평균 이자액 사이는 양의 상관관계를 갖는다.

③, ⑤ 음의 상관관계

①, ④ 상관관계가 없다.

22 ⑤ 오른쪽 눈의 시력을 x, 왼쪽 눈의 시력 y라고 하면 직선 $y=x$의 아래쪽에서 가장 멀리 떨어져 있는 학생은 도윤이다.

23 한 원에서 호의 길이와 원주각의 크기는 비례하므로

$\widehat{AB} : \widehat{BC} : \widehat{CA} = \angle C : \angle A : \angle B = 5:3:4$이다.

$\angle B = 180° \times \frac{4}{12} = 60° \quad \therefore \angle x = 60°$ …… ❶

$\triangle AOC$에서 $\angle AOC = 2\angle x = 2\times60° = 120°$

$\angle y = \frac{1}{2} \times (180° - 120°) = 30° (\because \overline{OA} = \overline{OC})$ …… ❷

$\therefore \angle x + \angle y = 90°$ …… ❸

채점 기준	배점
❶ $\angle x$의 크기 구하기	3점
❷ $\angle y$의 크기 구하기	3점
❸ $\angle x + \angle y$의 크기 구하기	1점

24 $\angle x = \angle BDC = \frac{1}{2} \times 166° = 83° (\because$ 원주각$)$ …… ❶

$\square CDBA$는 원 O에 내접하는 사각형이므로

$\angle BAE = \angle CDB = 83°$

$\square ABFE$는 원 O′에 내접하는 사각형이므로

$\angle y = \angle BFE = 180° - 83° = 97°$ …… ❷

$\therefore \angle y - \angle x = 97° - 83° = 14°$ …… ❸

채점 기준	배점
❶ $\angle x$의 크기 구하기	3점
❷ $\angle y$의 크기 구하기	3점
❸ $\angle y - \angle x$의 크기 구하기	2점

25 (조건 1)을 만족하는 학생 수는 직선 l의 위쪽에 있는 점의 개수와 같으므로 (100, 100), (90, 100), (90, 90), (90, 70), (80, 80)의 5명이다. …… ❶

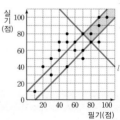

(조건 1), (조건 2)를 동시에 만족하는 학생 수는 색칠한 부분에 있는 점의 개수와 같으므로 (100, 100), (90, 100), (90, 90), (80, 80)의 4명이다. …… ❷

두 조건을 모두 만족하는 학생들의 실기 점수의 평균은

$\frac{100+100+90+80}{4} = 92.5$(점) …… ❸

채점 기준	배점
❶ (조건 1)을 만족하는 학생 수 구하기	3점
❷ 두 조건을 모두 만족하는 학생 수 구하기	3점
❸ 두 조건을 모두 만족하는 학생들의 실기 점수의 평균 구하기	2점

새로운 개정 교육과정 반영

기말고사
정답 및 해설

기말고사대비

절대공부감각 내신업

www.왕수학.com

실전에 강한 절대 공부 감각
절대
공감